Tiefe

Henning Mankell

1948 in Härjedalen, Schweden, geboren, lebt als Theater-
regisseur und Autor abwechselnd in Schweden und in Ma-
puto/Mosambik. Seine Kurt-Wallander-Romane machten
ihn weltberühmt. Er gewann zahlreiche Preise, unter anderem wurde er 2002 als *Autor des Jahres* ausgezeichnet.
Mehrere seiner Romane wurden verfilmt.

Henning Mankell

Tiefe

Roman

Aus dem Schwedischen
von Verena Reichel

Weltbild

Die schwedische Originalausgabe erschien 2004 unter dem Titel
Djup bei Leopard Förlag, Stockholm.

Besuchen Sie uns im Internet:
www.weltbild.de

Genehmigte Lizenzausgabe
für Verlagsgruppe Weltbild GmbH,
Steinerne Furt, 86167 Augsburg
Copyright der Originalausgabe © 2004 by Henning Mankell
Copyright der deutschen Ausgabe © 2005 by Paul Zsolnay Verlag Wien
Übersetzung: Verena Reichel
Umschlaggestaltung: grimm.design, Düsseldorf
Umschlagmotiv: getty images, München (© Tom Mackie)
Gesamtherstellung: Freiburger Graphische Betriebe
GmbH & Co. KG, Bebelstraße 11, 79108 Freiburg
Printed in Germany
ISBN 3-8289-7977-7

2009 2008 2007 2006
Die letzte Jahreszahl gibt die aktuelle Lizenzausgabe an.

Teil 1

DAS GEHEIME GESPÜR FÜRS LOT

1

Es hieß, die Schreie der Irren seien bei Windstille übers Meer zu hören.

Besonders im Herbst. Die Schreie gehörten zum Herbst.

Im Herbst beginnt auch diese Geschichte. Mit feuchtem Nebel, ein paar zögernden Wärmegraden und einer Frau, die plötzlich erkennt, daß sie der Freiheit nahe ist. Sie hat ein Loch in einem Zaun entdeckt.

Es ist Herbst 1937. Die Frau, Kristina Tacker, war viele Jahre in der großen Nervenklinik außerhalb von Säter eingesperrt. Gedanken an Zeit hatten für sie jeden Sinn verloren.

Lange betrachtet sie das Loch, als würde sie seine Bedeutung zunächst nicht verstehen. Der Zaun war stets wie eine Hülle, der sie nicht zu nahe kommen sollte. Er ist eine Grenze mit einer ganz bestimmten Bedeutung. Aber diese plötzliche Abweichung? Dieser Punkt, an dem der Zaun aufgebrochen ist? Zu dem, was eben noch verbotenes Terrain war, ist von unbekannter Hand ein Tor geöffnet worden. Es dauert lange, bis sie es begreift. Dann kriecht sie vorsichtig durch das Loch und befindet sich außerhalb des Zauns. Sie steht regungslos und horcht, den Kopf zwischen die angespannten Schultern gezogen, gewärtig, daß jemand kommt und sie packt.

Während der zweiundzwanzig Jahre, die sie in der Nervenheilanstalt eingesperrt war, hatte sie nie das Gefühl, von Menschen umgeben zu sein, sondern von Atemzügen. Die Atemzüge waren ihre unsichtbaren Wärter.

Hinter ihr liegen die schweren Körper der Häuser wie schlummernde Raubtiere, zum Sprung bereit. Sie wartet.

Die Zeit gibt es nicht mehr. Niemand kommt und zwingt sie zur Rückkehr.

Erst nach langem Zögern tut sie einen Schritt nach vorn, dann noch einen, und verschwindet zwischen den Bäumen.

Sie befindet sich in einem Nadelwald. Es riecht scharf, wie von brünstigen Pferden. Sie meint einen Pfad am Boden zu ahnen. Sie bewegt sich langsam, und erst als sie den schweren Atem der Nervenheilanstalt nicht mehr spürt, wagt sie es, sich umzudrehen.

Um sie herum gibt es nur Bäume. Daß der Pfad eine Einbildung war und jetzt verschwunden ist, kümmert sie nicht, da sie ohnehin kein Ziel hat. Sie ist wie ein Baugerüst um einen leeren Raum herum. Es gibt sie nicht. Innerhalb dieses Baugerüsts ist weder ein Haus noch ein Mensch entstanden.

Da draußen im Wald bewegt sie sich sehr schnell, als hätte sie trotz allem ein Ziel zwischen den Bäumen. Aber oft steht sie auch ganz still, als wäre sie im Begriff, sich selbst in einen Baum zu verwandeln.

Im Nadelwald existiert keine Zeit. Nur Holzstämme, vor allem Kiefern, hin und wieder Tannen. Und Sonnenstrahlen, die lautlos auf die feuchte Erde treffen.

Sie beginnt zu zittern. Ein Schmerz kommt unter der Haut angekrochen. Erst glaubt sie, es sei dieser entsetzliche Juckreiz, der sie mitunter überfällt, so daß den Pflegern nichts anderes übrigbleibt, als sie anzuschnallen, damit sie nicht ihre Haut zerkratzt. Dann erkennt sie, daß es etwas anderes ist, was sie zittern macht.

Sie erinnert sich, daß sie dereinst einen Mann hatte.

Woher der Gedanke kommt, weiß sie nicht. Aber sie erinnert sich ganz deutlich, daß sie verheiratet war. Er hieß Lars, daran erinnert sie sich. Er hatte eine Narbe über dem linken Auge und war dreiundzwanzig Zentimeter größer als sie. An mehr kann sie sich im Augenblick nicht erinnern. Alles andere hat sie verdrängt und in die Dunkelheit verwiesen, die sie in sich trägt.

Doch die Erinnerung kehrt zurück. Sie sieht sich verwirrt zwischen den Stämmen des Nadelwalds um. Warum fällt ihr hier ihr Mann ein? Er, der den Wald haßte und den es immer zum Meer zog? Er, der Kadett war und später Seevermesser und Marinekapitän mit geheimen militärischen Aufträgen?

Der Nebel weicht, er verflüchtigt sich lautlos.

Sie steht völlig regungslos da. Irgendwo flattert ein Vogel auf. Dann ist es wieder still.

Mein Mann, denkt Kristina Tacker. Einst hatte ich einen Mann, unsere Leben berührten sich, umschlossen uns. Warum erinnere ich mich jetzt an ihn, kaum daß ich ein Loch im Zaun gefunden und all die mich bewachenden Raubtiere hinter mir gelassen habe?

Sie sucht in ihrem Kopf und bei den Bäumen nach einer Antwort.

Da ist nichts. Da ist überhaupt nichts.

2

Spätabends finden die Wärter Kristina Tacker.

Es herrscht Frost, der Boden knirscht unter den Füßen. Sie steht regungslos in der Dunkelheit und starrt auf einen Baumstamm. Was sie sieht, ist keine Kiefer, sondern ein einsam gelegener Leuchtturm auf einer Klippe irgendwo weit draußen in den kargen und verlassenen Schären. Sie merkt kaum, daß sie mit den stummen Bäumen nicht mehr allein ist.

Kristina Tacker ist an diesem Tag im Herbst 1937 siebenundfünfzig Jahre alt. In ihrem Gesicht gibt es noch eine

Schicht erhaltener Schönheit. Es ist zwölf Jahre her, seit sie zuletzt ein Wort geäußert hat. In ihrem Krankenjournal wird Tag für Tag, Jahr für Jahr, ein einziger Satz wiederholt:

Die Patientin ist gleichbleibend unerreichbar.

In derselben Nacht: Es ist dunkel in ihrem Zimmer in der großen Klinik. Sie ist wach. Der Strahl eines Leuchtturms streicht vorbei, ein ums andere Mal, wie eine lautlose Uhr aus Licht in ihrem Kopf.

3

Dreiundzwanzig Jahre zuvor, auch da an einem Herbsttag, stand er, der ihr Mann war, und betrachtete das Panzerschiff Svea, das am Galärvarvskaj in Stockholm vertäut lag. Lars Tobiasson-Svartman war Marineoffizier, er betrachtete das Schiff mit wachsamen Augen. Hinter den verrußten Schornsteinen nahm er das Kastell und die Skeppsholmskyrka wahr. Das Licht war grau, er kniff die Augen zusammen.

Es war Mitte Oktober 1914, der große Krieg herrschte seit zwei Monaten und neunzehn Tagen. Lars Tobiasson-Svartman verließ sich nicht vorbehaltlos auf die neuen, eisenbeschlagenen Kriegsschiffe. Die älteren Schiffe aus Holz gaben ihm immer das Gefühl, einen warmen Raum zu betreten. Die neuen Schiffe mit ihrem Rumpf aus vernieteten Panzerblechen waren kalte, unberechenbare Räume. Insgeheim argwöhnte er, daß diese Schiffe sich nicht zähmen ließen. Hinter den mit Kohle beheizten Dampfmaschinen oder den neuen Motoren, die mit Öl betrieben wurden, walteten andere Kräfte, die sich nicht kontrollieren ließen.

Hin und wieder kam eine Bö von der Ostsee her.

Er stand an dem steilen Landungssteg, zögernd. Es verwirrte ihn. Woher kam die Unsicherheit? Sollte er seine Reise abbrechen, ehe sie überhaupt angefangen hatte? Er suchte nach einer Erklärung. Aber alle seine Gedanken waren fort, verschluckt von einer Nebelbank in seinem Innern.

Ein Matrose hastete den Landungssteg hinunter. Das brachte ihn wieder ins Jetzt zurück. Keine Kontrolle zu haben war eine Schwäche, von der niemand wissen durfte. Der Matrose nahm seinen Koffer, die Kartenrolle und das eigens angefertigte braune Futteral, in dem er sein kostbarstes Meßinstrument verwahrte. Er wunderte sich, daß der Matrose das sperrige Gepäck ganz allein trug.

Der Landungssteg schwankte unter seinen Füßen. Zwischen dem Schiffsrumpf und dem Kai war das Wasser zu sehen, dunkel, unerreichbar.

Er dachte an die Worte seiner Frau, als sie sich in der Wohnung in der Wallingata getrennt hatten.

»Jetzt beginnt etwas, wonach du dich schon lange gesehnt hast.«

Sie standen in der dunklen Diele. Sie wollte ihn zum Schiff begleiten, um Abschied zu nehmen. Aber gerade als sie den einen Handschuh anzog, begann sie zu zögern, genau wie er selbst es soeben am Landungssteg getan hatte.

Sie konnte nicht sagen, warum der Abschied plötzlich zu schwer geworden war. Das war nicht nötig. Sie wollte nicht weinen. Nach neun Ehejahren wußte er, daß es für sie schwieriger war, sich ihm weinend zu zeigen als nackt.

Sie nahmen rasch Abschied. Er versuchte ihr zu erklären, daß er nicht enttäuscht war.

Innerlich verspürte er Erleichterung.

Er blieb mitten auf dem Landungssteg stehen und fühlte, wie das Schiff sich fast unmerklich bewegte. Sie hatte recht. Er sehnte sich fort. Doch er war keineswegs sicher, wonach er sich eigentlich sehnte.

Gab es ein Geheimnis, das er selbst nicht kannte?

Er liebte seine Frau über alles. Jedesmal, wenn er eine Dienstreise antrat und sie zum Abschied küßte, sog er wie nebenbei den Duft ihrer Haut ein. Es war, als würde er diesen Duft lagern wie einen guten Wein oder vielleicht wie Opium, das er hervorholen konnte, wenn er sich so verlassen fühlte, daß er Gefahr lief, die Kontrolle über sich zu verlieren.

Noch immer benutzte seine Frau ihren Mädchennamen. Warum, das wußte er nicht, und er wollte auch nicht fragen.

Ein Schlepper ließ drüben am Kastellholm Dampf ab. Er fixierte eine Sturmmöwe, die unbeweglich im Aufwind über dem Schiff verharrte.

Er war ein einsamer Mensch. Seine Einsamkeit war wie ein Abgrund, und er fürchtete, daß er sich eines Tages hineinstürzen würde. Er hatte berechnet, daß der Abgrund mindestens vierzig Meter tief sein mußte und daß er sich mit dem Kopf voran hinunterwerfen mußte, um mit Sicherheit tot zu sein.

Er befand sich exakt in der Mitte des Landungsstegs. Mit Augenmaß hatte er die totale Länge auf sieben Meter geschätzt. Jetzt befand er sich also dreieinhalb Meter vom Kai entfernt und ebenso weit von der Reling des Schiffs.

Seine frühesten Erinnerungen handelten von Entfernungen. Zwischen ihm selbst und seiner Mutter, zwischen seiner Mutter und seinem Vater, zwischen Fußboden und Decke, zwischen Unruhe und Freude. Sein ganzes Leben handelte von Entfernungen, davon, sie zu messen, zu verkürzen und zu verlängern. Er war ein einsamer Mensch, der ständig nach neuen Entfernungen suchte, um sie zu bestimmen oder abzulesen.

Entfernungen zu messen glich einer Beschwörung, es war sein Instrument, um die Bewegungen von Zeit und Raum zu zügeln.

Die Einsamkeit war von Anbeginn, soweit er sich erinnern konnte, wie seine zweite Haut gewesen.

Kristina Tacker war nicht nur seine Frau. Sie war auch der unsichtbare Deckel, den er über den Abgrund legte.

4

Ein kaum merklicher Nieselregen zog an diesem Oktobertag 1914 über Stockholm hin. Von der Wallingata war sein Gepäck auf einer Karre über die Brücke zum Djurgården und Galärvarvskaj gezogen worden. Obwohl nur er und der Mann mit dem Karren dabei waren, hatte er das Gefühl gehabt, an einer Prozession teilzunehmen.

Die Koffer waren aus braunem Leder. In dem speziell angefertigten Futteral aus Kalbsleder lag sein kostbarster Besitz. Es war ein Lot für präzise Seevermessung.

Das Lot war aus Messing, hergestellt 1701 in Manchester von Maxwell & Swansons Marinetechnische Betriebe. Optische und navigationstechnische Instrumente wurden von geschickten Spezialisten angefertigt und in der ganzen Welt verkauft. Das Unternehmen war zu Ruhm und Ansehen gelangt, da Kapitän Cook ihre Sextanten favorisierte, auch noch auf seiner letzten Reise in den Pazifik. Man warb damit, daß sogar japanische und chinesische Seefahrer diese Produkte benutzten.

Wenn er nachts mit einer schwer faßbaren Unruhe aufwachte, stand er auf und holte das Lot hervor. Er nahm es mit ins Bett, preßte es an die Brust und schlief dann gewöhnlich wieder ein.

Das Lot atmete. Der Atem war weiß.

5

Das Panzerschiff Svea war auf der Lindholmen-Werft in Göteborg gebaut worden und im Dezember 1885 vom Stapel gelaufen. 1914 hatte man es aus dem aktiven Dienst zurückgezogen, da es bereits unmodern geworden war. Doch der

Beschluß war rückgängig gemacht worden, da die schwedische Marine nicht für den großen Krieg plante. Das Leben des Schiffs wurde im Augenblick der Schlacht verlängert. Als ob man ein Arbeitspferd im letzten Moment begnadigen und wieder auf die Straße schicken würde.

Lars Tobiasson-Svartman wiederholte im Kopf rasch die wichtigsten Schiffsmaße. Die Svea war 75 Meter lang und hatte eine äußerste Breite von gut 14 Metern. Die Bestückung mit schwerer Artillerie bestand aus zwei 25,4-Zentimeter-Kanonen M/85 mit großer Reichweite, produziert von Maxim-Nordenfelt, London. Die mittelschwere Artillerie umfaßte vier 15-Zentimeter-Kanonen, ebenfalls in London hergestellt. Hinzu kam die leichtere Artillerie sowie eine unbekannte Anzahl von Maschinengewehren.

Er ging weiter in Gedanken durch, was er über das Schiff wußte, das ihn erwartete. Die Besatzung bestand aus 250 Berufssoldaten und wehrpflichtigen Matrosen sowie dem Offizierskorps von 22 Mann.

Die Antriebskraft, die in dem Schiff vibrierte, kam von zwei liegenden Verbundmaschinen, die ihre Pferdestärken aus sechs Dampfkesseln bezogen. Die Geschwindigkeit war auf einer Probefahrt mit 14,68 Knoten gemessen worden.

Es gab ein weiteres Maß, das ihn interessierte. Der Abstand zwischen Kiel und Grund am Galärvarvskaj betrug gut zwei Meter.

Er drehte sich um und sah zum Kai hinüber, als hätte er gehofft, seine Frau wäre trotz allem gekommen. Aber da waren nur ein paar Jungen mit Angeln und ein betrunkener Mann, der in die Knie ging und dann langsam umfiel.

Die Böen von der Ostsee her wurden immer kräftiger. Sie waren hier oben auf dem Deck des Schiffs am Landungssteg stärker zu spüren.

6

Er wurde von einem Flaggsteuermann aus seinen Gedanken gerissen. Der Mann schlug die Hacken zusammen und stellte sich als Anders Höckert vor. Lars Tobiasson-Svartman salutierte, aber es bereitete ihm Unbehagen. Jedesmal, wenn er die Hand zum Mützenrand heben mußte, durchlief ihn ein Schauder. Als nähme er an einem lächerlichen Spiel teil, das er verabscheute.

Anders Höckert zeigte ihm seine Kabine, die gleich unter dem Niedergang an Backbord lag, mit direkter Verbindung zur Kommandobrücke und der Abschußzentrale der Kanonen.

Anders Höckert hatte ein Muttermal im Nacken, knapp über dem Kragen.

Lars Tobiasson-Svartman kniff die Augen zusammen und fixierte das Muttermal. Wie immer, wenn er am Körper eines Menschen Leberflecke entdeckte, versuchte er zu sehen, was sie darstellten. Sein Vater, Hugo Svartman, hatte eine Gruppe von Muttermalen am linken Oberarm gehabt. In seiner Phantasie war es ein Archipel aus namenlosen kleinen Inseln, Felsen und Schären. Die weißen Haare bildeten die Fahrrinnen, die sich begegneten und einander kreuzten. Wo auf dem linken Arm seines Vaters verlief die tiefste Fahrrinne? Wo wäre es am sichersten, ein Schiff entlangzusteuern?

Das geheime Gespür fürs Lot, für Maße und Entfernungen, das sein Leben prägte, hatte seinen Festpunkt in Bildern und Erinnerungen an die Muttermale des Vaters.

Lars Tobiasson-Svartman dachte bei sich: Ich suche immer noch nach unbekanntem Grund in mir, nach nicht vermessenen Tiefen, unerwarteten Hohlräumen. Auch in mir selbst muß ich ein sicheres Fahrwasser kartographieren und bezeichnen.

Anders Höckerts Muttermal glich einem Stier, kampfbe-
reit, die Hörner gesenkt.

Anders Höckert öffnete die Tür der Kabine. Lars Tobiasson-
Svartman hatte einen geheimen Auftrag und konnte daher
die Kabine nicht mit einem anderen Offizier teilen.
Das Gepäck, die Kartenrollen und das braune Futteral mit
dem Seevermessungsinstrument standen schon im Geräteraum. Anders Höckert salutierte und verließ die Kabine.

Lars Tobiasson-Svartman setzte sich in die Koje und ließ
sich von der Einsamkeit umfangen. Im Rumpf vibrierten die
Kessel, die nie ganz gelöscht waren, selbst wenn das Schiff
am Kai lag. Er sah durch das Bullauge hinaus. Der Himmel war plötzlich blau, der Regen war vorübergezogen. Das
machte ihn froh, oder vielleicht erleichterte es ihn. Der Regen beschwerte ihn wie fast unsichtbare kleine Gewichte,
die gegen seinen Körper schlugen.
Für einen kurzen Augenblick überfiel ihn die Sehnsucht,
das Schiff zu verlassen.
Er rührte sich nicht.
Langsam begann er, seine Koffer auszupacken. Jedes Klei-
dungsstück hatte seine Frau sorgfältig ausgewählt. Sie wußte, welche Sachen er am liebsten trug und bei sich haben
wollte. Sie hatte sie mit liebevollen Bewegungen zusammen-
gefaltet.
Trotzdem kam es ihm jetzt so vor, als hätte er keins der
Kleidungsstücke je gesehen oder in den Händen gehalten.

7

Das Panzerschiff Svea verließ den Galärvarvskaj am selben Abend um 18 Uhr 15. Um Mitternacht, als sie die äußeren Schären passiert hatten, wurde ein südsüdöstlicher Kurs

aufgenommen und die Geschwindigkeit auf 12 Knoten erhöht. Es blies ein stark böiger Nordwind, 8 bis 12 Meter pro
Sekunde.

Lars Tobiasson-Svartman umklammerte in dieser Nacht
sein Lot fest. Seine Gedanken kreisten um seine Frau und
ihre duftende Haut. Hin und wieder dachte er auch an den
Auftrag, der ihn erwartete.

8

Im Morgengrauen, nach einem unruhigen Schlaf mit unklaren und entgleitenden Träumen, verließ er die Kabine
und ging an Deck. Er stellte sich in Lee an eine Stelle, die von
der Kommandobrücke aus nicht zu überblicken war.

Eins seiner Geheimnisse verbarg sich in einer der Kartenrollen, die in seiner Kabine lagen. Dort verwahrte er die
Werftzeichnung der Svea. Das Schiff war vom Schiffsbau-
meister Göthe Wilhelm Svenson auf der Werft von Lind-
holmen konstruiert worden. Nach seiner Zeit als Ingenieur
beim Königlichen Marineingenieurskorps 1868 hatte er eine
erstaunliche Karriere als Schiffskonstrukteur gemacht. 1881,
im Alter von dreiundfünfzig Jahren, war er zum Präsidenten
des Marineingenieurskorps ernannt worden.

Am selben Tag, an dem Lars Tobiasson-Svartman vom
Marinestab den Bescheid bekam, daß die Svea für den
Transport zu seiner geheimen Kommandosache bestimmt
war, schrieb er an Ingenieur Svenson und bat um eine Ko-
pie der Konstruktionszeichnungen. Als Grund gab er ein
»eingefleischtes und möglicherweise ein wenig lächerliches
Sammlerinteresse an Zeichnungen von Kriegsschiffen« an.
Er war bereit, tausend Kronen für die Zeichnungen zu zahlen.

Drei Tage später kam eine persönliche Botschaft aus Göteborg. Der Mann, der die Zeichnungen ablieferte, hieß Tånge

und war Kontorist. Er trug offensichtlich seine Sonntags-
kleidung. Lars Tobiasson-Svartman nahm an, daß Ingenieur
Svenson ihn angewiesen hatte, sich in korrekter Kleidung
einzufinden.

Lars Tobiasson-Svartman hatte nicht daran gezweifelt,
daß die Zeichnungen verkäuflich seien. Tausend Kronen waren viel Geld, selbst für einen erfolgreichen Ingenieur wie
Göthe Wilhelm Svenson.

9

Er versuchte, sich den steigenden und sinkenden Bewegungen des Schiffs anzupassen. Er dachte an den Abend, an dem
er im Wohnzimmer in der Wallingata über die Zeichnungen
gebeugt saß. Da hatte eigentlich die Reise begonnen.

Es war Ende Juli, die Hitze drückend, alle warteten auf den
großen Krieg, der jetzt unausweichlich schien. Die Frage
war nur, wann die ersten Schüsse abgefeuert werden würden, und von wem, auf wen. Die Depeschenbüros der Zeitungen füllten ihre Schaufenster mit hitzigen Berichten.
Gerüchte kamen auf und wurden verbreitet, niemand wußte etwas Genaues, aber alle meinten, gerade sie hätten die
richtigen Schlußfolgerungen gezogen.

Über Europa flogen unsichtbare Telegramme zwischen
Kaiser, Generälen und Ministern hin und her. Die Telegramme waren wie ein verirrter, aber gefährlicher Vogel-
schwarm.

Auf dem Schreibtisch hatte ein Zeitungsausschnitt mit
der Photographie des deutschen Schlachtkreuzers Goeben
gelegen. Der Dreiundzwanzigtausend-Tonner war das schön-
ste, aber auch das furchterregendste Schiff, das er je gesehen
hatte.

Seine Frau kam ins Zimmer und berührte behutsam seine
Schulter. »Es ist schon spät. Was ist denn so wichtig?«

»Ich studiere das Schiff, auf dem ich reisen werde. Da es für mich Zeit wird, an einen unbekannten Ort zu gehen.«

Sie strich ihm immer noch über die Schulter. »Unbekannter Ort? Mir mußt du doch sagen können, wohin du fährst?«

»Nein. Nicht einmal dir.«

Die Finger tasteten über seine Schulter. Ihre Hand streifte den Stoff kaum. Trotzdem spürte er die Bewegung im tiefsten Innern.

»Was kannst du von all diesen Strichen und Zahlen ablesen? Ich kann nicht einmal erkennen, daß es ein Schiff ist.«

»Ich sehe gern das, was man nicht sehen kann.«

»Was ist das?«

»Die Idee. Das, was dahintersteckt. Der Wille vielleicht, der Ehrgeiz. Ich weiß es nicht sicher. Aber es gibt immer etwas dahinter, was man nicht sofort entdecken kann.«

Sie seufzte ungeduldig. Sie hatte aufgehört, mit den Fingern über seine Schultern zu streichen, und begann statt dessen, ungeduldig mit dem Zeigefinger gegen sein Schlüsselbein zu trommeln. Er versuchte zu deuten, ob sie ihm eine Mitteilung schickte.

Schließlich nahm sie die Hand weg. Er stellte sich vor, es sei ein Vogel, der aufflatterte.

Ich sage nicht die Wahrheit, dachte er. Ich vermeide es, zu sagen, wie es ist. Daß ich nach einem Punkt an Deck suche, wo man mich von der Kommandobrücke aus nicht sehen kann.

Was ich eigentlich suche, ist ein Versteck.

10

Er sah aufs Meer hinaus.

Fetzen von Nebelwolken, ein einsamer Keil von Seevögeln.

Erinnerungsbilder hervorzurufen erforderte Genauigkeit

und Geduld. Was war dann geschehen, an jenem Abend im Juli, kurz bevor die Kriegserklärungen ausgefertigt wurden? Was an den Tagen der drückenden Hitze, in denen Millionen von jungen Menschen in Europa rasch mobilisiert wurden?

Er hatte die Zeichnungen eine knappe Stunde lang studiert, dann hatte er den Punkt gefunden, nach dem er suchte. Er wußte, wo er sein Versteck einrichten konnte.

Er schob die Zeichnungen beiseite. Von der Straße her hörte er ein unruhiges Brauereipferd wiehern. In einem der inneren Zimmer der großen Wohnung stellte Kristina Porzellanfiguren um, die sie von ihrer Mutter bekommen hatte. Ein Klang wie von gedämpften Glocken. Obwohl sie seit neun Jahren verheiratet waren und selten ein Abend verging, an dem sie nicht in den Regalen umräumte, war noch keine Figur zu Boden gefallen und zerbrochen.

Aber danach? Was war dann geschehen? Er konnte sich nicht erinnern. Es war, als wäre in der Erinnungsflut ein Leck entstanden. Etwas war verronnen.

Der Juliabend war windstill gewesen, die Hitze drückend, die Temperatur hatte 27 Grad betragen. Vereinzelte Donnerschläge waren aus der Richtung von Lidingö zu hören gewesen, wo sich schwarze Wolken vom Meer her näherten.

Er dachte an die Wolken. Sie riefen in ihm eine Unsicherheit hervor: Ob er sich eine Wolkenformation leichter merken konnte als das Gesicht seiner Frau?

Er schüttelte die Gedanken ab und blinzelte ins Morgengrauen hinaus. Was sehe ich? dachte er. Dunkle Felseninseln an einem noch frühen schwedischen Herbstmorgen. Irgendwann in der Nacht hatte der wachhabende Offizier den Rudergänger angewiesen, den Kurs in eine südlichere Richtung zu verändern. Die Geschwindigkeit betrug sieben oder vielleicht acht Knoten.

Fünf Knoten bedeutet Frieden, dachte er. Sieben Knoten ist eine geeignete Geschwindigkeit, wenn man in einem geheimen und eiligen Auftrag ausgesandt wird. 27,8 Knoten bedeutet Krieg. Das ist die höchste Geschwindigkeit, die die Goeben erreicht, obwohl ihre Dampfmaschinen nach hartnäckigen Gerüchten an einem Konstruktionsfehler leiden, der zu einem schwerwiegenden Leck führt.

Ihm kam der Gedanke, daß man den Punkt vorhersagen kann, an dem ein Krieg begonnen, aber nie, wann er enden wird.

11

Von Steuerbord aus, wo er unter der Treppe versteckt stand, sah man die Landlinie im Licht der Morgendämmerung. Felsinseln und äußere Schären stiegen und sanken in der rauhen See.

Hier beginnt und endet ein Land, dachte Lars Tobiasson-Svartman. Doch die Grenzlinie ist gleitend, es gibt keinen exakten Punkt, an dem das Meer endet und das Land beginnt. Die Felseninseln sind über der Meeresoberfläche kaum sichtbar. In früheren Zeiten hatten die Seeleute diese Klippen und Felsbuckel für merkwürdige und entsetzliche Wasserungeheuer gehalten. So kann ich mir auch diese Klippen vorstellen, die langsam aus dem Meer steigen wie Tiere. Aber sie erschrecken mich nicht. Für mich sind diese Klippen, die zwischen den brechenden Wellen auftauchen, nichts anderes als nachdenkliche und völlig harmlose Flußpferde, von einer Art, die es nur in der Ostsee gibt.

Hier beginnt und endet ein Land, dachte er wieder. Ein Felsen, der bedächtig seinen Rücken streckt. Ein Felsen, der Schweden heißt.

Er ging vor zur Reling und schaute in das bleigraue Meer, das entlang der Wasserlinie des Zerstörers strudelte. Das Meer weicht nie zurück, dachte er. Das Meer verkauft nie seine Haut. Im Winter ist es wie gefrorene Haut. Der Herbst ist Stille, Erwartung. Plötzliche Ausbrüche heulender Winde. Der Sommer ist nichts anderes als ein flüchtiges Aufblinken im spiegelglatten Wasser.

Das Meer, die Landhebung, all das Unbegreifliche, ist wie die langsame Bewegung von der Kindheit bis zum Alter und zum Tod. In allen Menschen findet eine Landhebung statt. Aus dem Meer kommen all unsere Erinnerungen.

Das Meer ist ein Traum, der nie seine Haut verkauft.

Er lächelte. Meine Frau will es mir nicht zeigen, wenn sie weint. Vielleicht will ich ihr aus denselben Gründen, welche es nun auch sein mögen, nicht zeigen, wer ich bin, allein mit dem Meer.

Er kehrte zu seinem Platz in Lee zurück. Am Heck leerte ein verfrorener Matrose einen Eimer mit Essensresten ins Wasser. Möwen folgten dem Kielwasser des Schiffs wie eine wachsame Nachhut. Das Deck war wieder leer. Er betrachtete weiterhin die Felseninseln. Das Morgenlicht wurde stärker.

Die Felsen und Inseln sind nicht nur Tiere, dachte er. Sie sind auch Steine, die sich vom Meer loslösen. Es gibt keine Freiheit ohne Anstrengung. Aber diese Steine sind auch Zeit. Steine, die sich langsam aus dem Meer erheben, das niemals zurückweicht.

Er nahm eine Berechnung des Standorts vor. Vor elf Stunden hatten sie Stockholm verlassen. Er berechnete erneut die Geschwindigkeit und korrigierte sie auf neun Knoten. Sie befanden sich im nördlichen Schärengebiet von Östergötland, südlich von Landsort, nördlich vom Leuchtfeuer von Häradskär, südlich oder östlich von Fällbådarna.

Er kehrte in seine Kabine zurück. Außer dem Matrosen hatte er niemanden von der großen Besatzung des Schiffs gesehen. Und natürlich hatte niemand ihn selbst oder sein Versteck entdeckt.

Er betrat die Kabine und setzte sich auf den Rand der Koje. In dreißig Minuten würde er in der Offiziersmesse frühstücken. Um halb zehn sollte er sich im privaten Salon des Befehlshabers einfinden. Fregattenkapitän Hans Rake sollte ihm die geheimen Instruktionen überreichen, die bisher im Tresor des Schiffs eingeschlossen waren.

12

Er fragte sich plötzlich, warum er so selten lachte. Wessen war er beraubt worden? Warum dachte er so oft, er sei aus schlechtem Erz gegossen?

13

Er saß auf dem Rand der Koje und ließ den Blick langsam in der Kajüte herumwandern.

Sie maß zwei mal drei Meter, wie eine Gefängniszelle mit einem in Messing gefaßten Bullauge. Unter dem Geräteraum lag der Korridor, der die verschiedenen Teile des Schiffs miteinander verband. Nach der Konstruktionszeichnung, die er sich bis ins kleinste Detail eingeprägt hatte, gab es auch zwei wasserdichte senkrechte Schotten links von der Kajüte, aber zwei Meter tiefer im Schiff. Über seinem Kopf verlief die Treppe, die zur Mittschiffskanone an Steuerbord führte.

Er dachte: Die Kajüte ist mein fester Punkt. Mitten in diesem Punkt befinde ich mich genau in diesem Augenblick. Irgendwann in der Zukunft wird es präzise Meßinstrumente geben, die die exakte Position der Kajüte in jedem gegebenen Augenblick nach Längen- und Breitengraden zu bestimmen vermögen. Die Position wird bis auf den Bruchteil einer Sekunde auf der Weltkarte festzustellen sein. Wenn es soweit ist, wird es keinen Platz mehr für Götter geben. Wer braucht einen Gott, wenn die exakte Position eines Menschen festgestellt werden kann, wenn die innere Position eines Menschen exakt mit der äußeren Position zusammenfallen wird? Wer davon lebt, Spekulationen über Aberglauben und Religion anzustellen, muß dann etwas anderes finden, um sich zu versorgen.

Scharlatane und Seevermesser stehen jeder auf seiner Seite der entscheidenden Trennungslinie, unwiderruflich. Nicht der Datumslinie oder dem Nullmeridian, sondern der Linie, die das Meßbare von dem trennt, was nicht gemessen werden kann und was daher auch nicht existiert.

Er zuckte zusammen. Irgend etwas an diesem Gedanken verwirrte ihn. Aber er kam nicht darauf, was es war.

Er nahm seinen Rasierspiegel aus dem Etui, das Kristina Tacker mit seinen Initialen und einer kindlich geformten Rose bestickt hatte.

Jedesmal, wenn er in den Spiegel sah, holte er tief Luft. Es war, als bereitete er sich auf einen Abstieg in große Tiefe vor. Er bildete sich ein, im Spiegel einem fremden Gesicht zu begegnen.

14

Stets durchzog ihn ein heftiges Gefühl der Erleichterung, wenn er seine Augen erkannte, die gerunzelte Stirn, die Narbe über dem linken Auge.

Er betrachtete sein Gesicht und dachte daran, wer er war. Ein Mann, der in der schwedischen Flotte Karriere gemacht hatte, mit dem Ehrgeiz, eines Tages die Hauptverantwortung für die Kartierung der geheimen militärischen schwedischen Fahrwasser übertragen zu bekommen.

War er sonst noch etwas?

Eine Person, die unentwegt Abstände und Tiefen vermaß,

in der äußeren Wirklichkeit ebenso wie in dem Meer, das in seinem Innern noch nicht kartiert war.

15

Er strich sich mit der Hand über die Wangen, legte den Spiegel zurück ins Etui. Er war außerdem ein Mann, der seinen Nachnamen geändert hatte. Anfang März 1912 war sein Vater verstorben. Ein paar Wochen vor der Eröffnung der Olympischen Spiele im neugebauten Ziegelstadion von Stockholm beantragte er beim Königlichen Patent- und Registrierungsamt eine Namensänderung. Um den Abstand zu seinem verstorbenen Vater zu vergrößern, hatte er beschlossen, den Mädchennamen seiner Mutter zwischen seinen Vornamen und den Namen Svartman zu stellen. Seine Mutter hatte immer versucht, ihn vor dem launischen und ständig aufbrausenden Vater zu schützen. Sein Vater war tot. Aber auch tote Menschen können eine Bedrohung darstellen. Von nun an würde seine Mutter auch in seinem Namen als schützende Mauer gegenwärtig sein.

Er legte das Spiegeletui weg und klappte den Deckel einer Holzschachtel auf, die er auf den kleinen Tisch mit Sturmkante gestellt hatte. Darin befanden sich vier Uhren. Drei Uhren zeigten exakt die gleiche Zeit. Sie kontrollierten einander. Bei der letzten, die er von seinem Vater geerbt hatte, waren die Zeiger unbeweglich. Da war die Zeit stehengeblieben.

Er klappte den Deckel über den Uhren zu. Drei zeigten ihm die Zeit, die vierte den Tod.

16

Drei Offiziere erhoben sich und betrachteten ihn neugierig, als er die Messe betrat. Einen Mann mit kurzsichtigen Augen kannte er. Es war der Flaggsteuermann Höckert, der ihn am Abend zuvor am Landungssteg begrüßt hatte.

Höckert stellte ihn den beiden anderen in der Messe vor. »Meine Kollegen hier sind Leutnant Sundfeldt und Artilleriekapitän von Sidenbahn.«

Der Artilleriekapitän war groß und schlank und roch stark nach Rasierwasser oder Gin.

»Sie fragen sich natürlich, was ein Artilleriekapitän an Bord eines Schiffs zu suchen hat? Gewöhnlich bewegen wir uns mit größerer Stärke und Entschlossenheit an Land. Mitunter können aber Artilleriekapitäne auch an Bord eines Panzerschiffs nützlich sein. Besonders wenn neue Kanonenbesatzungen trainiert werden sollen und Mangel an Offizieren herrscht.«

Sie setzten sich. Ein Messestewart servierte Kaffee. Keiner stellte irgendwelche Fragen. Fregattenkapitän Rake hatte die Offiziere natürlich darüber informiert, daß sie auf ihrer Fahrt zu den äußersten Schären von Östergötland einen Kapitän mit Geheimauftrag an Bord haben würden.

Leutnant Sundfeldt und Artilleriekapitän von Sidenbahn verließen die Messe.

»Haben Sie den Befehlshaber des Schiffs getroffen?« fragte Höckert.

Er sprach einen ausgeprägten Dialekt, möglicherweise småländisch, oder er kam aus Halland oder Bohuslän.

»Nein«, erwiderte Lars Tobiasson-Svartman. »Fregattenkapitän Rake ist ein Mann, den ich nur über Gerüchte kenne.«

»Gerüchte sind meist falsch oder übertrieben. Aber immer gibt es einen wahren Kern. Die Wahrheit über Rake ist, daß er sehr tauglich ist. Möglicherweise ein wenig träge. Aber wer ist das nicht?«

Höckert stand auf, schlug die Hacken zusammen und salutierte andeutungsweise. Lars Tobiasson-Svartman beendete sein Frühstück allein. Von Deck war Leutnant Sundfeldts wütende Stimme zu hören. Aber er konnte nicht verstehen, worüber er sich so erregte.

Es war jetzt heller Tag. Fregattenkapitän Rake wartete. Aus dem Tresor würde er die geheimen Instruktionen holen.

Das Panzerschiff steuerte südwärts. Der Wind war noch immer böig und schien zwischen den Himmelsrichtungen zu kreisen. Auf dem Land hatte es wieder zu regnen angefangen.

17

Die Begegnung zwischen Fregattenkapitän Rake und Lars Tobiasson-Svartman wurde durch ein unerwartetes Intermezzo gestört. Sie hatten sich gerade die Hand gegeben und sich auf die festgeschraubten Ledersessel in Rakes Salon gesetzt, als Leutnant Sundfeldt zur Tür hereinkam und mitteilte, ein Mann von der Besatzung sei erkrankt. Ob der Zustand lebensbedrohlich sei, könne er nicht beurteilen, aber der Mann habe starke Schmerzen.

»Niemand kann so starke Schmerzen simulieren«, sagte Leutnant Sundfeldt.

Rake saß für einen Moment schweigend da und betrachtete seine Hände. Er war als ein Mann bekannt, der für seine Besatzung eintrat, und daher war Lars Tobiasson-Svartman nicht erstaunt, als Rake sich erhob.

»Es ist ein Unglück, daß der Schiffsarzt Hallman Urlaub bekommen hat, um an der Hochzeit seiner Tochter teilzunehmen. Wir müssen unser Treffen verschieben.«

»Selbstverständlich.«

Rake war schon fast an der Tür des Salons, als er sich umdrehte. »Kommen Sie mit. Einen kranken Mann der Besatzung zu besuchen läßt sich hervorragend damit kombinieren, das Schiff in Augenschein zu nehmen. Wer ist es?«

Die Frage war an Leutnant Sundfeldt gerichtet.

»Der Bootsmann der Stammbesatzung Johan Jakob Rudin.«

Rake suchte in seinem Gedächtnis. »Rudin, der in Kalmar angemustert hat?«

»Stimmt genau.«

»Was ist passiert?«

»Er hat Bauchschmerzen.«

Rake nickte. »Meine Bootsmänner klagen nicht ohne Grund.«

Sie verließen den Salon, passierten einen engen Korridor und traten dann hinaus auf eine Treppe. Der böige und kalte Wind ließ sie sich ducken. Leutnant Sundfeldt ging an der Spitze, danach Fregattenkapitän Rake und zuletzt Lars Tobiasson-Svartman.

Wieder hatte er die Empfindung, an einer Prozession teilzunehmen.

»Ich bin seit neunzehn Jahren Befehlshaber auf den Schiffen der Flotte«, sagte Rake. Er rief laut, um sich im Wind verständlich zu machen.

»Bisher habe ich erst vier Besatzungsmänner verloren«, fuhr er fort. »Zwei sind an starken Fieberanfällen gestorben, ehe wir sie an Land bringen konnten, ein Maschinist ist rücklings von einer Treppe gestürzt und hat sich den Hals gebrochen. Ich glaube immer noch, daß der Mann betrunken war, auch wenn es sich nicht beweisen ließ. Außerdem hatte ich einmal einen psychisch kranken Unteroffizier, der sich ungefähr in der Höhe des Leuchtturms von Grundkallen ins Meer stürzte. Hinter dieser Katastrophe lag etwas Unwürdiges, Schulden und gefälschte Wechsel. Ich hätte vielleicht die Gefahr erkennen müssen. Aber es ist meist schwer, Besatzungsmänner zu hindern, die wirklich entschlossen sind, sich über Bord zu werfen. Wir haben natürlich immer Schiffsärzte an Bord, ausgenommen auf dieser Reise. Aber die Ärzte der Flotte gehören selten zu den kompetentesten.«

Rake unterbrach sich und deutete irritiert auf einen Eimer, der neben einer Leiter lag. Leutnant Sundfeldt rief einem Matrosen zu, diese Schlamperei sofort zu beseitigen.

»Schon früh in meiner Karriere habe ich etwas über medizinische Diagnostik gelernt«, fuhr Rake fort. »Abgesehen davon, daß ich natürlich Zähne ziehen kann. Es gibt eine Anzahl von äußerst wirksamen Hilfsmitteln, um Menschen am Leben zu erhalten. Ich tröste mich und schmeichle mir vielleicht auch damit, daß meine Kapitänskollegen oft eine bedeutend höhere Anzahl von Toten auf ihren Schiffen zu beklagen haben als ich.«

Über verschiedene Treppen suchten sie sich ihren Weg zu den am tiefsten gelegenen Räumen des Schiffs. Lars Tobiasson-Svartman spürte, daß sie sich jetzt genau auf der Höhe der Wasserlinie befanden. Die Luft war drückend, der Ölgeruch stickig.

Sie stiegen weiter hinab in die Tiefe.

18

Der Bootsmann lag in seiner Hängekoje. Es roch muffig und nach Schweiß und Angst.

Lars Tobiasson-Svartman fiel es schwer, in der Dunkelheit Einzelheiten zu erkennen. Seine Augen brauchten lange, um sich an den Übergang von Hell und Dunkel zu gewöhnen.

Rake zog seine Handschuhe aus und beugte sich über die Koje. Rudins Gesicht glänzte, seine Augen irrten unruhig umher. Er glich einem verschreckten gefangenen Tier.

»Wo sitzt der Schmerz?« fragte Rake.

Rudin schlug die Decke zurück und lag im Hemd da. Er zog es über dem Brustkorb hoch. Die drei Männer beugten sich gleichzeitig über die Koje. Rudin deutete auf einen Bereich rechts vom Nabel. Allein die Handbewegung ließ ihn vor Schmerzen grimassieren.

»Wie lange tut es schon weh?« fragte Rake.

»Seit gestern abend. Wir hatten Stockholm gerade verlassen, als es anfing.«

»Anhaltend oder stoßweise?«

»Erst stoßweise, jetzt anhaltend.«

»Haben Sie diesen Schmerz schon früher einmal gehabt, Rudin?«

»Ich weiß es nicht.«

»Denken Sie nach. Kein Schmerz gleicht dem anderen.«

Rudin lag unbeweglich da und dachte nach. »Nein«, sagte er dann. »Diese Schmerzen sind neu. Ich habe noch nie zuvor so etwas empfunden.«

Rake legte seine magere Hand auf den Bereich, in dem Rudin Schmerzen hatte. Er übte mit der Handfläche Druck aus, erst leicht, dann stärker. Rudins Gesicht verzerrte sich, und er stöhnte.

Rake nahm die Hand weg. »Es ist vermutlich eine Blinddarmentzündung.«

Er richtete sich auf. »Sie müssen operiert werden. Es wird gutgehen.«

Rudin schaute seinen Kapitän dankbar an und zog die Decke wieder bis zum Kinn hoch. Trotz der Schmerzen salutierte er in seiner liegenden Stellung.

Sie kehrten aufs obere Deck des Schiffs zurück. Rake erteilte Leutnant Sundfeldt die Anweisung, der Funker solle die Thule kontaktieren, eins der Kanonenboote erster Klasse, mit der die Svea gleich östlich des Leuchtturms von Sandsänkan ein Treffen vereinbart hatte.

»Sie müßten sich jetzt auf nördlichem Kurs befinden, irgendwo zwischen Västervik und Häradskär«, sagte Rake. »Das Kanonenboot soll so schnell wie möglich entgegenkommen, um Rudin an Bord zu nehmen und ihn nach Bråviken zu bringen. Norrköping hat ein gutes Lazarett. Ich möchte keinen meiner Bootsmänner verlieren.«

Leutnant Sundfeldt grüßte und verschwand. Schweigend kehrten sie in den Salon zurück. Rake hielt ihm ein Zigarrenetui hin. Lars Tobiasson-Svartman lehnte dankend ab. Er hatte zu Beginn seiner Ausbildung zum Schiffsoffizier versucht zu rauchen. Unter allen Kurskameraden waren nur drei Nichtraucher. Aber er konnte es sich nicht angewöhnen. Den Rauch einer Zigarre oder Zigarette in die Lungen einzuziehen verursachte bei ihm Erstickungsgefühle, die schnell in Panik umzuschlagen drohten.

Rake zündete sorgfältig seine Zigarre an. Die ganze Zeit horchte er auf die Vibrationen im Schiffsrumpf. Lars Tobiasson-Svartman war dieses Verhalten bei erfahrenen älteren Kapitänen seit langem aufgefallen. Sie standen auf der Kommandobrücke, auch wenn sie in ihrem Salon saßen und Zigarren rauchten. Die Vibrationen im Rumpf schienen sich in Bilder zu verwandeln, die ihnen mitteilten, wo auf See sie sich befanden.

Dann sprachen sie über den Krieg.

19

Rake berichtete, die englische Flotte habe in großer Eile und einer gewissen Unordnung bereits am 27. Juli ihre Basen auf Scapa Flow verlassen, obwohl noch keine Kriegserklärungen vorlagen. Die Admiralität habe erklärt, man gedenke nicht, der deutschen Hochseeflotte eine Möglichkeit zu geben, die englischen Schiffe anzugreifen, solange sie sich an ihren Basen befänden. Periskope deutscher U-Boote seien am 27. Juli im Morgengrauen von den Mannschaften englischer Fischerboote gesichtet worden. Die Trawler, durch die Pentland Firth unterwegs zu den Fischgründen der Doggerbank weiter draußen in der Nordsee, hatten mindestens drei U-Boote gesichtet.

Lars Tobiasson-Svartman konnte die Kartenbilder vor sich sehen. Er hatte ein fast photographisches Gedächtnis, wenn es um Seekarten ging. Scapa Flow, Pentland Firth, die Basen der britischen Marine auf den Orkneyinseln; er konnte sogar aus dem Gedächtnis die wichtigsten Angaben über die Tiefen in den Einmündungsrinnen der verschiedenen Naturhäfen abrufen.

»Möglicherweise wird die englische Flotte eine Überraschung erleben«, sagte Rake nachdenklich.

Lars Tobiasson-Svartman wartete auf eine Fortsetzung, die nicht kam.

»Was für eine Überraschung?« fragte er, nachdem er ein angemessenes Schweigen gewahrt hatte.

»Daß die deutsche Marine bedeutend besser gerüstet ist, als die arroganten Engländer es sich vorstellen.«

Rakes Worte hatten einen deutlichen Nebensinn. Schweden war noch nicht in den Krieg einbezogen, aber die schwedische Flotte bereitete sich darauf vor, daß dies bald geschehen könnte. Dann sollte es auch keinen Zweifel darüber geben, wo die Sympathien des schwedischen Militärs lagen. Auch wenn die Regierung und der Reichstag Schweden als neutral erklärt hatten.

Das Gespräch verebbte.

Rake legte die Zigarre in einen schweren Aschenbecher aus Porphyr, stand auf, nahm einen Schlüssel von der Uhrkette und kniete sich vor den großen schwarzen, im Boden verschraubten Tresor.

Die geheimen Instruktionen lagen in einer einfachen

Stoffmappe, zugebunden mit einem blau-gelben dünnen Seidenband. Rake übergab Lars Tobiasson-Svartman die Akte und kehrte zu seiner Zigarre zurück.

Er öffnete die Mappe. Obwohl er das Ziel seines Auftrags kannte, waren ihm die detaillierten Pläne des Marinestabs unbekannt. Er setzte sich auf seinen Stuhl, balancierte die Mappe auf den Knien und begann zu lesen.

Aus dem Augenwinkel sah er, daß Rake den Rauch seiner Zigarre beobachtete.

20

Das Panzerschiff vibrierte wie ein keuchendes Tier.
Lars Tobiasson-Svartman verglich die verschiedenen Schiffstypen oft mit den Tieren der schwedischen Fauna. Die Torpedoboote glichen Wieseln und Iltissen, Panzerschiffe waren rasch zuschlagende Falken, Kreuzer jagten wie hungrige Wolfsrudel, große Schlachtschiffe waren einsame Bären, die sich nicht gern reizen ließen. Tiere, die in der Natur Feinde waren, konnten als Schiffssymbole dazu gebracht werden, zusammenzuarbeiten und sich sogar füreinander zu opfern.

Er las auf dem Aktendeckel, daß die Instruktionen vertraulich und ausschließlich für Kapitän Lars Svartman bestimmt waren. Sie konnten in ausgewählten Teilen kopiert werden, doch das Original sollte Rake zurückgegeben werden, ohne daß es die Kajüte verlassen hatte.

Für die schwedische Flotte existierte seine Namensänderung noch nicht, obwohl er seine Vorgesetzten, nachdem vom Königlichen Patent- und Registrierungsamt der Bescheid gekommen war, umgehend informiert hatte.

An Bord dieses Schiffs und für den Marinestab war er noch immer Lars Svartman, sonst nichts.

Er las:

Ihre Aufgabe wird es sein, unverzüglich Kontrollmessungen der besonderen und vertraulichen militärischen Fahrwasser vorzunehmen, die Kalmarsund, den südlichen Teil, mit den nördlichen, mittleren und südlichen Einmündungen nach Stockholm verbinden. Besonders bedeutsam sind die Kontrollmessungen der Sunde, Durchfahrten und übrigen Einmündungen, die 1898 und 1902 im Verhältnis zu dem für jeden Schiffstyp angegebenen größtmöglichen Tiefgang beim Leuchtturm von Sandsänkan verzeichnet sind. Als Basis für die Seevermessungen dient das Panzerschiff Svea. Meßschiffe werden das Kanonenboot Blenda sowie die notwendigen Barkassen und Wachboote sein.

Auf die einleitende Instruktion folgten detaillierte Anweisungen, die genauestens befolgt werden sollten.

Er schlug die Mappe zu und verknotete das Seidenband.

»Keine Abschriften?«

»Ich denke nicht, daß ich sie brauche.«

»Sie sind noch jung«, sagte Rake und lächelte. »Alte Männer verlassen sich nicht auf ihr Gedächtnis. Junge Männer verlassen sich manchmal zu sehr darauf.«

Lars Tobiasson-Svartman erhob sich und schlug die Hacken zusammen. Es war, als gäbe er sich selbst einen Tritt. Rake machte eine Geste mit der Hand, um zu zeigen, daß Lars Tobiasson-Svartman die Stoffmappe auf den Tisch legen könne.

»Es wird einen langen Krieg geben«, sagte Rake. »Lord Kitchener vom englischen Oberkommando hat das begriffen. Ich fürchte, daß sein deutscher Gegenpart noch nicht verstanden hat, daß dieser Krieg grausamer werden wird als alle früheren in der schrecklichen Geschichte der Menschheit.«

Rake verstummte, als wären seine Gedanken zu überwältigend geworden.

Dann fuhr er fort. »Tausende Männer werden sterben. Hunderttausende, vielleicht Millionen. Es gibt Leute, die glauben, der Krieg könne bis Weihnachten beendet sein. Ich bin der Überzeugung, daß er viele Jahre währen wird. Mehr Schiffe als in irgendeinem früheren Krieg werden versenkt werden. Die Tonnagen, die gesprengt werden und untergehen, wird man eines Tages in Milliarden Tonnen zählen.«

Rake verstummte wieder. Abwesend fingerte er an dem blau-gelben Seidenband.

Mehr Menschen als je zuvor werden ertrinken, dachte Lars Tobiasson-Svartman. Matrosen und Kommandanten werden in dem brennenden Inferno zu Tode kommen. Die Ostsee, die Nordsee, der Atlantik, vielleicht auch noch andere Meere werden von Schreien erfüllt sein, die langsam erstickt werden und verstummen.

Tausend Seeleute wiegen etwa sechzig Tonnen. Im Krieg geht es nicht nur darum, wie viele Menschen fallen. Es geht auch darum, daß eine große Anzahl lebender Tonnen in tote Tonnen verwandelt wird.

Man spricht vom toten Gewicht eines Schiffs. Auch das Gewicht eines Menschen kann in die Maßeinheiten des Todes umgerechnet werden.

21

Er verließ den Salon.

Zerrissene Wolken jagten über den Oktoberhimmel. Er dachte an den Auftrag, der ihn erwartete. Zugleich fragte er sich, ob Rake recht habe. Würde der Krieg so entsetzlich und lang werden, wie er es prophezeit hatte?

Das Schiff drosselte die Geschwindigkeit und legte sich langsam in den Wind. Er sagte sich, daß es beidrehte, um auf das

Kanonenboot zu warten, das Rudin nach Norrköping bringen sollte.

Er ging weiter zu seiner Kajüte. Dort legte er die Uniformjacke ab, schnürte die Schuhe auf und streckte sich in der Koje aus. Jemand hatte das Bett gemacht, während er bei Rake war.

Er lag mit den Händen unter dem Kopf, fühlte die schwachen Vibrationen, die durch das Schiff pulsierten, und durchdachte das, was ihn erwartete.

22

Es war wie ein Ritual.

Ein neuer Auftrag mußte nicht unbedingt erschreckend sein, weil er geheim war. Was er vor sich hatte, würde von Routine geprägt sein, nicht von unvorhersehbaren dramatischen Ereignissen.

Er haßte Unordnung und Chaos. Die Meerestiefen zu kartieren erforderte eine große Ruhe, eine fast meditative Stille.

In Friedenszeiten werden die neuen Kriege vorbereitet, dachte er. Die schwedische Flotte hatte seit Mitte des 19. Jahrhunderts eine große Anzahl von Expeditionen losgeschickt, um entlang der schwedischen Küsten alternative Fahrwasser ausfindig zu machen. Einige dieser Expeditionen waren schlecht organisiert und unzulänglich geführt, andere waren erfolgreich.

Der Ausgangspunkt war einfach. Ein Angreifer konnte Blockaden vorbereiten, in den letzten zehn Jahren vor allem durch Minen. Und zwar in den Fahrwassern, die auf den öffentlichen Seekarten angegeben waren und von den verschiedenen Handelsflotten genutzt wurden. Um dem entgegenzuwirken, gab es ein Netz von geheimen alternativen Fahrwassern und Strecken für militärische Zwecke. Die Angst davor, daß Spione an Informationen über die Fahrwasser kommen könnten, war groß und durchaus berechtigt. Ein Angreifer, dem es gelang, die geheimen Fahrwasser aufzudecken, würde großen Schaden anrichten können. Da der Tiefgang der Schiffe ständig größer wurde, mußten die Strecken der Fahrwasser überprüft werden. Gab es alternative Fahrwasser, die einen größeren Tiefgang erlaubten? Konnten Untiefen, welche die Befahrbarkeit verringerten, heimlich weggesprengt werden, ohne daß es auf den Seekarten angegeben wurde?

Das waren die Fragen, die er beantworten sollte. Außerdem sollte er erwägen, was die Anwesenheit von Unterwasserschiffen bedeutete. Es herrschte kein Zweifel daran, daß die U-Boote eine völlig neue Gefahr mit anscheinend endlosen Konsequenzen darstellten. Aber wie konnte man sie aufhalten? Wenn die Fahrwasser tief genug waren, würde ein U-Boot sich bis nach Stockholm hineinbewegen können.

Er dachte zurück an die Jahre zwischen 1909 und 1912, als er an den Fahrwassermessungen in den inneren Schären zwischen Landsort und Västervik teilgenommen hatte. Anfangs hatte er eine untergeordnete Stellung innegehabt, war aber später, im Frühjahr 1910, in kurzer Zeit zum Befehlshaber der gesamten Expedition aufgerückt.

Es war eine glückliche Zeit gewesen. In wenigen Jahren war eine große Anzahl seiner Träume in Erfüllung gegangen.

Aber er hatte auch erkannt, daß er einen ganz anderen Traum hatte. Einen unerwarteten. Aber es war dieser Traum, den er jetzt zu verwirklichen hoffte.

Der Traum, die größte aller Tiefen zu finden.

23

Die Vibrationen im Rumpf nahmen ab.

Das Panzerschiff lag ganz still.

Das Tier hielt den Atem an.

Er zog die Uniformjacke an, ging hinaus an Deck und stellte sich an den Platz, an dem er unsichtbar war. Das Kanonenboot Thule mit seinen drei Schornsteinen legte im Lee der Svea an. Der kranke Besatzungsmann war schon an Deck getragen worden und wurde nun, in einem sinnreich geformten Geschirr, auf das Deck der Thule hinuntergelassen. Der Kohlenrauch der Thule hüllte ihn ein. Fregattenkapitän Rake ließ sich nicht blicken. Es war Leutnant Sundfeldt, der das Manöver dirigierte. Sobald Rudin an Bord angekommen war, wurde das leere Geschirr wieder hochgezogen, und die Thule legte rückwärts ab, mit Kurs auf die Mündung von Bråviken.

Er blieb an Deck stehen und sah die Thule verschwinden. Der Rauch aus den Schornsteinen vermischte sich mit den treibenden Wolken.

Rudin ist einer furchtbaren Falle entkommen, dachte er. Schwedische Schiffe würden auf den Meeresgrund sinken, auch wenn das Land nicht in den Krieg hineingezogen werden würde. Am schlimmsten würde es die Seeleute der Handelsflotte treffen. Aber auch Kriegsschiffe würden torpediert oder von Minen gesprengt werden. Wenn Rudin nicht auf das Schiff zurückkehrte, war er der Gefahr entronnen, eines Tages in einem explodierenden Dampfkessel zu Tode gekocht zu werden. Dank eines entzündeten Blinddarms gehörte er vielleicht zu denen, die am Leben blieben.

Lars Tobiasson-Svartman spähte mit zusammengekniffenen Augen nach der Thule. Sie war nicht mehr zu sehen, das Schiff war mit der grauen Küstenlinie am Horizont verschmolzen.

Er kehrte in seine Kajüte zurück. Das Panzerschiff hatte wieder Fahrt aufgenommen.

24

In der Kajüte blieb er an der Tür stehen und versuchte sich vorzustellen, was seine Frau in genau diesem Augenblick machte. Aber er konnte sie nicht sehen. Er wußte nicht, womit sie sich beschäftigte, wenn sie in der Wohnung allein war. Der Gedanke gefiel ihm nicht. Es war, als hielte man eine Seekarte in der Hand und entdeckte plötzlich, daß die Schrift, die Umrisse der Inseln, die Sektionen der Leuchttürme, die Markierungen, die angegebenen Seetiefen, rasch ausgelöscht würden.

Er wollte wissen, in welchen Fahrwassern sich seine Frau bewegte, wenn er fort war.

Ich liebe sie, dachte er. Aber ich weiß nicht, was Liebe eigentlich ist.

Er setzte sich an den kleinen Tisch mit der Sturmkante und packte sein Lot aus. Das Messing glänzte.

Für einen kurzen Augenblick hatte er das Gefühl, Kristina Tacker stehe hinter seinem Rücken und beuge sich über seine Schulter vor.

»Etwas wird geschehen«, flüsterte sie. »Es gibt einen Punkt, an dem dein Lot den Meeresboden nicht erreicht. Es gibt einen Punkt, an dem alles zerbricht, mein geliebter Mann.«

Teil 2

DAS FAHRWASSER

25

Am Abend bevor Lars Tobiasson-Svartman seinen Auftrag in Angriff nahm, kam ein Unteroffizier mit dem Bescheid in seine Kajüte, Fregattenkapitän Rake wolle ihm die letzten Instruktionen geben.

Er schlüpfte in seine Uniformjacke und eilte die glatte Treppe hinauf. Die Mondsichel erschien zwischen den Wolken. Die Svea dümpelte nordöstlich des Leuchtturms von Häradskär in der Dünung.

Mitten auf der Treppe blieb er stehen und schaute auf das dunkle Meer hinaus, wo die Positionslichter der Kanonenboote glitzerten. Er dachte an all die Granaten, all die Torpedos da draußen. Die Schiffe waren mit der von Menschen fabrizierten Raserei beladen, die Dynamit oder Pulver hieß.

Die Beurteilung der Entfernung war auf offener See am schwierigsten vorzunehmen. Das galt jedoch nicht in der Dunkelheit. Er schätzte den Abstand zum nächstliegenden Kanonenboot auf 140 Meter, mit einer Fehlerspanne von höchstens 10 Metern.

Bevor er den Salon betrat, nahm er seine dunkelblaue Uniformmütze ab.

Rake bot ihm Kognak an. Lars Tobiasson-Svartman trank gewöhnlich keinen Alkohol, wenn er arbeitete, konnte aber auch nicht ablehnen.

Rake leerte sein Glas und sagte: »Es herrscht eine große und berechtigte Besorgnis in Stockholm. Über Funk ist die Nachricht eingetroffen, daß russische und deutsche Kriegsschiffe östlich von Gotland aufgetaucht sind. Von Kampfhandlungen war jedoch keine Rede. An der gotländischen Küste sind jetzt Männer mit gutem Gehör postiert, die Geräusche von Kanonen oder Torpedosprengungen auffangen sollen.«

»Es gibt keine größere Unruhe als jene, die man empfindet, wenn einem die Kenntnis fehlt«, erwiderte Lars Tobiasson-Svartman. »Eine Unruhe, die auf Kenntnissen beruht, ist leichter zu beherrschen.«

Rake überreichte ihm ein Papier. »Niemand weiß, ob diese Nationen die Absicht haben, Schweden anzugreifen. Wir löschen alle Leuchttürme entlang der Küste und verkriechen uns in unseren Schlupfwinkeln.«

»Gilt die Unsicherheit in erster Linie den Russen oder den Deutschen?«

»Beiden. Man muß nicht zu den erfahrensten Offizieren des Marinestabs gehören, um das zu begreifen. Einerseits ist Deutschland ebenso interessiert daran wie Rußland, Schweden aus dem Krieg herauszuhalten. Andererseits argwöhnen vielleicht beide, daß Schweden nicht auf lange Sicht bereit ist, seine Neutralität zu behaupten. Das kann dazu führen, daß ein Staat oder beide sich darauf vorbereiten, uns anzugreifen. Als letzte Alternative gilt natürlich, daß sie uns auch in Frieden lassen können. Eine unbedeutende Nation zu sein kann sowohl Schwäche als auch Vorteil sein.«

Lars Tobiasson-Svartman las die Liste mit den Namen der Leuchttürme durch, die gelöscht worden waren, und mit anderen wichtigen Seemarken, die entweder verdeckt oder eiligst demontiert worden waren. Er sah die Seekarten vor sich. Nachts bei totaler Dunkelheit, wäre es für ein fremdes Kriegsschiff kaum möglich, in den inneren Schären zu navigieren.

Rake hatte eine Seekarte auf seinem Tisch ausgerollt und an allen vier Ecken mit Aschenbechern beschwert. Die Seekarte deckte das Gebiet zwischen Gotska Sandön und Gotlands Südspitze.

Er zeigte auf einen Punkt im Meer. »Ein deutscher Konvoi mit zwei Kreuzern, einigen kleineren Zerstörern, Torpedobooten, Minensuchbooten und vermutlich auch U-Booten ist auf dem Weg nach Norden gesichtet worden. Es heißt, daß sie eine hohe Geschwindigkeit halten, im Durchschnitt 20 Knoten. Sie befanden sich auf der Höhe von Slite, als ein Fischerboot von Fårösund sie entdeckte. Um vier Uhr nachmittags verschwanden sie in einem Nebelgürtel nordöstlich von Gotska Sandön. Etwa zur gleichen Zeit hatte ein anderes Fischerboot mehrere russische Schiffe entdeckt, die ebenfalls nach Norden unterwegs waren, aber auf einem östlicheren Kurs. Der Mann auf dem Fischerboot war sich über den exakten Kurs nicht sicher. Er war sich über das meiste nicht sicher. Es ist gut möglich, daß er betrunken war. Er kann sich jedoch kaum alles eingebildet haben. Nach meiner Beurteilung, die sich mit der des Marinestabs in Stockholm deckt, hatten die Konvois wohl kaum Kontakt miteinander. Wir können davon ausgehen, daß sie nicht zusammenarbeiten und unterschiedliche Absichten verfolgen. Aber welche? Gegen wen gerichtet? Wir wissen es nicht. Es können Ablenkungsmanöver sein, um Verwirrung zu stiften. Unklarheit ist auf See gefährlicher als an Land. Aber man hat die Leuchttürme gelöscht. Die Verantwortlichen in Stockholm wollen offenbar kein Risiko eingehen.«

Rake hob die Flasche und sah Lars Tobiasson-Svartman fragend an. Dieser schüttelte den Kopf, bereute es aber sofort. Rake füllte sein Glas, diesmal aber nicht bis zum Rand.

»Hat das Folgen für meinen Auftrag?«

»Auf keine andere Art, als daß alles von nun an mit höchster Geschwindigkeit zu geschehen hat. Im Krieg kann man nicht davon ausgehen, daß es genügend Zeit gibt. Eine solche Lage ist jetzt eingetreten.«

Das Gespräch mit Rake war vorüber. Der Fregattenkapitän wirkte beunruhigt. Er kratzte sich am Haaransatz, wo ein roter Ausschlag sich auszubreiten begann.

Lars Tobiasson-Svartman verließ den Salon des Kommandanten. Der Oktoberabend war kühl. Er blieb auf der Treppe stehen und lauschte. Das Meer toste in der Ferne. In der Messe hörte man jemanden lachen. Er meinte, Anders Höckerts Stimme zu erkennen.

Er warf die Tür seiner Kajüte zu und dachte an seine Frau. Sie ging gewöhnlich früh zu Bett, wenn er fort war, das hatte sie ihm in dem Jahr ihrer Heirat geschrieben.

Er schloß die Augen. Nach einigen Minuten gelang es ihm, ihren Duft heraufzubeschwören. Der war so stark, daß er bald die Kajüte füllte.

26

Es regnete in der Nacht.

Er schlief, das Messinglot an die Brust gedrückt. Als er kurz vor sechs aufstand, spürte er einen dumpfen Schmerz im Kopf.

Er wollte fliehen. Zugleich war er ungeduldig, weil er noch nicht mit seinem Auftrag angefangen hatte.

27

Früh in der Morgendämmerung des 22. Oktobers ging Lars Tobiasson-Svartman an Bord der Kanonenboots Blenda.

Die Wartezeit war vorüber.

Er wurde am Fallreep von Leutnant Jakobsson empfangen, dem Kapitän. Der Mann schielte mit dem linken Auge, hatte eine mißgebildete Hand und sprach einen ausgeprägten Göteborgsdialekt. Trotz des Schielens war sein Gesicht offen und freundlich. Lars Tobiasson-Svartman dachte flüchtig, daß er an eine der komischen Figuren aus einem Kinematographen erinnerte. Vielleicht an einen der Polizisten auf der Jagd nach der Hauptperson, die sie nie einzufangen vermochten.

Leutnant Jakobsson flößte ihm Vertrauen ein. Zu seiner Überraschung wurde er zur Kapitänskajüte gebracht.

»Das ist nicht notwendig«, wandte er ein.

»Ich teile die Kajüte mit meinem ersten Offizier«, entgegnete Leutnant Jakobsson. »Es ist zwar eng und unbequem auf diesen Kanonenbooten, nicht zuletzt deshalb, weil die Besatzung wegen des speziellen Zwecks dieser Reise vergrößert worden ist. Aber es gehört zu meinen Anweisungen, Ihnen die besten Voraussetzungen für die Ausführung Ihres Auftrags zu bieten. Meiner Meinung nach ist ein guter Nachtschlaf eine der wichtigsten Voraussetzungen. Also muß ich es aushalten, daß mein erster Offizier im Schlaf mit den Zähnen knirscht. Es ist, als teilte man die Kajüte mit einem Walroß. Falls nun Walrosse mit den Zähnen knirschen.«

Er bat Leutnant Jakobsson, von der Geschichte des Schiffs zu erzählen.

»Es wurde 1873 vom Reichstag bewilligt. Es war das erste einer Reihe von Kanonenbooten, und keiner der Bauern im Reichstag hatte eine Ansicht, wie viele es werden sollten. Wir können 80 Tonnen Kohle an Bord nehmen, und damit schaffen wir ohne Bunkerung 1500 Seemeilen. Die Maschinen sind liegende Kompounders nach Wolfs System. Ich bin nicht ganz sicher, was das Spezielle an Wolfs System ist, aber offenbar funktioniert es. Es ist ein gutes Schiff, aber alt. Ich vermute, daß es bald aus dem Verkehr gezogen wird.«

Lars Tobiasson-Svartman bezog seine Kajüte. Sie war größer als die an Bord des Panzerschiffs. Aber sie hatte einen anderen Geruch. Wie ein Ameisenhaufen, dachte er. Als hätte es hier einen Ameisenhaufen gegeben, den man über Nacht weggeschaufelt hat.

Er lächelte über diesen Gedanken. Im Kopf beschrieb er seiner Frau die Begegnung mit seiner Kajüte und den Geruch nach Ameisensäure.

Er ging an Deck und bat Leutnant Jakobsson, die Besatzung zusammenzurufen. Es war ein klarer Tag mit einem schwachen Wind aus Süd.

Die Besatzung bestand aus 71 Mann. Acht von den Matrosen und ein Marineoffizier hatten auf dem Schiff angemustert, um an der Expedition teilzunehmen. Ihre Informationen über das, was sie erwartete, waren sehr knapp.

Mit einer Trillerpfeife wurde die Besatzung vom ersten Offizier namens Fredén zusammengerufen.

Lars Tobiasson-Svartman war immer nervös, wenn er zu einer Besatzung sprechen sollte. Um seine Unruhe zu verbergen, gab er sich den Anschein, streng und leicht aufbrausend zu sein.

»Ich werde keinerlei Schlamperei dulden«, begann er. »Unser Auftrag ist wichtig, die Zeiten sind unruhig, Kriegsflotten bewegen sich entlang unseren Küsten. Wir werden Nachmessungen der Teile des Fahrwassers vornehmen, das sich nördlich und südlich von diesem Punkt erstreckt. Es gibt keinen Spielraum für Irrtümer. Eine Fehlmessung von einem Meter kann den Untergang eines Schiffs bedeuten. Eine Untiefe, die nicht entdeckt oder auf einer Seekarte falsch positioniert ist, kann verheerende Konsequenzen haben.«

Er unterbrach sich und sah die Besatzung an, die in einem Halbkreis versammelt war. Viele Männer waren jung, knapp über zwanzig Jahre. Sie betrachteten ihn abwartend.

»Wir suchen nach dem, was nicht sichtbar ist«, fuhr er fort. »Aber daß es nicht sichtbar ist, bedeutet nicht, daß es nicht existiert. Knapp unter der Meeresoberfläche liegen vielleicht noch nicht entdeckte und kartierte Untiefen. Aber es gibt da auch unerwartete Tiefen. Wir suchen nach diesen beiden Punkten. Wir stecken einen Weg ab, auf dem unsere Kriegsschiffe sicher navigieren können. Noch Fragen?«

Keiner sagte etwas. Das Kanonenboot dümpelte in der Dünung.

Im Tagesverlauf etablierte er notwendige Arbeitsroutinen und schuf eine funktionierende Organisation. Leutnant Jakobsson besaß, wie sich zeigte, das Vertrauen der Besatzung. Lars Tobiasson-Svartman erkannte, daß er Glück hatte. Ein Kapitän, der einem fremden Offizier auf ein vertrauliches Gastspiel seine Kajüte überlassen muß, hätte durchaus mit Ärger reagieren können, aber Leutnant Jakobsson wirkte nicht unzufrieden. Er schien zu den seltenen Menschen zu gehören, die ihren Charakter nicht verbargen. Darin war Leutnant Jakobsson auf entscheidende Weise sein Gegenteil.

Die Routinearbeiten wurden festgelegt. Jeden vierten Tag sollte er Fregattenkapitän Rake Bericht erstatten. Unter idealen Wetterbedingungen würde das Panzerschiff dieses Gebiet alle sechsundneunzig Stunden passieren. Rake hatte einen Verschlüsselungstechniker zur Verfügung, der seine Berichte chiffrieren sollte. Diese wurden dann per Funk abgeschickt. Innerhalb weniger Tage sollten die Änderungen der Fahrwasser bei den Kartenzeichnern in Stockholm sein. Die Arbeit sollte in rasender Geschwindigkeit vor sich gehen.

Am späten Nachmittag nahm Leutnant Jakobsson eine Positionsbestimmung vor. Sie befanden sich drei Grad nordnordöstlich vom Leuchtturm von Sandsänkan. Die angegebenen Tiefen um die Seemarke Juliabåden herum waren 12, 23 und 14 Meter.

Lars Tobiasson-Svartman ordnete an, daß die Blenda ihre Position bis zum folgenden Tag beibehalten sollte. Hier sollten die Vermessungsarbeiten beginnen.

Er betrachtete das Meer durch seinen Feldstecher, blickte auf den fernen Horizont, den Leuchtturm. Dann schloß er die Augen. Jedoch ohne den Feldstecher abzusetzen.

Er träumte von dem Tag, an dem er nur ausnahmsweise Instrumente zu Hilfe nehmen müßte. Er träumte von dem Tag, an dem er selbst das einzige Instrument geworden wäre, das er brauchte.

Am Tag darauf. Es war drei Minuten nach sieben. Lars Tobiasson-Svartman stand an Deck. Die Sonne war hinter niedrigen Wolken verborgen. Er trug seine Uniform. Vier Grad
über Null, fast windstill. Aus dem Meer stieg ein muffiger
Geruch nach Tang auf. Er war angespannt und unruhig angesichts der Arbeit, die er jetzt beginnen sollte, er fürchtete
sich vor allen Fehlern, die vor ihm lagen, Fehlern, die er mög-
lichst nicht begehen sollte.

150 Meter gen Westen war ein altbekannter Heringsgrund, auf den Seekarten als Olsklabben eingetragen. In einem seiner Koffer hatte er ein Archiv, das er immer mit sich
führte. In einer alten Steuerliste hatte er gelesen, daß der
Heringsgrund »seit dem 16. Jahrhundert von Küstenfischern
und Seehundjägern genutzt worden war und daß für diesen
Fischgrund der Krone Steuern zu entrichten waren, und zwar
unter Stegeborgs Slott«.

Sonnenstrahlen brachen durch die Wolken. Plötzlich entdeckte er ein Treibnetz, das langsam und lautlos durchs Wasser glitt. Zuerst wußte er nicht, was es war. Vielleicht ein paar
Algenbüschel, die sich von ihrem Halt an den Senksteinen
gelöst hatten? Dann erkannte er das Netz, das sich losgerissen hatte. Tote Fische und eine Tauchente hingen darin.

Es war, als betrachtete er ein Bild der Freiheit. Das Treibnetz war die Freiheit. Ein Gefängnis, das sich losgerissen hatte mit einigen seiner toten Gefangenen, die noch im Gitter
der Netzmaschen hängengeblieben waren.

Die Freiheit ist immer auf der Flucht, dachte er. Mit dem
Blick folgte er dem Treibnetz, bis es verschwunden war.
Dann wendete er sich Leutnant Jakobsson zu, der jetzt neben
ihm stand.

»Die Freiheit ist immer auf der Flucht«, sagte er.

Leutnant Jakobsson sah ihn fragend an. »Wie bitte?«

»Es war nichts. Nur eine Verszeile, glaube ich. Vielleicht von Rydberg? Oder von Fröding?«

Leutnant Jakobsson schlug die Hacken zusammen und salutierte. »Das Frühstück wird in der Messe serviert. Wer an den Platz auf einem Panzerschiff gewöhnt ist, muß sich daran gewöhnen, daß es auf einem Kanonenboot bedeutend enger zugeht. Keine großen Gesten. Man kann laut reden, aber nicht mit den Armen fuchteln.«

Nachdem er sein versalzenes Omelett zum Frühstück gegessen hatte, war es Viertel nach acht. Zwei graugestrichene Barkassen, jede sieben Meter lang, wurden vom Schiff hinuntergelassen. Marineingenieur Welander führte in dem einen Boot das Kommando, während er selbst für das andere verantwortlich war. In jedem Boot saßen drei Ruderer und ein Matrose, der die Senkleinen bediente.

Sie loteten entlang einer Linie, die sich südsüdwestlich des Leuchtturms von Sandsänkan erstreckte. Lars Tobiasson-Svartman wollte herausfinden, ob es für Schiffe mit größerem Tiefgang möglich wäre, genau hier in den inneren Schären zu passieren, im Schutz der Felseninseln und der äußeren Schären.

Lotleinen wurden hinabgelassen und hochgeholt, die Tiefen wurden bestimmt und mit früheren Angaben kalibriert. Lars Tobiasson-Svartman überwachte die Arbeit und gab Anweisungen, wenn es nötig war. Er ließ auch selbst das Messinglot ins Wasser gleiten. Die Ergebnisse wurden in einem Tagebuch notiert.

Das Meer war still. Es ruhte ein eigentümlicher Friede über den Booten, den Lotleinen, die hinabgelassen und hochgeholt wurden, den Zahlen, die ausgerufen, wiederholt und dann verzeichnet wurden. Die Ruderer bewegten die Ruder so leise, wie sie nur konnten. Alle Geräusche prallten an der Oberfläche ab.

An Bord der Blenda rauchte Leutnant Jakobsson Pfeife und sprach in allen Einzelheiten mit einem Heizer über ein leckes Kühlrohr. Das Gespräch war freundlich, wie ein gutmütiger Plausch auf einem Kirchhof.

Lars Tobiasson-Svartman kniff die Augen in der Sonne zusammen und bestimmte die Entfernung zur Blenda auf 65 Meter.

Langsam bewegten sie sich nach Westen. Die beiden Barkassen wurden mit gleichmäßigen, langsamen Schlägen auf parallelem Kurs gerudert, mit einem Abstand von fünf Metern.

29

Kurz nach elf am Vormittag fanden sie eine Tiefe, die nicht mit der Seekarte übereinstimmte. Die Differenz war groß, nicht weniger als drei Meter. Die korrekte Tiefe betrug vierzehn Meter, nicht siebzehn. Eine Kontrolle der umgebenden Tiefen zeigten keine Abweichung von der Seekarte. Sie waren auf eine unerwartete Kuppe weit unten in der Tiefe gestoßen. Eine spitz zulaufende begrenzte Steinformation, mitten in einem Gebiet, in dem der Boden sonst eben war.

Lars Tobiasson-Svartman hatte den ersten der gesuchten Punkte gefunden. Eine Fehlangabe, die er korrigieren konnte. Eine Tiefe war weniger tief geworden.

Aber insgeheim suchte er nach etwas ganz anderem. Nach einer Stelle, an der das Lot den Boden nicht erreichte.

Einen Punkt, an dem die Lotleine nicht länger ein technisches Instrument war, sondern sich in ein poetisches Werkzeug verwandelte.

30

Die jetzige Strecke machte einen Bogen um einige Verschlammungen südlich der Halsskär-Schäre am offenen Meer. Die westliche Seite war noch nicht kartiert worden. Möglicherweise würden sie dort eine Rinne finden, tief und breit genug für Schiffe mit einem Tiefgang wie dem des Panzerschiffs Svea.

Im Reisearchiv las er, daß die Schäre bis ins 18. Jahrhundert hinein Vredholmen geheißen hatte. Er suchte nach einer Erklärung dafür, daß die karge Schäre, mit einem Umfang von tausend Metern, den Namen gewechselt hatte. Ein Mensch kann aus verschiedenen Gründen den Namen wechseln. Er selbst hatte es getan. Aber warum ändert man den Namen einer Schäre weit draußen im offenen Meer?

Ließ der Name Vred vermuten, daß jemand wütend gewesen war, oder daß sich etwas gedreht hatte? Man konnte belegen, daß sie mindestens 250 Jahre lang denselben Namen gehabt hatte. Dann, irgendwann zwischen 1712 und 1740, wurde die Schäre umbenannt. Danach gab es Vredholmen nicht mehr, nur noch Halsskär.

Er dachte über das Rätsel nach, ohne eine vernünftige Erklärung zu finden.

Am Abend, nachdem er seine eigenen Aufzeichnungen und die des Marineingenieurs Welander in das Logbuch der Expedition eingetragen hatte, ging er hinaus an Deck. Das Meer war immer noch still. Ein paar Matrosen waren dabei, einen Schaden am Fallreep zu reparieren. Er blieb stehen und betrachtete Halsskär.

Plötzlich glomm etwas auf. Er kniff die Augen zusammen. Das Blinken wiederholte sich nicht. Er ging in seine Kajüte und holte den Feldstecher. Da war nichts anderes als die Dunkelheit über den blankgeschliffenen Klippen.

Am selben Abend schrieb er einen Brief an seine Frau. Es war eine dürftige Geschichte von Tagen, die kaum voneinander zu unterscheiden waren.

Er schrieb nichts von Rudin. Auch das Treibnetz, das er am Morgen gesichtet hatte, erwähnte er nicht.

31

Am folgenden Tag kletterte er in der Morgendämmerung hinunter zu einer der Jollen, die an einer Fangleine am Heck der Blenda befestigt waren. Er machte die Fangleine los und begann, in Richtung Halsskär zu rudern. Es war windstill, das Meer roch herb nach Salz und Lehm. Er ruderte mit kräftigen Schlägen über die Dünung und fand eine Felskluft an der Westseite der Schäre, wo er trockenen Fußes an Land kommen konnte. Er zog die Jolle hoch, schlang die Fangleine um einen Stein und lehnte sich dann gegen die abschüssige Felswand.

Die Blenda lag östlich von Halsskär vor Anker. Er war allein. Nicht einmal die Geräusche des Schiffs erreichten ihn.

Die Schäre ruhte im Meer. Es war, als befände er sich in einer Wiege oder auf einem Totenbett. Von der Klippe flüsterten all die verborgenen Stimmen, die im Stein ruhten. Auch Steine bargen Erinnerungen, genau wie Wellen und die Dünung. Dort unten in der Dunkelheit gab es auch Erinnerungen, tief dort unten, wo Fische an unsichtbaren und stillen Fahrwassern entlangschwammen.

Die karge äußere Schäre war wie ein mittelloser Mensch, ohne jedes Verlangen. Auf der Klippe nichts als Flechten, Heide, verstreute Grasbüschel, vom Sturm verdrehte niedrige Wacholderbüsche und Tangblüten ganz unten am Wassersaum.

Die Klippe war wie ein Bettelmönch, der auf alle Besitztümer verzichtet hat und allein durch die Welt wandert.

Plötzlich überfiel ihn eine heftige Sehnsucht nach seiner Frau. Beim nächsten Treffen mit Fregattenkapitän Rake würde er den Brief an sie abschicken.

Erst dann konnte er damit rechnen, daß sie antwortete. Er war mit einer Frau verheiratet, die auf Briefe antwortete, die nie von sich aus schrieb.

Er kletterte auf den Gipfel der Schäre. Die Klippen waren glatt, und er rutschte aus. Von dort oben konnte er die Blenda in der Ferne sehen, wie sie sich auf der Dünung hob und senkte. Er richtete den Feldstecher auf das Schiff. Gegenstände und Menschen durch einen Feldstecher zu beobachten gab ihm immer ein Gefühl von Macht.

Leutnant Jakobsson stand an der Reling und pinkelte ins Wasser. Er hielt sein Glied mit der verkrüppelten Hand.

Lars Tobiasson-Svartman setzte den Feldstecher ab. Das Bild ekelte ihn. Er holte tief Luft.

Von nun an würde er Widerwillen gegenüber Leutnant Jakobsson empfinden. Wenn sie sich zum Essen hinsetzten, würde er gegen das Bild des pinkelnden Mannes mit der verkrüppelten Hand ankämpfen müssen.

Er überlegte, was geschehen würde, wenn er in einem Brief an seine Frau schriebe: »Heute morgen überraschte ich den Kommandanten des Schiffs mit heruntergelassenen Hosen.«

Er setzte sich in eine Felsspalte, wo der Boden trocken war, und schloß die Augen. Nach einem Moment hatte er den Duft seiner Frau heraufbeschworen. Er war so stark, daß er die Augen aufschlug und beinahe glaubte, sie müsse da auf der Klippe anwesend sein, dicht bei ihm.

Nach einer Weile kletterte er wieder hinunter zur Jolle und ruderte zurück.

Am selben Nachmittag erreichten sie Halsskär und begannen methodisch, an der westlichen Seite der Schäre nach einer zum Befahren ausreichend tiefen Rinne zu suchen.

32

Es bedurfte einer Woche harter und beharrlicher Arbeit, um festzustellen, daß es möglich war, das Fahrwasser westlich von Halsskär zu nutzen. Sämtliche Schiffe der Marine, ausgenommen die größten Panzerkreuzer, würden hier mit sicherem Spielraum passieren können.

Beim Abendessen – gedünsteter Dorsch mit Kartoffeln und Eiersoße – informierte er Leutnant Jakobsson über die Entdeckung. Er war nicht ganz sicher, welches Recht er formell hatte, von seinem Auftrag zu berichten. Zugleich war es ein merkwürdiges Gefühl, mit einem Mann, der mit eigenen Augen sehen konnte, worauf die Arbeit hinauslief, nicht offen zu sprechen.

»Das imponiert mir«, sagte Leutnant Jakobsson. »Aber ich habe eine Frage. Wußten Sie das von vornherein?«

»Was?«

»Daß es dort diese Tiefe gibt? Daß sie für die großen Kriegsschiffe ausreichend ist?«

»Seevermesser, die aufs Geratewohl suchen, haben selten Glück. Mit Sicherheit weiß ich nur, daß das, was sich unter der Meeresoberfläche verbirgt, unberechenbar ist. Wir können Schlamm und Fische und verfaulten Tang aus dem Meer ziehen. Aber es können auch bedeutende Überraschungen aus der Tiefe heraufkommen.«

»Es muß ein merkwürdiges Gefühl sein, eine Seekarte zu betrachten und zu wissen, daß man an dem korrekten Ergebnis beteiligt war.«

Das Gespräch wurde dadurch unterbrochen, daß Leutnant Jakobssons erster Offizier, Fredén, hereinkam und meldete, die Svea sei auf nördlichem Kurs gesichtet worden.

Lars Tobiasson-Svartman aß rasch zu Ende und beeilte sich, die jüngsten Meßergebnisse einzutragen. Er überflog die Notizen und signierte sie dann im Logbuch.

Bevor er die Kajüte verließ, schrieb er einen weiteren kurzen Brief an seine Frau.

Das Panzerschiff türmte sich neben der Blenda auf. Da fast Windstille herrschte, legten sie einen Landungssteg als Brücke zwischen den Schiffen aus.

Fregattenkapitän Rake war schwer erkältet. Er stellte keine Fragen, nahm nur das Logbuch entgegen und reichte es einem der Verschlüsselungstechniker. Dann bot er Kognak an.

»Bootsmann Rudin?« fragte Lars Tobiasson-Svartman. »Wie ist es ihm ergangen?«

»Er ist leider während der Operation gestorben«, erwiderte Rake. »Das ist wirklich bedauerlich. Er war ein guter Bootsmann. Außerdem hat sein Tod meine persönliche Statistik verschlechtert.«

Lars Tobiasson-Svartman wurde plötzlich von Übelkeit erfaßt. Daß Rudin sterben würde, hatte er nicht erwartet, und für einen Augenblick verlor er die Kontrolle über sich selbst.

Rake betrachtete ihn aufmerksam. Er hatte die Reaktion bemerkt. »Geht es Ihnen nicht gut?«

»Mir geht es ausgezeichnet. Es ist nur mein Magen, der in den letzten Tagen nicht in Ordnung war.«

Der Schatten des Bootsmann Rudin glitt durch die Kajüte.

Sie tranken noch ein Glas Kognak, ehe sie sich trennten.

33

Am 31. Oktober, am frühen Nachmittag, wurde die mittlere Ostküste von einem starken südöstlichen Sturm heimgesucht, der die Seeleute zwang, ihre Arbeit zu unterbrechen. Nicht ohne Befriedigung kommandierte Lars Tobiasson-Svartman die Barkassen zurück zum Mutterschiff. Am Morgen, als er abschätzte, wie das Wetter werden würde, hatten alle Anzeichen auf einen Sturm hingedeutet. Beim Frühstück hatte er den Kommandanten nach seiner Meinung über die Wetteraussichten befragt.

»Das Barometer fällt«, antwortete Leutnant Jakobsson. »Möglicherweise kann es einen südlichen Wind bis zu einer steifen Brise geben. Aber nicht vor Anbruch der Nacht.«

Schon am Nachmittag, dachte Lars Tobiasson-Svartman. Außerdem wird der Wind nach Osten drehen. Und er wird Sturmstärke erreichen. Aber er sagte nichts. Weder beim Frühstück, noch als der Sturm ausbrach.

Die Blenda krängte und stampfte in der rauhen See. Die Maschinen arbeiteten mit voller Kraft, um das Schiff im Wind zu halten. Zwei Tage lang war er bei den Mahlzeiten allein. Leutnant Jakobsson litt an schwerer Seekrankheit und ließ sich nicht blicken. Er selbst hatte nie mit der Übelkeit zu kämpfen gehabt, nicht einmal in seinen ersten tastenden Jahren als Seekadett.

Aus irgendeinem Grund bereitete ihm das ein schlechtes Gewissen.

34

In der Nacht zum 3. November legte sich der Sturm.

Als Lars Tobiasson-Svartman in der Morgendämmerung an Deck trat, trieben Wolkenfetzen über den Himmel. Die Temperatur stieg langsam an. Die Seevermessung konnte wieder aufgenommen werden. Er hatte bei seiner übergreifenden Planung einen Spielraum einkalkuliert und wußte, daß sie sich nicht verspäten würden. Drei kräftige Stürme hatte er einberechnet.

Er sah auf seiner Uhr, daß es Frühstückszeit war.

Da hörte er einen Ruf. Es klang wie ein Jammern. Als er sich umdrehte, sah er einen Matrosen, der sich über die Reling beugte und aufgeregt mit einer Hand winkte. Irgend etwas im Wasser hatte seine Aufmerksamkeit erregt.

Leutnant Jakobsson und Lars Tobiasson-Svartman kamen gleichzeitig bei dem gestikulierenden Mann an. Leutnant Jakobssons Gesicht war zur Hälfte mit Rasierschaum bedeckt.

Neben dem Bug schaukelte eine Leiche. Es war ein Mann, sein Gesicht war im Wasser. Er trug keine schwedische Uniform. Aber war sie deutsch oder russisch?

Mit Hilfe einiger Seile und Draggen wurde der Körper an Bord gehoben. Die Matrosen drehten ihn auf den Rücken. Ein junger Mann mit blonden Haaren. Aber ihm fehlten die Augen. Sie waren von Fischen oder vielleicht von Vögeln gefressen worden. Leutnant Jakobsson stöhnte auf.

Lars Tobiasson-Svartman versuchte, nach der Reling zu greifen. Aber er erreichte sie nicht, bevor er in Ohnmacht fiel. Als er die Augen aufschlug, beugte sich Leutnant Jakobsson über ihn. Ein paar Tropfen von dem weißen Rasierschaum trafen seine Stirn. Er erhob sich langsam, winkte denen, die ihm zu Hilfe kommen wollten, abwehrend zu.

In ihm wuchs die Demütigung. Er hatte nicht nur die Kontrolle verloren, er hatte auch vor der Besatzung des Schiffs Schwäche gezeigt.

Erst war Rudin gestorben. Und nun diese Leiche, die aus dem Meer gezogen worden war. Das war zuviel, eine Last, die er nicht bewältigen konnte.

Lars Tobiasson-Svartman hatte zuvor in seinem Leben erst einen toten Menschen gesehen. Es war sein Vater, der nach einem schweren Schlaganfall gestorben war, als er sich eines Nachmittags umzog. Der Vater starb auf dem Boden neben seinem Bett, gerade als der Sohn das Schlafzimmer betreten hatte, um zum Essen zu rufen.

Im Augenblick des Todes hatte sich Hugo Svartman bepinkelt. Er lag mit nacktem Bauch und offenen Augen da.

Einen Schuh hielt er in der Hand, als wollte er sich gegen einen Angreifer verteidigen.

Lars Tobiasson-Svartman war es nie gelungen, den Anblick des halbnackten und fetten Körpers zu vergessen. Oft hatte er gedacht, daß der Vater ihn ein letztes Mal hatte strafen wollen, indem er vor seinen Augen starb.

Der Tote war sehr jung. Leutnant Jakobsson beugte sich hinunter und legte ein Taschentuch über die leeren Augenhöhlen.

»Eine deutsche Uniform«, sagte er. »Er hat der deutschen Marine angehört.«

Leutnant Jakobsson fing an, die Uniformjacke des Toten aufzuknöpfen. Er fühlte in den Innentaschen nach und zog ein paar durchweichte Dokumente und Photographien heraus.

»Ich habe keine größeren Erfahrungen mit toten Seeleuten«, sagte er. »Das heißt natürlich nicht, daß ich noch nie tote Menschen aus dem Meer gefischt hätte. Ich glaube nicht, daß dieser Mann besonders lange im Wasser gelegen hat. Er hat keine Verletzungen, die darauf hindeuten, daß er im Kampf gestorben ist. Vermutlich ist er durch ein Unglück über Bord gefallen.«

Leutnant Jakobsson stand auf und gab Anweisung, die Leiche zu bedecken. Lars Tobiasson-Svartman folgte ihm in die Messe. Als sie sich gesetzt hatten und die Dokumente und Photographien auf dem Tisch lagen, bemerkte Leutnant Jakobsson, daß er noch immer Rasierschaum im Gesicht hatte. Er ließ sich vom Stewart ein Handtuch bringen und wischte sich das Gesicht ab. Als Lars Tobiasson-Svartman das zur Hälfte rasierte Gesicht sah, konnte er nicht umhin, in hysterisches Gelächter auszubrechen. Leutnant Jakobsson hob erstaunt die Augenbrauen. Lars Tobiasson-Svartman kam in den Sinn, daß er zum ersten Mal laut gelacht hatte, seit er an Bord der Blenda war.

Zum zweiten Mal hatte er von Leutnant Jakobsson den Eindruck einer lächerlichen Figur in einer kinematographischen Farce.

35

Leutnant Jakobsson ging die Papiere des toten Matrosen durch. Vorsichtig trennte er die zusammengeklebten Seiten eines Soldbuchs auf.

»Karl-Heinz Richter, geboren 1895 in Kiel«, las er. »Ein sehr junger Mann, noch keine Zwanzig. Ein kurzes Leben, ein gewaltsamer Tod.«

Er bemühte sich, die verwischte Schrift zu entziffern.

»Er war Matrose auf dem Schlachtschiff Niederburg. Daß dieses Schiff in der Ostsee operiert, kommt, glaube ich, als Überraschung für den Marinestab in Stockholm.«

Lars Tobiasson-Svartman dachte bei sich: Eins der kleineren Schlachtschiffe der deutschen Flotte, aber immerhin mit einer Besatzung von über 800 Mann. Eins der schweren deutschen Kriegsschiffe, die wirklich hohe Geschwindigkeiten erreichen können.

Leutnant Jakobsson beugte sich über die Photographien. Darunter eine Miniatur in Glas und Rahmen.

»Vermutlich Frau Richter«, sagte er. »Eine freundlich lächelnde Frau, die in einem Photoatelier sitzt und nicht ahnt, daß ihr Sohn das Bild bei sich haben wird, wenn er ertrinkt. Ein schönes Gesicht, wenn auch ein wenig feist.«

Gründlich musterte er die Miniatur.

»Da liegt ein kleiner blauer Schmetterling unter dem Glas«, sagte er. »Warum, werden wir nie erfahren.«

Eine andere Photographie war verwischt. Er studierte sie eingehend, ehe er sie beiseite legte. »Man kann kaum erkennen, was sie darstellt. Möglicherweise einen Hund. Vielleicht ein Stöberhund, aber ich bin mir nicht sicher.«

Er überreichte ihm die Photographie und die Dokumente. Lars Tobiasson-Svartman meinte auch, einen Hund zu erkennen. Doch er war sich der Rasse nicht sicher. Die Frau, mit großer Wahrscheinlichkeit Karl-Heinz Richters Mutter, sah zusammengesunken und ängstlich aus. Sie schien sich vor dem Photographen zu ducken. Und sie war wirklich fett.

»Es gibt zwei Möglichkeiten«, sagte Leutnant Jakobsson. »Entweder ist es ein banales Unglück. In der Dunkelheit taumelt ein Matrose über Bord. Niemand merkt etwas. Es muß nicht einmal dunkel sein, damit so ein Unglück geschieht. Es kann tagsüber passiert sein. Von einem Schiffsdeck bis zur Meeresoberfläche hinunterzustürzen dauert zwei oder drei Sekunden. Keiner sieht dich, keiner hört dich, wenn du zappelst und mit dem Meer kämpfst, das unerbittlich alle Wärme aus dir heraussaugt und dich dann in die Tiefe zieht. Du stirbst an Unterkühlung und in grenzenlosem Entsetzen. Diejenigen, die dem Ertrinken nahe waren, sprechen von einem ganz speziellen Schrecken, der mit nichts zu vergleichen ist, nicht einmal mit der Angst, die man bei einem Bajonettangriff auf einen wild schießenden Feind empfindet.«

Er unterbrach sich rasch, als hätte er den Faden verloren. Lars Tobiasson-Svartman fühlte, wie die Übelkeit ihn überfiel.

»Es kann aber auch eine andere Erklärung geben«, fuhr Leutnant Jakobsson fort. »Er kann sich das Leben genommen haben. Die Angst ist zu groß geworden. Vor allem junge Menschen können sich aus den absonderlichsten Gründen das Leben nehmen. Aus unglücklicher Liebe zum Beispiel. Oder aus dem unklaren Phänomen, das auf deutsch ›Weltschmerz‹ genannt wird. Aber auch Heimweh ist kein unbekanntes Phänomen als Erklärung dafür, warum Soldaten sich umbringen. Mamas Schürzenzipfel ist wichtiger als das Leben. Ist man des Schürzenzipfels beraubt, bleibt nur der Tod.«

Er griff nach dem Miniaturbild. »Man kann nicht ausschließen, daß diese Frau ihren Sohn überbeschützt hat und sein Leben damit ohne sie unmöglich wurde.«

Lange betrachtete er das Bild, ehe er es wieder weglegte. »Man kann natürlich über andere Gründe spekulieren. Er kann von seinen Vorgesetzten oder Kameraden schlecht behandelt worden sein. Ich finde, daß der Junge klein und angstvoll wirkt, auch im Tod. Tatsächlich gleicht er einem Mädchen. Fehlt nur noch der Zopf. Vielleicht ertrug er es nicht mehr, daß die anderen auf ihm herumhackten. Dennoch gehört eine Art von Mut dazu, sich ins Meer zu stürzen. Mut oder Dummheit. Oft genug kann das die gleiche Sache sein. Besonders bei Soldaten.«

Leutnant Jakobsson stand auf. »Ich will den Mann nicht unnötig lange an Bord haben. Tote belasten ein Schiff. Die Besatzung wird unruhig. Er muß so schnell wie möglich bestattet werden.«

»Muß der Körper nicht obduziert werden?«

Leutnant Jakobsson dachte nach, bevor er antwortete. »Als Kapitän treffe ich selbst die Entscheidung. Es kann nicht ausgeschlossen werden, daß der Mann krank war. Auch ein Toter vermag eine ansteckende Krankheit zu übertragen. Ich werde ihn so schnell wie möglich bestatten.«

An der Tür der Messe blieb er stehen: »Ich muß Sie um einen Gefallen bitten. Sie sind vermutlich der einzige in der gesamten schwedischen Marine, der mir helfen kann.«

»Wobei?«

»Ich brauche eine geeignete Tiefe. Ganz hier in der Nähe, wo wir den Körper versenken. Vielleicht könnten Sie auf Ihren Seekarten nachschauen?«

»Das ist nicht nötig. Ich weiß eine Stelle.«

Sie betraten das Deck und gingen zur Reling. Es herrschte eine eigentümliche Stille an Bord.

Lars Tobiasson-Svartman zeigte nach Nordost. »250 Meter von hier aus gesehen gibt es eine Spalte im Meeresboden. Sie ist nicht breiter als dreißig Meter und erstreckt sich bis zur Tiefe von Landsort. Bekanntlich ist das die tiefste Stelle in der ganzen Ostsee, gut 450 Meter. Hier beträgt die Tiefe etwa 160 Meter. Wünscht man eine größere Tiefe, muß man sich einige Seemeilen nach Norden bewegen.«

»Das ist gut. An Land werden unsere Särge in einer Tiefe von knapp zwei Metern versenkt. Dann müßten 160 Meter im Meer mehr als genug sein.«

Der tote Körper wurde in eine Persenning eingenäht. Als Senker wurde Eisenschrott aus dem Maschinenraum an dem Toten befestigt. Während der Körper vorbereitet wurde, beendete Leutnant Jakobsson seine Rasur.

Das Schiff wurde nach den Anweisungen gesteuert, die Lars Tobiasson-Svartman dem Rudergänger erteilte. Ihm kam der Gedanke, daß er zum ersten Mal selbständig das Kommando über ein schwedisches Kriegsschiff führte.

Auch wenn die Strecke nur 250 Meter betrug.

36

Die Bestattung fand um halb zehn statt. Die Besatzung hatte sich auf dem Achterdeck versammelt. Der Zimmermann hatte eine Planke auf zwei Holzklötzen aufgebockt. Der Körper lag in der Persenning mit dem Fußende zur Reling. Die dreizüngige Flagge des Schiffs hing auf Halbmast.

Leutnant Jakobsson folgte den Ritualen, die in seinen Instruktionen festgelegt waren. Er hielt ein Gesangbuch in der Hand. Die Besatzung sang murmelnd mit. Leutnant Jakobsson hatte eine starke Stimme, sang aber unsicher und falsch. Lars Tobiasson-Svartman bewegte nur die Lippen. Die Möwen, die um das Schiff kreisten, schrien mit. Nach dem Choral wurde das vorgeschriebene Gebet über den Toten gesprochen, worauf die Planke angehoben wurde und der Körper über die Reling rutschte und mit einem gedämpften Klatschen im Wasser auftraf.

Das Nebelhorn des Schiffs tutete düster. Leutnant Jakobsson ließ die Mannschaft noch für eine Minute stillstehen. Als die Gruppe sich auflöste, war der Körper verschwunden.

Leutnant Jakobsson lud in der Messe zu einem Glas Schnaps ein. Sie stießen an, und der Kommandant sagte: »Wie lange braucht ein Körper Ihrer Meinung nach, um da unten im Lehm oder Sand oder woraus der Boden nun besteht zur Ruhe zu kommen?«

Lars Tobiasson-Svartman überschlug es rasch im Kopf: »Angenommen, der Körper mitsamt den Senkern wiegt 100 Kilo, und der Abstand zum Boden beträgt 160 Meter. Der Körper sollte in zwei bis drei Sekunden um einen Meter sinken. Das bedeutet, daß er ungefähr sechs Minuten braucht, um den Meeresgrund zu erreichen.«

Leutnant Jakobsson dachte über die Antwort nach. »Das sollte reichen, damit meine Besatzung keine Angst haben muß, daß er wieder an die Oberfläche kommt. Seeleute können so verteufelt abergläubisch sein. Aber das gilt auch für Befehlshaber, wenn es zum Schlimmsten kommt.«

Er nahm noch einen Schnaps. Lars Tobiasson-Svartman sagte nicht nein.

»Ich werde darüber nachdenken, was die Ursache dafür war, daß er ertrunken ist«, sagte Leutnant Jakobsson. »Ich weiß, daß ich keine Antwort bekommen werde. Aber ich werde ihn nicht vergessen. Unsere Begegnung war kurz. Er lag auf dem Deck meines Schiffs unter einem grauen Stück Persenning. Dann war er wieder weg. Dennoch wird er mich für den Rest meines Lebens begleiten.«

»Was soll mit seiner Hinterlassenschaft geschehen? Die Miniatur, das Bild von dem Hund? Sein Soldbuch?«

»Ich schicke die Dinge zusammen mit meinem Bericht nach Stockholm. Ich nehme an, daß man sie dann nach Deutschland weiterbefördert. Früher oder später wird Frau Richter erfahren, was mit ihrem Sohn geschehen ist. Ich kenne keine zivilisierte Nation, bei der die Handhabung toter Soldaten nicht einem strengen Reglement unterliegt.«

Lars Tobiasson-Svartman stand auf, um die unterbrochene Arbeit wiederaufzunehmen.

Leutnant Jakobsson hob die Hand zum Zeichen, daß er noch etwas zu sagen hatte. »Ich habe einen Bruder, einen Ingenieur«, sagte er. »Er hat einige Jahre auf der deutschen Flottenwerft in Kiel gearbeitet. Er hat mir erzählt, daß die Deutschen dort mit dem Gedanken an unfaßbar große Schiffe spielten. Mit einem Eigengewicht von bis zu 50 000 Tonnen, wovon die Hälfte aus Panzerblechen bestehen würde. An bestimmten Stellen sollte ihre Dicke bis zu 35 Zentimeter betragen. Diese Schiffe sollten Besatzungen von über 2000 Mann haben und schwimmende Städte sein, wo alles zu haben ist. Vermutlich würde es an Bord auch Bestattungsunternehmer geben. Eines Tages werden solche Schiffe vielleicht Realität sein. Ich frage mich allerdings, was mit dem Menschen geschehen wird. Er wird niemals eine 35 Zentimeter dicke Haut haben, die den schwersten Granaten widerstehen kann. Wird unsere Art überhaupt überleben? Oder wird unser Dasein schließlich in einen ewigen Krieg münden, und niemand wird sich erinnern, wie er begonnen hat, und niemand wird je ein Ende absehen?«

Leutnant Jakobsson nahm noch einen Schnaps.

»Der Krieg, der jetzt herrscht, ist vielleicht der Anfang. Millionen von Soldaten werden sterben, nur weil ein Mann in Sarajewo ermordet wurde. Ein unbedeutender Thronfolger. Kann das vernünftig sein? Natürlich nicht. Krieg ist im Grunde immer ein Irrtum. Oder das Resultat von unsinnigen Annahmen und Schlußfolgerungen.«

Leutnant Jakobsson schien keinen Kommentar zu erwarten. Er stellte lediglich die Branntweinflasche in den Schrank zurück und verließ die Messe.

Als er das Deck betrat, schwankte er und tat einen Fehltritt. Er drehte sich nicht um.

Lars Tobiasson-Svartman blieb in der Messe sitzen und dachte über das nach, was er gerade gehört hatte.

Wie dick war seine eigene Haut? Welchen Granaten würde seine Haut widerstehen?

Was wußte er von Kristina Tackers Haut, außer daß sie duftete?

Für einen kurzen Moment überwältigte ihn eine heftige Panik. Er saß wie gelähmt da, als würde sich ein Gift in seinem Körper ausbreiten. Dann riß er sich von sich selbst los, holte tief Atem und ging hinaus an Deck.

37

Sie setzten die unterbrochene Arbeit fort, und es gelang ihnen, achtzig Kontrollmessungen vorzunehmen, bevor es dämmrig wurde.

Zum Abendessen gab es gebratene Scholle, Kartoffeln und eine dünne, fade Soße. Leutnant Jakobsson war sehr schweigsam und stocherte nur auf seinem Teller herum.

Lars Tobiasson-Svartman übertrug die Notizen des Tages ins Logbuch. Danach fühlte er sich rastlos und ging hinaus an Deck.

Wieder meinte er zu sehen, daß es auf Halsskär aufblitzte. Wiederum tat er es als Einbildung ab.

In dieser Nacht hielt er das Lot an seinen Körper gedrückt. Obwohl er es jeden Tag säuberte, meinte er, daß es nach Schlamm roch, nachdem es den Meeresboden gestreift hatte.

38

Er erwachte mit einem Ruck. In der Kajüte war es dunkel. Das Lot lag neben seinem linken Arm. Er horchte. Das Wasser gluckerte leise, das Schiff rollte sacht. An Deck hörte er die Nachtwache husten. Der Husten klang nicht gut, er war trocken. Die Schritte des Wächters entfernten sich achteraus.

Er hatte geträumt. Von Pferden und von Menschen, die sie peitschten. Er hatte eingreifen wollen, aber niemand hatte von ihm Notiz genommen. Dann hatte er eingesehen, daß er selbst von einem Peitschenhieb getroffen werden würde. In diesem Moment war er aufgewacht.

Er sah auf die Uhr, die neben der Koje hing. Viertel nach fünf. Noch keine Morgendämmerung.

Er dachte an das Aufblitzen, das er bei zwei Gelegenheiten zu sehen gemeint hatte. Aber Halsskär war doch eine unfruchtbare Klippe im Meer? Da konnte es doch kein Licht geben.

Er zündete die Petroleumlampe an, zog sich an, holte tief Luft und betrachtete sein Gesicht im Spiegel. Es war immer noch sein eigenes.

Als Kind und während seiner ganzen Jugend war er seiner Mutter ähnlich gewesen. Jetzt, da er älter wurde, begann sich sein Gesicht zu verwandeln, und er sah im Spiegel immer mehr von den Gesichtszügen seines Vaters.

Gab es ein weiteres Gesicht, das er in sich trug? Würde er jemals erleben, daß er nur sich selbst glich?

39

Über dem Meer lag Dunst, als er an Deck kam.

Der Wachtposten mit dem Reizhusten saß auf dem vorderen Ankerspill und rauchte. Er fuhr hoch, als er Schritte hörte. Die Stummelpfeife verbarg er hinter dem Rücken. Dann erlitt er einen heftigen Hustenanfall. Es kratzte und schmerzte in seiner Brust.

Lars Tobiasson-Svartman ging zu einem der Beiboote, legte das Fallreep aus und stieg hinunter. Der Wachtposten, der nach dem Hustenanfall wieder Luft bekommen hatte, fragte keuchend, ob er einen Ruderer haben wolle. Er lehnte es dankend ab.

Die Sonne war noch nicht über den Horizont gestiegen, als er in Richtung Halsskär ruderte. Die Dollen quietschten erbärmlich. Um auf direktem Weg zur Schäre zu kommen, nahm er sich einen Richtpunkt am Brückennock auf der Steuerbordseite und paßte den Kurs ständig an. Er ruderte mit kräftigen Schlägen und legte an derselben Stelle an, wo er zum ersten Mal an Land gegangen war.

Halsskär war wie von einer Riesenhand zerquetscht. Da gab es tiefe Schluchten und Senken, Lehmerde hatte sich angelagert und Leimkraut und vereinzelten Stauden von Wermut Halt gegeben. An den Klippen entlang krochen Flechten und die dumpfig rote Heide.

Er folgte der Uferkante nach Norden. Manchmal mußte er sich vom Wasser entfernen, wenn die Felswände zu steil wurden. Das Gelände bot ihm keine Hilfe an, die Klippen formten sich zu glitschigen Abhängen, jede Felswand, die besiegt war, führte sofort zu einer neuen.

Nach zehn Minuten brach ihm der Schweiß aus. Er befand sich zwischen Steinblöcken, tief unten in einer Kluft und konnte das Meer nicht mehr sehen. Er war von Stein umlagert. Eine Schlange hatte sich unten in der Schlucht gehäutet. Er kletterte weiter zwischen den Klippen herum, sah das Meer wieder und gelangte zum Rand einer Bucht, die aus der Schäre herausgemeißelt schien.

Er blieb abrupt stehen.

Zuinnerst in der Bucht lag eine windschiefe Anlegebrücke. An der Brücke war eine Jolle vertäut. Die Rahe war an den Mast geklappt, das Segel aufgetucht. Der Mast stand weit vorn in der Spitze des Boots. Am Ufer hingen Fischernetze an Astgabeln, zwischen ein paar Pfosten, die zwischen den Steinen in den Boden gerammt waren. Außerdem sah er einen Brauereibottich aus geteerter Eiche, einen Haufen Senksteine und Schwimmer aus Rinde und Kork.

Er stand regungslos da und betrachtete das Bild. Es erstaunte ihn, daß eine Schäre, die so weit draußen am offenen Meer lag, von Fischern und Vogeljägern genutzt wurde. Robbenjäger konnten es nicht sein, da in der Nähe des Leuchtturms von Sandsänkan keine Klippen bekannt waren, auf die Seehunde heraufkrochen. Da mußte man tiefer ins Schärenmeer hinein, zu der Untiefe östlich von Harstena.

Er ging weiter den Strand in der schützenden Bucht entlang und stellte fest, daß die Jolle sehr gepflegt war. Das Segel schien nicht geflickt zu sein, und die Schoten waren aus einem Stück, nicht aus Resten zusammengeknotet. Die Netze in den Astgabeln waren feinmaschig, geeignet für den Heringsfang. Weit drinnen in der Bucht sah er einen Trampelpfad, der zu einem dichten Gestrüpp aus Steinröschen und Sanddorn führte. Hinter dem Gestrüpp schlängelte sich der Pfad weiter zwischen zwei Klippen hindurch.

Plötzlich erblickte er einen Flecken ebener Erde und eine kleine Jagdhütte, die sich an eine Felswand duckte. Sie hatte einen gemauerten Kamin, aus dem ein dünner Rauchfaden zum Himmel aufstieg. Das Fundament bestand aus großen Steinen. Die Wände waren aus ungehobelten grauen Planken von ungleicher Breite. Das Dach war mit Moos geflickt, aber darunter lag eine Schicht Torf. Es gab nur ein Fenster. Die Tür war geschlossen. Neben dem Haus war ein kleiner Gemüsegarten, in dem nichts wuchs, aber jemand hatte sich die Mühe gemacht, den Boden mit Tangbüscheln zu bedecken und zu düngen. Weiter weg, ganz nah an der Felswand auf der anderen Seite der Hütte, lag ein Kartoffelacker. Er schätzte ihn auf zwanzig Quadratmeter. Auch hier war Tang ausgestreut, zusammen mit vertrocknetem Kartoffelkraut.

In diesem Moment ging die Tür auf. Eine Frau trat heraus. Sie trug einen grauen Rock und eine zottelige Jacke, in der Hand hielt sie eine Axt. Ihre Haare waren lang und blond und in einem Zopf zusammengefaßt, der sich in der Jacke versteckte. Sie bemerkte ihn und schrak zusammen. Aber sie bekam keine Angst und erhob nicht die Axt.

Lars Tobiasson-Svartman war verwirrt. Er fühlte sich wie auf frischer Tat ertappt, ohne zu wissen, wessen man ihn beschuldigen könnte. Er hob die Hand an den Mützenrand und grüßte.

»Ich will mich nicht anschleichen«, sagte er. »Ich heiße Lars Tobiasson-Svartman und bin Kapitän, ohne Befehlshaber zu sein, auf dem Schiff, das da draußen liegt, östlich der Schäre.«

Sie hatte klare Augen und senkte den Blick nicht. »Was machen Sie hier? Ich habe den Küstensegler gesehen. Er liegt hier Tag für Tag.«

»Wir messen die Tiefe und prüfen nach, ob die Seekarten zuverlässig sind.«

»Ich bin nicht daran gewöhnt, hier draußen zwischen den Untiefen Schiffe liegen zu sehen. Und noch weniger, Leute auf der Insel zu haben.«

»Der Krieg zwingt uns dazu.«

Sie wandte den Blick nicht von ihm. »Was für ein Krieg?«

Er spürte, daß sie die Wahrheit sagte. Sie wußte nichts vom Krieg. Sie trat aus einem Häuschen auf Halsskär heraus und wußte nicht, daß ein großer Krieg im Gange war.

Bevor er antwortete, warf er einen Blick auf die Tür, um zu sehen, ob ihr Mann sich zeigen würde.

»Seit einigen Monaten herrscht Krieg. Viele Länder sind daran beteiligt. Aber hier in der Ostsee sind es vor allem deutsche und russische Kriegsschiffe, die sich auf eine entscheidende Schlacht vorbereiten.«

»Und Schweden?«

»Wir haben nichts damit zu tun. Aber keiner weiß, wie lange uns das gelingt.«

Sie war jung, noch keine Dreißig. Ihr Gesicht war offen, genau wie ihre Stimme.

»Wie geht es mit dem Fischfang?« fragte er höflich.

»Es ist schwierig.«

»Der Hering zieht also nicht hier durch? Und der Dorsch?«

»Es gibt Fisch. Aber ihn zu fangen ist mühsam.«

Sie schlug die Axt in einen Hackblock. Daneben lagen Äste und angeschwemmtes Strandgut zum Heizen. »Ich bekomme selten Besuch«, sagte sie. »Ich habe nichts anzubieten.«

»Das ist nicht nötig. Ich kehre zu meinem Schiff zurück.«

Sie sah ihn an. Ihr Gesicht gefiel ihm.

»Ich heiße Sara Fredrika«, sagte sie. »Ich bin nicht an Menschen gewöhnt.«

Sie drehte sich um und verschwand in der Hütte.

Lars Tobiasson-Svartman betrachtete lange die geschlossene Tür. Er wünschte sich sehnlich, daß sie aufgemacht würde und sie wieder zurückkäme. Doch die Tür blieb geschlossen.

Er kehrte zur Blenda zurück. Leutnant Jakobsson stand an der Reling und rauchte, als er an Bord kletterte. »Halsskär? So heißt die Felsinsel? Was haben Sie da gefunden?«

»Nichts. Da war nichts.«

Sie widmeten sich weiter ihrem Auftrag, ließen die Lote sinken und holten sie wieder ein.

Er dachte an die Frau, die aus dem Häuschen getreten war und ihm direkt in die Augen gesehen hatte.

Gegen Nachmittag drehte der Wind auf Südwest.

Während sie die Arbeit des Tages beendeten, setzte der Regen ein.

Teil 3

DER NEBEL

40

Am 15. November fiel der erste Schnee.

Es war windstill, über der Finnischen Bucht lag eine dunkle Wolkenbank. Der Schnee war zunächst nur ein Hauch. Das Thermometer zeigte minus zwei Grad, das Barometer fiel.

Am Abend zuvor hatte Lars Tobiasson-Svartman in seinem Journal notiert, daß sie 21 Tage gearbeitet und drei Ruhetage eingelegt hatten. Er rechnete damit, am 1. Dezember die Vermessung der neuen Strecke des Fahrwassers beendet zu haben, ausgehend vom Leuchtturm von Sandsänkan bis zum nördlichen Schärenmeer von Gryt und der Einmündung bei Barösund. Anschließend würde die Blenda Kurs auf Gamlebyviken nehmen, wo ein kleineres Gebiet vermessen werden sollte.

Der Marinestab hatte sie jedoch vorgewarnt, daß diese Etappe bis zu Neujahr 1915 verschoben werden könnte. Lars Tobiasson-Svartman und seine Leute sollten in diesem Fall zunächst nach Stockholm zurückkehren.

Noch immer war er im Zweifel, ob die gesamte Strecke von Halsskär nach Westen abgekürzt werden könnte. Es gab ein Gebiet, das ihn beunruhigte. Es war eine schlecht kartierte Strecke, bei der es Hinweise auf dramatische Unregelmäßigkeiten am Meeresgrund gab. Aber waren es begrenzte Untiefen, die er unberücksichtigt lassen konnte? Oder gab es dort einen Unterwasserrücken, über den die Fahrrinne nicht führen durfte?

Er war sich nicht sicher. Es war eine ganz eigene Unruhe. Er teilte sie mit niemandem.

Er kroch in seine Koje, blies die Petroleumlampe aus und grübelte, warum er immer noch keinen Brief von seiner Frau bekommen hatte. Sechsmal hatte das Panzerschiff Svea sich vom Horizont her genähert. Jedesmal hatte er einem Verschlüsselungstechniker sein Logbuch übergeben, mit Rake über den Krieg gesprochen, ein Glas Kognak getrunken und schließlich einen Brief überreicht. Aber Rake hatte keine Post für ihn.

Auch etwas anderes ging ihm nicht aus dem Sinn. Es waren jetzt vierzehn Tage vergangen, seit er der Frau auf Halsskär begegnet war. Der Wunsch verstärkte sich, zu der Schäre zurückzukehren. An zwei aufeinanderfolgenden Morgen war er in eine Jolle geklettert und hatte sich auf den Weg gemacht. Im letzten Moment hatte er es sich jedoch anders überlegt. Die Verlockung war groß, aber es war verboten.

Er hätte hineilen mögen, aber er hatte nicht den Mut.

Der Schnee fiel unentwegt und wurde immer dichter. Das Meer war still, bleigrau. Die schwarzen Wolken schlichen über ihren Köpfen dahin. Leutnant Jakobsson kam an Deck, einen Schal um den Kopf und die Uniformmütze gewickelt. Ein Matrose lachte auf, ein anderer stimmte ein, aber Leutnant Jakobsson wurde nicht böse, sondern schien eher amüsiert.

»Es ist ganz gegen das Reglement«, sagte er lächelnd. »Halstücher sind für die Weiber, nicht für die Kommandanten in der schwedischen Flotte. Aber es wärmt zweifellos die Ohren.«

Zum allgemeinen Erstaunen kratzte er dann Schnee vom Deck und formte, trotz seiner verkrüppelten Hand, einen Schneeball. Den warf er Marineingenieur Welander auf den Rücken.

»Das schwedische Volk ist durch die Schneeballschlachten, die es in der Jugend ausgetragen hat, zu Soldaten erzogen worden«, rief er befriedigt nach dem Volltreffer aus.

Verdutzt schüttelte Marineingenieur Welander den Schnee vom Mantel. Aber er sagte nichts, drehte sich nur um und ging zum Fallreep, um in seine Barkasse hinunterzuklettern.

Leutnant Jakobsson folgte ihm mit dem Blick. Seine Augenbrauen zogen sich zusammen. »Ingenieur Welanders Barkasse hat einen heimlichen Spitznamen bekommen«, sagte er in vertraulichem Ton zu Lars Tobiasson-Svartman. »Die Besatzung meinte, ich wüßte nichts davon. Aber es ist die wichtigste Aufgabe eines Kapitäns – neben der, dafür zu sorgen, daß das Schiff nicht zur Hölle fährt –, zu wissen, welche Gerüchte in der Besatzung kursieren. Ich muß Kenntnis davon haben, wenn jemand in der Mannschaft schlecht behandelt wird. Ich will keinen Fall Karl-Heinz Richter haben, jemand, auf dem so schlimm herumgehackt wird, daß er sich ins Meer stürzt. Ingenieur Welanders Boot trägt den Spitznamen ›Velig‹, also unentschlossen. Eine hämische, aber zutreffende Beschreibung.«

Lars Tobiasson-Svartman verstand. Ingenieur Welander neigte dazu, Meßergebnisse anzuzweifeln, und verlangte völlig überflüssige Wiederholungen.

»Was hat mein Boot für einen Spitznamen?« fragte er.

»Gar keinen. Das ist erstaunlich. Die Matrosen sind erfinderisch. Aber Ihre Besatzung scheint keine Schwäche an Ihnen entdeckt zu haben, die es verdient, daß man eine unsichtbare Flasche am Bug zerschmettert und das Boot mit einem Spitznamen versieht.«

Lars Tobiasson-Svartman verspürte Erleichterung. Er hatte sich ohne sein Wissen unerreichbar gemacht.

Leutnant Jakobsson verzog plötzlich das Gesicht. »Da ist ein Ziehen im Arm«, sagte er. »Vielleicht habe ich mich verrenkt.«

Lars Tobiasson-Svartman beschloß, die Frage zu stellen, die ihn beschäftigte, seit er an Bord gekommen war. »Ich wüßte gern, was mit der Hand geschehen ist.«

»Das wollen alle. Aber äußerst wenige stehen zu ihrer Neugier. Meiner Meinung nach ist es eine geradezu unanständige Feigheit, nicht den Mut zu haben, nach den physischen Gebrechen seiner Nächsten zu fragen. Die Welt ist voll von Admiralen, die mit dem Kopf unter dem Arm herumspazieren. Aber kein Untergebener wagt, nach dem Gesundheitszustand zu fragen.«

Leutnant Jakobssen gluckste zufrieden. »Als ich ein Kind war, habe ich oft davon phantasiert, daß meine Hand bei einem Piratenüberfall in der Karibik verletzt wurde«, fuhr er fort. »Oder von einem Krokodil zerfleischt. Es war allzu grau und trist, sich vorzustellen, daß sie immer schon so ausgesehen hatte. Manche haben einen Klumpfuß, andere werden mit einer Hand geboren, die einem Klumpen gleicht. Ich ziehe immer noch den Gedanken vor, von einem dunkelhäutigen Piraten mit einem blutigen Säbel verunstaltet worden zu sein. Aber es widerstrebt mir, einen Kapitänskollegen zu belügen.«

Der Schnee fiel jetzt in dicken Flocken. Ingenieur Welanders Barkasse war schon unterwegs zu der Stelle, an der grau-weiße Schwimmbojen markierten, wo die gestrigen Messungen abgeschlossen worden waren.

Lars Tobiasson-Svartman stieg in seine Barkasse, die Matrosen legten sich in die Riemen, und er machte sein Lot bereit. Da es schneite, hatte er Seekarte, Notizbuch und Stifte in ein wasserdichtes Futteral aus Ölzeug gesteckt.

Die Matrosen bibberten im Schnee. Zwei von ihnen waren schwer erkältet, und der Rotz lief ihnen aus der Nase. Das machte Lars Tobiasson-Svartman rasend. Er haßte Menschen mit verrotzten Nasen. Aber natürlich sagte er nichts. Er war einer der unanständig Feigen, von denen Leutnant Jakobsson gerade geredet hatte.

Sie ruderten auf die Bojen zu. Er stand am Heck, spähte nach Halsskär aus und dachte an die Frau, die Sara Fredrika hieß. Der Gedanke an ihren Mann machte ihn eifersüchtig.

Der Schnee fiel und fiel.

Er hatte das Gefühl, als würde das Meer ihn beobachten wie ein wachsames Tier.

41

Kurz nach zehn meldete Ingenieur Welander, daß sie auf eine Erhöhung gestoßen waren. Im Abstand von 20 Metern verringerte sich die Tiefe von 63 Meter auf 19. Es schien, als hätten sie eine Felswand gefunden, die sich unsichtbar unter der Meeresoberfläche erhob. Lars Tobiasson-Svartman versenkte sein eigenes Lot. Bei der letzten Messung 10 Meter achteraus hatte er bei 52 Metern den Meeresboden erreicht. Er hielt den Atem an und hoffte auf denselben Wert. Doch das Lot blieb bei 17 Metern stehen. Was er gefürchtet hatte, war eingetroffen. Sie waren auf einen Unterwasserbuckel gestoßen, der noch nicht kartiert war.

Das Meer hatte seine Stimme erhoben und sich gewehrt.

Statt entlang der eingeschlagenen Linie fortzufahren, verlangte er Messungen quer zum bisherigen Kurs der Barkassen. Sie mußten herausfinden, ob es ein langgestreckter Felsrücken war oder nur ein begrenzter steinerner Hügel. Sie maßen in Intervallen von drei Metern und riefen einander die Ergebnisse zu. Welander trug die Werte 19, 16, 15 ein, dann plötzlich 7 Meter, danach nochmals 7, dann 4, und einen weiteren Sprung bis auf 2 Meter. Die Tiefe pendelte auf einer Strecke von 100 Metern zwischen 2 und 3 Metern.

Lars Tobiasson-Svartman erzielte dieselben Ergebnisse. Es handelte sich um eine nicht unbedeutende Erhebung auf dem Meeresboden. Sie waren auf eine Untiefe gestoßen, die aus irgendeinem Grund nie richtig kartiert worden war. Aus dem Stegreif konnte er sich nicht erinnern, ob sie überhaupt als Heringsgrund in alten Aufzeichnungen über die Fischerei beim Leuchtturm von Sandsänkan auftauchte.

Der Schneefall hatte sich weiter verdichtet. Er war irgendwie enttäuscht. Das Meer hatte ihn hereingelegt.

Er rief Welander zu, die Arbeit für den Tag abzubrechen. Die durchnäßten Matrosen wurden wieder munter. Einer gähnte laut, als er sein Ruder anpackte. Gelbgrüner Rotz rann ihm aus der Nase. Lars Tobiasson-Svartman stand heftig auf und schlug ihm mit dem Kartenfutteral ins Gesicht. Er schlug fest zu, und der Matrose blutete sofort aus der gesprungenen Oberlippe.

Das Ganze ging so schnell, daß niemand reagieren konnte.

Die Schwäche, dachte er. Jetzt habe ich mich erreichbar gemacht. Ich habe die Kontrolle verloren.

Die Matrosen ruderten weiter. Er selbst saß da, den Blick auf Halsskär gerichtet. Niemand sagte etwas.

Beim Abendessen – Roastbeef, Kartoffeln und Salzgurke – erzählte er Leutnant Jakobsson von dem unsichtbaren Felsrücken.

»Was werden die Folgen sein?« fragte Leutnant Jakobsson.

»Es wird mir gelingen, das Fahrwasser durch die inneren Schären zu ziehen, aber nicht in dem Umfang, wie ich es erhofft hatte.«

»Es ist also kein Scheitern auf der ganzen Linie?«

Er ging dazu über, von der anderen Sache zu sprechen, die vorgefallen war. »Ich habe heute einen Matrosen zurechtgewiesen. Es war notwendig. Er ruderte nicht so, wie er sollte. Ich habe ihn mit dem Kartenfutteral geschlagen.«

Leutnant Jakobsson war natürlich bereits informiert. Er lächelte. »Die Mannschaft muß selbstverständlich bestraft werden, wenn sie sich den Befehlen widersetzt oder ihre Aufgaben vernachlässigt. Ich muß jedoch die Frage stellen, was es heißt, nicht ›so zu rudern, wie man sollte‹.«

»Er war träge.«

Leutnant Jakobsson nickte und betrachtete ihn nachdenklich. »Ich hätte nicht gedacht, daß Fahrwasser eine so persönliche Angelegenheit werden könnte«, sagte er. »Daß ein Schiff es werden kann, verstehe ich. Ich habe alte Kapitäne und Bootsmänner weinen sehen, wenn ihre Schiffe zum Abwracken weggebracht wurden. Aber ein Fahrwasser?«

Lars Tobiasson-Svartman dachte, daß er etwas entgegnen sollte. Aber ihm fiel nichts ein.

42

Er beendete die Mahlzeit und verließ die Messe. An Deck blieb er stehen und blickte hinüber nach Halsskär, das sich in der Dunkelheit verbarg. Er versuchte sich vorzustellen, wie Sara Fredrikas Mann aussah und ob es Kinder in der grauen Kate gab.

Ein leichter Südwind war aufgekommen. Er fühlte, daß die Temperatur über Null gestiegen war.

Es schneite nicht mehr.

Er setzte sich in seiner Kajüte an den Tisch, zündete die Petroleumlampe an und versuchte, seiner Enttäuschung Herr zu werden. Er hatte einen Fehler begangen, er hatte einen Triumph vorweggenommen. Er war überzeugt gewesen, daß es ihm gelingen würde, einen Bogen auf der Seekarte zu einer Geraden zu machen, den Kriegsschiffen besseren Schutz zu gewähren und ihnen vor allem die Möglichkeit zu geben, sich mit größerer Geschwindigkeit dem Land zu nähern oder auf die See hinauszukommen. Obwohl er aus Erfahrung wußte, daß ein Fahrwasser wie eine unsichtbare Hindernisbahn war, hatte er sich verleiten lassen, mit allzu großer Sicherheit aufzutreten.

Das Meer hatte ihn nicht betrogen. Er selbst hatte ihm nicht genügend Respekt erwiesen.

Er hatte eine große Sünde begangen, er hatte sich verschätzt.

Die Petroleumlampe begann zu qualmen. Während er die Flamme regulierte, tauchte ein Erinnerungsbild auf. Sein

Vater hatte einen seiner schlimmsten Wutausbrüche bekommen, als er zu spät zu Tisch gekommen war, weil er sich in der Uhrzeit verschätzt hatte. Mit einem Brüllen hatte sein Vater ihm eine Ohrfeige verpaßt und ihn ohne Essen ins Bett geschickt.

Zu spät kommen hieß, die Zeit der anderen Menschen zu entweihen. Das Schätzen konnte ein lustiges Spiel sein, aber keine Art, sich zum Abendessen oder zu anderen ernsthaften Gegebenheiten zu verhalten.

Beispielsweise für Kontrollen der Tiefe in geheimen Fahrwassern verantwortlich zu sein.

Er schrieb die Aufzeichnungen des Tages ins reine und machte einen Plan, wie die Arbeit fortzusetzen wäre. Sie mußten einen Rückzug auf ungefähr 150 Meter in Kauf nehmen. Wo sie auf die frühere Strecke des Fahrwassers stießen, würden sie ihre Kontrollmessungen fortführen.

Er berechnete die erforderliche Zeit. Wenn nichts Unvorhergesehenes eintraf, würden sie trotzdem am 1. Dezember fertig sein.

Er legte das Logbuch weg, schraubte die Flamme herunter und streckte sich in der Koje aus. Es knarrte leise im Rumpf. An Deck waren die Schritte der Wache zu hören. Jemand hustete. Er dachte, daß an Bord von Marineschiffen mehr oder weniger heftige Epidemien von Husten umgingen. Auf den Schiffen rollte es wie ein Echo aus einem gemeinsamen Brustkorb. An Bord eines Kriegsschiffs zu sein bedeutete, daß der Wind und das Geräusch der Maschinen sich immer mit dem Husten eines Mannes vermischten.

Er stellte sich eine Besatzung auf einem großen Schlachtschiff vor, vielleicht zweitausend Mann, die vor ihren Vorgesetzten strammstanden und im gleichen Takt husteten.

Dann dachte er an den Matrosen, den er geschlagen hatte. Was wußte er von ihm? Er war neunzehn, kam aus dem Landesinneren, aus Vimmerby, und hieß Mats Lindegren. Das war alles. Der Junge sprach einen fast unverständlichen

Dialekt, er roch nach Schweiß und wirkte ängstlich. Ein unbedeutender Mensch mit einem bleichen, pickligen Gesicht, außerdem unnatürlich mager. Es war etwas Vages und Entgleitendes an ihm. Warum war er zur Flotte gegangen? Es war unbegreiflich, auch wenn er nicht zu denen gehörte, die am schlimmsten von der Seekrankheit betroffen waren. Das wußte er von Leutnant Jakobsson, der offenbar immer private Protokolle darüber führte, wer von der Besatzung – er selbst eingeschlossen – arbeitsunfähig war, wenn es stark stürmte. Mats Lindegren gehörte nicht zu den Betroffenen. Weder übergab er sich, noch wurde ihm schwindlig.

In der Dunkelheit ahnte Lars Tobiasson-Svartman plötzlich, warum er sich nicht hatte beherrschen können. Der gähnende Matrose mit dem klebrigen Rotz hatte Ähnlichkeit mit dem toten Matrosen Richter, den man ein paar Wochen zuvor aus dem Meer gezogen hatte. Die Gleichgültigkeit und die Tatsache, daß sie auf einen mächtigen Unterwasserrücken gestoßen waren, so daß seine allzu hoch fliegenden Pläne zunichte gemacht waren, hatten ihn die Kontrolle verlieren lassen.

Er schloß die Augen und dachte an seine Frau. Sie kam ihm in der Dunkelheit entgegen, es wurde langsam ganz ruhig in ihm, die Kajüte füllte sich mit einem süßlichen Duft, und schließlich gelang es ihm einzuschlafen.

43

Sie folgte ihm in den Schlaf.

Es war das Jahr 1905, sie hatten gerade geheiratet und waren auf Hochzeitsreise in Kristiania. Der Streit um das Sein oder Nichtsein der schwedisch-norwegischen Union befand sich in seiner hitzigsten Phase, und er hatte ahnungslos den Fehler begangen, in Uniform mit ihr über den Karl-Johan-

Boulevard zu spazieren. Ungefähr in Höhe der Universität hatte ihm jemand etwas nachgerufen, noch im Traum konnte er sich an die Worte und die gehässige Stimme erinnern: »Schwedenteufel, geh heim.« Aber als er sich umgedreht hatte, war der Sprecher nicht zu erkennen, nur Menschen, die das Gesicht abwandten oder mit niedergeschlagenem Blick lächelten. Sie wohnten im Grand Hotel, und er war sofort dorthin zurückgekehrt. Kristina Tacker war so erschrocken, daß sie die Stadt hatte verlassen wollen, aber er hatte sich geweigert. Er hatte sich Zivilkleidung angezogen, sie waren wieder hinausgegangen, und niemand hatte ihnen nachgerufen. Niemand hatte sich unwillig gezeigt, als sie ins Restaurant Blom oder auf die Veranda des Grand Hotel gingen, auch nicht, als sie das neuerbaute Nationaltheater besuchten. Sie sahen Johanne Dybwad als Frau Helene Alving in Ibsens Drama »Gespenster«. Seine Frau fand die Vorstellung abscheulich. Er stimmte ihr höflich zu, aber in Wirklichkeit war er getroffen und ergriffen, da das Stück ihn an seine eigene Jugend erinnerte und unbarmherzige Bilder von Schmerz und Scham hervorrief.

So weit war der Traum deutlich, ein Erinnerungsalbum, das Seite für Seite aufgeblättert wurde. Dann verwandelte sich rasch alles in ein Chaos. Bei einem Volksauflauf auf Bygdöy verlieren sie einander, gleich darauf sieht er sie mit einem anderen Mann. Er versucht, den Mann von ihr wegzureißen, aber der Mann ist tot und befindet sich in Verwesung, der Gestank ist fürchterlich. Dann ist plötzlich alles wieder am Ausgangspunkt. Sie spazieren den Karl-Johan-Boulevard entlang, sie bleiben am Eingang des Restaurants Blom stehen und studieren den Speisezettel, sie sprechen über alltägliche Dinge, sie drückt seinen Arm, und dann wird das Bild ganz weiß, konturlos, ohne Inhalt oder Bedeutung.

Als er aufwachte, versuchte er den Traum zu deuten. Er hatte ihn mit einer weißen Oberfläche enden lassen. Er selbst hatte Kristina ausgelöscht.

Die Taschenuhr zeigte drei Minuten vor fünf. Immer noch keine Morgendämmerung. Er lag mit offenen Augen da, und in der Dunkelheit – im Gegenteil zur weißen Fläche des Traums – entschloß er sich, am Morgen nach Halsskär zu rudern.

Er mußte es tun. Ganz einfach so, nichts anderes. Er hatte keine Wahl.

Die Wache ging mit langsamen Schritten übers Deck.

Lars Tobiasson-Svartman streckte die Hand aus und berührte das Lot, das neben seiner Koje auf dem Boden lag.

44

Das Meer war in Nebel gehüllt, als er nach Halsskär ruderte.

Ungefähr auf halbem Weg war die Blenda zu einem dunklen Schatten in all dem Weißen verschwommen.

Er dachte, daß die weiße Oberfläche, von der er geträumt hatte, ein Vorbote des Nebels gewesen sein könnte. Plötzlich schnellte ein Fisch neben dem Boot über die Wasseroberfläche. Hechte springen oft, dachte er. Aber gab es sie wirklich so weit draußen im Meer?

Er ruhte auf den Rudern und lauschte. Der Nebel verstärkte die Geräusche von dem unsichtbaren Schiff. Ein paar Matrosen hatten den Auftrag erhalten, Rost abzuschlagen. Die Schläge von Meißeln und Hämmern prallten durch den Nebel und erreichten seine Ohren. Es bestand keine Gefahr, daß er sich verirrte, er konnte sich an den Geräuschen orientieren. Er zählte die Ruderschläge, und als er sich umdrehte, war er nahe an Land. Er legte an wie zuvor, nachdem er überlegt hatte, ob er in die Bucht weiterrudern sollte, in der die Segeljolle lag. Das würde ihm eine mühsame Kletterpartie über die glatten Klippen ersparen. Aber die Bucht gehörte ihm nicht, er wollte sich nicht aufdrängen.

Er tastete sich über die Klippen zu dem schützenden Naturhafen vor und betrachtete die Jolle. Sie lag an derselben Stelle, aber das Rahsegel war nicht aufgetucht, es bewegte sich langsam im schwachen Wind. Die Netze hingen da wie zuvor, aber als er näher kam, nahm er den Geruch von Fisch wahr. Es lagen Abfälle von Dorsch und Schollen im Wasser neben dem Boot. Es wunderte ihn, daß die Möwen noch nicht dagewesen waren und saubergemacht hatten. Er setzte seinen Weg über die Klippen fort, rutschte aus und schnitt sich an einem scharfkantigen Stein. In einer Tasche hatte er ein Taschentuch, in das Kristina Tacker seine Initialen gestickt hatte. Er preßte es gegen die Hand, bis das Blut gerann.

Die Tür in dem grauen Häuschen war geschlossen. Rauch stieg aus dem Kamin auf. Im Schutz einiger Steinblöcke ließ er sich nieder und ließ den Feldstecher über das Haus, die Tür, die Wände, das Fenster schwenken. Das einzige, was lebte, war der Rauch. Plötzlich kam eine schwarze Katze mit weißer Schnauze um eine Ecke des Häuschens. Sie blieb stehen und schaute in seine Richtung, eine Vorderpfote erhoben. Er hielt den Atem an. Die Katze lief weiter und verschwand hinter ein paar Büschen. Die Tür ging auf. Sara Fredrika kam heraus. Sie hob ihren Rock und hockte sich hin. Ihre weißen Beine waren zu sehen. Einen Augenblick zögerte er, dann richtete er den Feldstecher auf sie. Gerade als sie sich aufrichtete, sah sie direkt in seine Augen. Mit einem Ruck setzte er den Feldstecher ab und schloß die Augen. Sie folgte dem Pfad hinunter in die Bucht, wo die Jolle lag, bog um einen Klippenabsatz und war weg.

Er stand auf und lief schnell hinauf auf den Berg, von wo aus er Einblick in die Bucht hatte. Es knackte von einem Ruder, dann hörte man Dollen quietschen, und er sah das Boot vom Land wegschießen. Sie ruderte mit kräftigen Schlägen, und das Segel hing lose und flatterte, als würde es seine Freiheit genießen. Durch den Feldstecher konnte er sehen, daß sie den Rock über den Knien verknotet hatte und daß Netze auf der Ducht lagen. Sie verließ die Bucht, bog aber nicht zur Außenseite der Schäre ab. Statt dessen ruderte sie auf die inneren Schären zu, wo die nächste Landmarke ein paar Felseninseln waren, die über der Wasserlinie aufragten.

Sie warf die Kork-Schwimmer über Bord und ließ das Netz hinab, während die Jolle mit mäßiger Geschwindigkeit mit dem Wind dahinglitt. Der schwache Ostwind kräuselte die Wasseroberfläche. Das Netz war zweiundvierzig Meter lang, berechnete er, und sie entwirrte es rasch, wenn es sich zu verheddern drohte. Es ging schnell, sie wußte, was sie tat. Die blonden Haare hingen ihr ins Gesicht, sie blies sie weg, schüttelte den Kopf und klemmte sich eine lange Strähne in den Mundwinkel, damit sie nicht störte.

Er setzte den Feldstecher ab. Es war merkwürdig, daß sie allein da draußen im Boot war. War ihr Mann krank? Lag er hinter der geschlossenen Tür?

Er faßte einen raschen Entschluß. Es würde dauern, bis sie mit dem Netz fertig war und zurückkam.

Er ging hinunter zur Kate. Die Tür war noch immer geschlossen, die Katze war verschwunden. Vorsichtig ging er hin und spähte durchs Fenster. Es war dämmrig, und er konnte kaum etwas erkennen. Es glühte in dem offenen Kamin. Plötzlich flammte die Glut auf. Es war nur ein Zimmer mit einem Bett, einem Tisch und einem Stuhl zwischen den morschen Wänden. Er konnte niemanden da drinnen entdecken. Er prüfte die Tür, klopfte leicht an und öffnete sie. Das Zimmer war leer. Es gab keine Spuren von ihrem Mann. Keine Stiefel, keinen langen Mantel, keine Pfeife auf dem Tisch, kein Gewehr an der Wand. Sie lebte allein hier.

Es gab keinen Mann. Sara Fredrika war allein auf der Schäre.

Er meinte, die Jolle an den Steinen in der Bucht entlangschrammen zu hören, und eilte zu seinem Versteck hinter den Klippen zurück. Bald kam sie den Weg entlang, warf einen Blick zum Himmel und ging wieder ins Haus.

Der Nebel hatte sich aufgelöst, als er zum Schiff zurückkehrte. Er ruderte so schnell, daß er schwitzte. Warum hatte
er es so eilig?

War er unterwegs, um etwas zu finden oder etwas zu verlieren?

45

Leutnant Jakobsson stand an der Reling und klopfte seine
Pfeife aus.

Er lächelte. »Sie stehen früh auf.«

»Ich hoffe, ich habe Sie nicht geweckt?«

»Wenn ich schlafe, träume ich, ich wäre wach. Manchmal
weiß ich nicht, ob ich schlafe oder wach bin. Aber wenn ich
hinaus an Deck komme, geht es um die Wirklichkeit, und da
habe ich gesehen, daß die Jolle verschwunden war, und die
Wache sagte, Sie seien im Nebel weggerudert.«

»Ich muß mich bewegen. Die Arbeit in den Booten reicht
nicht aus.«

Er kletterte an Deck und ging zur Messe, um zu frühstücken. Er hatte zu viel Zeit auf Halsskär verbracht. Die Arbeit würde an diesem Tag verspätet anfangen.

Leutnant Jakobsson folgte ihm. »Ich sollte mich vielleicht
anschließen«, sagte er, als er seine Pfeife angezündet hatte.
»Haben Sie etwas entdeckt?«

Für einen Moment dachte Lars Tobiasson-Svartman, daß
Leutnant Jakobsson Bescheid wüßte. Dann verstand er, daß
die Frage unschuldig gemeint war.

»Da gibt es nichts. Man kann nicht einmal an Land gehen.
Aber ich rudere gern.«

»Mit meiner Hand ist das nichts, was mir Spaß macht.«

Lars Tobiasson-Svartman leerte seine Kaffeetasse und
stand auf, ging hinaus an Deck und kletterte in seine Barkasse hinunter.

Ingenieur Welander hob die Hand zu einem ungeschickten Gruß. Seine Barkasse hatte schon abgelegt.

Die Lippe des Matrosen, den Lars Tobiasson-Svartman am Tag zuvor ins Gesicht geschlagen hatte, war geschwollen, aber unter seiner Nase hing kein Rotz. Er hatte den Platz getauscht und saß jetzt an dem Ruder, das am weitesten von der Ducht entfernt war. Dort wäre er schwerer zu erreichen, falls Lars Tobiasson-Svartman einen neuen Wutausbruch bekommen sollte.

46

Spätnachmittags tauchte die Svea am Horizont auf. Sogleich unterbrachen sie ihre Arbeit. Um sechs hatte Lars Tobiasson-Svartman seine Notizen ins reine geschrieben.

Er kletterte über den Landungssteg, der zwischen den Schiffen ausgelegt worden war. Anders Höckert nahm ihn in Empfang. Auf dem Weg zu Fregattenkapitän Rake fragte Lars Tobiasson-Svartman höflich nach Leutnant Sundfeldt und Artilleriekapitän von Sidenbahn.

»Von Sidenbahn hat seine Aufgabe erfüllt und ist wieder zurück an Land«, sagte Anders Höckert. »Da fühlt er sich am wohlsten. Er war es verdammt leid, sich auf schwankendem Boden zu befinden. Sundfeldt schläft, da er nachts auf der Brücke Wache hatte. Er hat ein merkwürdiges Schlafherz, dieser Mann. Manche von denen, die sich für die Laufbahn des Marinesoldaten entscheiden, träumen in erster Linie davon, daß ihnen die Schiffe mit ihrem Wiegen einen guten Nachtschlaf bereiten. Ich habe eine Theorie darüber, daß sie sich eigentlich nach ihren Müttern sehnen. Aber wie geht es mit der Arbeit voran?«

»Gut.«

Anders Höckert blieb stehen und betrachtete ihn aufmerksam. »Gut? Nicht mehr und nicht weniger? ›Gut‹?«

»Bestimmte Dinge gelingen. An anderen Tagen gibt es Rückschläge. Aber mit der Arbeit geht es voran.«

Anders Höckert klopfte an die Tür und öffnete sie, bevor Rake hatte antworten können. Dann trat er zur Seite und verschwand eine Treppe hinunter.

Rake erwartete ihn mit aufgeknöpfter Uniformjacke.

In der Hand hielt er einen Brief.

47

Er sah sogleich, daß er von Kristina Tacker war.

Ihre Handschrift war charakteristisch, mit kräftigen Schwüngen bei den Großbuchstaben. Am liebsten hätte er Rake sofort verlassen und wäre in seine Kajüte zurückgekehrt, um den Brief zu lesen.

Früher war er besorgt gewesen, wenn sie nicht schrieb. Jetzt war das Gefühl ins Gegenteil umgeschlagen, und er fragte sich, was der Brief enthalten mochte.

Rake bot ihm Kognak an. Lars Tobiasson-Svartman bemerkte, daß er einen Trauerflor am linken Arm trug.

Rake fing seinen Blick auf. »Meine Mutter ist gestorben. Für die Tage bis zur Beerdigung gehe ich in Kalmar an Land und überlasse Leutnant Sundfeldt das Kommando.«

»Mein herzliches Beileid.«

Rake füllte sein Glas. »Meine Mutter ist 102 Jahre alt geworden«, sagte er. »Sie wurde 1812 geboren und hätte also, wenn sie in Frankreich gelebt hätte, Napoleon begegnen können. Ihre Mutter war in den 1780er Jahren geboren, ich erinnere mich nicht an das exakte Datum. Aber es war vor dem Ausbruch der französischen Revolution. Wenn ich die Hand meiner Mutter berührte, dachte ich oft, daß ich die Haut eines Menschen spürte, der seinerseits die Haut und die Atemzüge von Menschen gespürt hatte, die im 18. Jahrhundert geboren waren. Die Zeit kann unter bestimmten Verhältnissen auf eine fast unfaßbare Weise schrumpfen.

Es ist schwer, einen Menschen zu betrauern, der 102 Jahre alt geworden ist. Die letzten zehn Jahre hat sie mich nicht mehr erkannt. Manchmal hat sie gedacht, ich sei ihr verstorbener Mann, also mein eigener Vater.

Das höchste Alter ist eine seelische Feldschlacht, die sich in totaler Dunkelheit abspielt. Eine Feldschlacht, die unerbittlich zu einer Niederlage führt. Angesichts dieser Dunkelheit und Erniedrigung des Alters haben uns die Religionen weder Trost noch eine erträgliche Erklärung geboten.

Aber auch für einen 102 Jahre alten Menschen kann der Tod plötzlich und überraschend kommen. Es mag eigenartig erscheinen, aber der Tod kommt stets als Störenfried, wann immer er kommt. Obwohl meine Mutter geistig umnachtet war, besaß sie einen starken Lebenswillen. Sie wollte nicht sterben, obwohl sie so alt war.«

Lars Tobiasson-Svartman machte sich zum Gehen bereit.

Aber Rake hielt ihn zurück. »Vor der Bucht von Riga hat es eine militärische Konfrontation gegeben«, sagte er. »Unsere tüchtigen Funker, die die Kommunikation zwischen den Kapitänen und dem deutschen wie russischen Oberkommando belauschen, haben die Kämpfe bestätigen können. Der Zusammenstoß ereignete sich Ende der letzten Woche. Ein deutscher Kreuzer wurde von Torpedoeinschlägen beschädigt, konnte sich aber nach Kiel zurückschleppen. Zwei russische Schiffe, ein Torpedoboot und ein Truppenschiff, wurden torpediert und versenkt.«

»Gibt es irgend etwas, das darauf hindeutet, daß Schweden in den Krieg hineingezogen werden wird?«

»Nichts. Aber es gibt natürlich verschiedene Meinungen. Zum Beispiel meine eigene. Daß wir uns der deutschen Seite anschließen sollten.«

Lars Tobiasson-Svartman staunte. Der Fregattenkapitän erklärte offen, daß er ein Gegner der schwedischen, vom Reichstag und der Regierung beschlossenen Neutralität war. Ein kraftvoller Marineminister hätte ihm sofort das Kommando entzogen, wenn er gewußt hätte, was hier geäußert wurde. Die Frage war, ob ein schwedischer Marineminister es wagen würde, sich mit seinen höchsten Schiffskommandanten anzulegen.

Rake schien seine Gedanken zu lesen. »Es ist natürlich verboten, etwas Derartiges zu äußern. Aber ich sorge mich nicht besonders um die Konsequenzen. Schlimmstenfalls muß ich mich auf eine mangelnde Urteilskraft aufgrund des plötzlichen Todes meiner Mutter berufen.«

Er erhob sich. Die Audienz war beendet. Er überreichte den Brief und öffnete die Tür zum Deck, dann begleitete er ihn zur Landungsbrücke, die steil vom Deck des Kanonenboots hinabführte.

»Ich denke an den deutschen Matrosen«, sagte Rake. »Unten an der Bucht von Riga treiben jetzt viele Körper im Wasser. Alle Meere sind Friedhöfe. Aber in der Ostsee gibt es keine Gebeine am Meeresboden. Eine große Begräbnisstätte ohne Skelette. Der Mangel an Kalk bewirkt, daß sie sich hier rasch auflösen, so habe ich es zumindest gehört.«

Sie trennten sich an der Landungsbrücke.

Rake fragte nach dem Fortgang der Arbeit.

»An manchen Tagen gelingt alles, andere Tage bringen Rückschritte. Aber es geht vorwärts«, erwiderte Lars Tobiasson-Svartman.

Auf dem Weg hinunter über die Landungsbrücke stolperte er. Einen kurzen Moment lang war er nahe daran, den Brief zu verlieren, den er in der Hand hielt.

48

Er schloß sich in der Kajüte ein und setzte sich, um den Brief zu lesen.

Plötzlich war er überzeugt, daß sie ihm nicht schon früher geschrieben hatte, weil sie ihm untreu geworden war. Der Brief enthielt bestimmt das Bekenntnis, daß sie einen anderen gefunden hatte. Er saß lange mit dem Brief in der Hand da und hatte nicht den Mut, ihn zu öffnen.

Der Brief enthielt nichts von dem, was er fürchtete.

Kristina fing damit an, sich zu entschuldigen, daß es mit dem Schreiben so lange gedauert habe. Sie sei einige Tage unpäßlich gewesen. Und die Haushaltshilfe Anna Beata habe plötzlich gekündigt. Vielleicht sei diese ganz einfach schwanger, es war nicht möglich, von ihr eine vernünftige Erklärung zu bekommen, warum sie gehen wollte. Das hatte bedeutet, daß Kristina sich an Frau Eber wenden mußte, die in der Brahegata eine Dienstbotenagentur unterhielt, um dann Bewerberinnen zu interviewen. Es habe Tage und Abende gebraucht, bevor sie ein Mädchen aus Ödeshög anstellen konnte, das sonderbar sprach, aber gute Zeugnisse hatte, unter anderem von einem Direktor des Gymnasiums in Södertälje. Auch sie hieß Anna, war siebenundzwanzig Jahre alt, und Kristina Tacker beschrieb sie als »etwas mollig, mit großen und dummen Augen, aber redlich und ehrlich im Auftreten. Außerdem ist sie kräftig, was nützlich sein kann, da unsere Teppiche so schwer sind.«

Zum Schluß sprach sie davon, wie sehr sie sich nach ihm sehne, von der leeren und verlassenen Wohnung, ihrer Angst vor dem Krieg und daß sie wünsche, er komme bald wieder nach Hause zurück.

Er legte den Brief weg und schämte sich der Gedanken, die er gehabt hatte. Er hatte eine Frau, die ihm innig schrieb; ihr Brief war durch das Ausscheiden eines Dienstmädchens verzögert worden, das vielleicht in einem Gebüsch auf Djur-gården geschwängert worden war und seinen Pflichten nicht mehr nachkommen konnte. Er hatte ein schlechtes Gewissen, weil er ihr allein die praktischen Angelegenheiten überließ, die sie vielleicht nicht bewältigen konnte. Sie war wie eine ihrer Porzellanfiguren.

Er dachte, es müsse Liebe sein, was er jetzt fühlte. Die Spannung, die nachließ, das schlechte Gewissen. Und ihr Duft, der die enge Kajüte erfüllte.

Er schrieb umgehend eine Antwort: Weder rührte er an den Vorfall mit Rudins Tod, noch kam der tote deutsche Soldat in seinem Brief vor. Er fürchtete, daß das ihre Besorgnis nur verstärken würde. Statt dessen schrieb er von seiner Einsamkeit und großen Sehnsucht. Er schrieb schön über das Meer, das seine Haut nicht verkaufte, die endlosen Stunden in der Barkasse, die einsamen Mahlzeiten. Und noch einmal, wie sehr er sich nach ihr sehne und daß er jede Nacht von ihr träume.

Als er fertig war, sagte er sich, daß kein einziges Wort wahr war. Nichts von dem, was da stand, war echt. Es waren lauter Erfindungen, leere Poesie, sonst nichts.

Es war, als hätte sich etwas zwischen ihn und Kristina Tacker gestellt. Er wußte, was es war. Oder vielmehr, wer. Es war sie, Sara Fredrika, die allein auf Halsskär lebte. Es war, als stünde sie da in der Kajüte, den Rock bis über die Knie hochgebunden. Er ging hinaus an Deck und schaute nach Halsskär hinüber, das sich in der Dunkelheit verbarg.

Dorthin war er unterwegs.

Spätabends, kurz vor Mitternacht, kam Anders Höckert von der Svea zurück und überbrachte das Logbuch, das jetzt kopiert worden war.

Lars Tobiasson-Svartman reichte ihm den Brief, den er an seine Frau geschrieben hatte. Anders Höckert nickte und lud ihn ein, am Kartenspiel in der Messe des Panzerboots teilzunehmen.

Er lehnte dankend ab.

Er lag lange wach. Er sehnte sich nach der Frau auf Hals-skär.

49

Die Svea stach in der Nacht wieder in See.

Er erwachte von den kräftigen Vibrationen, als das Schiff achteraus von der Blenda ablegte. Der Brief an seine Frau war unterwegs.

Die Brieftaube war aus Stahl, als Flügel dienten starke Dampf-maschinen.

50

Als er in der Morgendämmerung aufstand, kam ihm Leut-nant Jakobsson mit ernster Miene entgegen. Er bat ihn, ihm zum Vorschiff zu folgen.

Zwischen den großen Seilwinden lag Marineingenieur Welander. Er war mit Erbrochenem befleckt, ein Gestank nach Schnaps ging von ihm aus. Zwischen seinen Füßen lag eine leere Branntweinflasche. Die Haare waren wirr, die Au-gen blutunterlaufen, und als er versuchte aufzustehen, ver-mochte er nicht, das Gleichgewicht zu halten, sondern fiel zurück zwischen die Seilwinden.

Leutnant Jakobsson betrachtete ihn mit Widerwillen. »Ich hatte schon den Verdacht«, sagte er. »Man hat es manchmal gerochen, er hat das Gesicht abgewandt oder mit halb ge-schlossenem Mund geredet. Ich habe nur darauf gewartet, daß die Sache auffliegt. Jetzt ist sie aufgeflogen. Wir lassen ihn vorerst hier liegen.«

Sie gingen zu Welanders Kajüte. Unter der Koje fand Leutnant Jakobsson ein großes Lager von Flaschen, die meisten leer, einige noch ungeöffnet.

Er überschlug rasch die Zahl. »Marineingenieur Welander hat einen Liter Schnaps pro Tag getrunken, seit er an Bord ist. Nur ein schwerer Alkoholiker kann so viel trinken. Er hat seine Arbeit getan und sich nicht verraten. Aber das geht nur bis zu einer gewissen Grenze. Heute nacht hat er den Meridian des Alkoholikers überschritten. Alles zerbricht, er schert sich einen Teufel um seine Verantwortung und seinen Ruf. Er kümmert sich nicht um seinen Namen, seine Dienststellung oder seine Familie. Er kümmert sich nur um seine verdammten Flaschen. Das ist tragisch, aber nicht ungewöhnlich. Und sehr schwedisch.«

Sie kehrten an Deck zurück. Leutnant Jakobsson ordnete an, Welander in seine Kajüte zu tragen. Sie betrachteten die traurige Prozession. Welanders Arme und Beine hingen schlapp zwischen zwei kräftigen Matrosen.

»Er muß natürlich umgehend das Schiff verlassen«, sagte Leutnant Jakobsson. »Ich werde das Kanonenboot Thule kommen lassen, das ihn an Land bringen wird. Aber wie lösen wir das Problem mit seiner Barkasse?«

Lars Tobiasson-Svartman hatte schon angefangen, das Problem zu durchdenken, als er den volltrunkenen Welander zwischen den Seilwinden liegen sah. Zugleich wunderte er sich, daß er selbst nicht geargwöhnt hatte, daß Welander hinter der korrekten Maske schweren Alkoholmißbrauch verbarg. Es irritierte ihn, daß Leutnant Jakobsson einen schärferen Blick hatte als er selbst.

Auf einen neuen Marineingenieur wollte er nicht warten. Es gab einen älteren Matrosen, Karl Hamberg, der für Welander ruderte. Er würde die Verantwortung übernehmen können, bis die Vermessung in diesem Gebiet abgeschlossen war. Für die nächste Aufgabe, die Kontrollmessungen bei der Einmündung von Gamlebyviken, könnten die Verantwortlichen in Stockholm einen Nachfolger bestimmen.

Leutnant Jakobsson hörte sich seinen Vorschlag an und war einverstanden. Hamberg war ein gewissenhafter und energischer Mann aus Öland. Sie riefen ihn zu sich und erklärten ihm die Situation. Er wirkte geehrt und nicht besonders beunruhigt angesichts der Aufgabe, die ihn erwartete.

Spätnachmittags steuerte die Thule von Slätbaken heran und holte Welander ab. Die Besatzung in den Barkassen beobachtete neugierig, wie Welander sich mit schwankenden Schritten hinüber zum Schwesterschiff begab.

Lars Tobiasson-Svartman konnte hören, wie die Ruderer zufrieden knurrten. Sie verbargen nicht ihre Schadenfreude darüber, daß es einen Offizier getroffen hatte.

Er würde Marineingenieur Welander nie wiedersehen. Der Gedanke machte ihm angst. Es war, als würde ihn eine kalte Welle von hinten treffen.

Ich werde nie lernen, Abschied zu nehmen, dachte er.

Niemals.

Jeder Abschied birgt eine Bedrohung.

51

An diesem Abend zählte er rastlos sein Geld.

Er war in seiner Koje und hatte die Petroleumlampe gelöscht. Plötzlich überfiel es ihn wie ein Heißhunger. Er zündete die Lampe an und holte sein schwarzes Notizbuch hervor, in das er regelmäßig seine Saldi eintrug.

Diese Gewohnheit hatte er von seinem Vater übernommen. Hugo Svartman hatte während der gesamten Kindheit und Jugend seines Sohnes zu den überraschendsten Zeiten, manchmal um Mitternacht, aber ebensooft in der Morgendämmerung, über seinen schwarzen Notizbüchern gesessen, um seine Zahlungsfähigkeit und die Bewegung seiner Aktienpapiere zu kontrollieren.

Hugo Svartman hatte ein Vermögen hinterlassen. Als er

1912 gestorben war, belief sich der gesamte Wert auf 295 000 Kronen. Zum größten Teil waren es Rentenpapiere, Bankanleihen und Obligationen. Außerdem gab es ein Portefeuille mit Industrieaktien. Hugo Svartman hatte vor allem in Separator, Svenska Metallverken und Gas-accumulator investiert.

Er rechnete, kontrollierte, strich durch und fing von neuem an. Es war wie ein Fieber. Um zwei Uhr nachts fühlte er sich beruhigt. Die Unrast war gewichen.

Die Mittel waren nicht nur da, sie waren gewachsen. Nach dem Tod des Vaters war das Vermögen auf über dreihunderttausend Kronen angewachsen. Seit dem Kriegsausbruch erlebte die Börse ein Hoch. Schützengräben und Seeschlachten versahen sie mit blutiger Energie.

Er löschte die Lampe, nahm seine Schlafstellung ein, auf der linken Seite, die Hände im Schritt geballt.

Er war vollkommen ruhig.

52

Am Tag darauf wieder nichts als Flaute und Nebel.

Die Temperatur betrug zwei Grad über Null. Er erwachte mit einem Ruck und sah, daß es fünf Uhr war. Die Schritte der Wache waren vom Deck zu hören, aber kein Husten. Es war ein anderer Wachposten. Sie lösten sich nach dem Schema ab, das von Leutnant Jakobsson erstellt und aus irgendeinem Grund ständig verändert wurde.

Er blieb in seiner Koje liegen, bis es hell zu werden begann. Dann stand er auf und trank Kaffee beim Koch, der gerade das Frühstück vorbereitete. Danach kletterte er hinunter in die Jolle und stieß sich ab. Einen Ruderer hatte er dankend abgelehnt.

Die Jolle glitt durch den Nebel. Er bestimmte die Richtung und begann, mit kräftigen Schlägen zu rudern. Jemand hatte die Dollen geölt, so daß sie an diesem Morgen nicht mehr wie quengelnde Kinder quietschten.

In der Stille nahm er einen einsamen Laut wahr, ein Rauschen, vielleicht von Vögeln, die sich im Nebel verirrt hatten.

Als er die Schäre erreicht hatte, konnte er zuerst nicht ausmachen, wo er sich befand. Nichts verändert eine Küstenlinie so sehr wie der Nebel. Vorsichtig ruderte er am Ufer entlang, hatte mehrmals Grundberührung und fand schließlich seinen gewohnten Anlegeplatz.

Es war feucht und kalt, und er fror. Die Jolle lag in der Bucht. Das Rahsegel war am Mast festgezurrt, und die Ruderpinne lag am Strand. An den Astgabeln und den grauen Stangen hingen tropfende Netze, und er schloß daraus, daß sie die Netze schon an diesem Morgen eingeholt hatte. Er ging weiter, blieb aber plötzlich bei einem Geräusch stehen, das er nicht deuten konnte. Er wartete, bis es aufgehört hatte, und ging dann vorsichtig weiter auf sein Versteck zu. Er hob den Kopf und sah zum Haus hinunter. Zwischen den Felswänden waberte der Nebel.

Sie war dabei, sich zu waschen. Sie stand nackt mit den Füßen in einem Bottich und war ihm direkt zugewendet. Die nassen Haare hingen über ihre Brüste. Sie rieb sich rasch mit einem Waschlappen ab, bückte sich mit hastigen Bewegungen zum Wasser hinunter.

Es war, als hätte sie einen Auftritt, der Nebel war ein Vorhang, der zur Seite gezogen worden war, und sie gab diese Vorstellung ganz für ihn allein. Ein Gedanke zuckte ihm durch den Kopf. Vor ein paar Monaten hatten Kristina Tacker und er das Svenska Teatern besucht und die junge hochgelobte Tora Teje in einem Stück gesehen, an dessen Namen er sich nicht mehr erinnerte. Während eines großen Monologs der Teje hatte er sie in Gedanken ausgezogen, und sie hatte nackt da auf der Bühne gestanden, nur für ihn, während sie ihren Text hinausrief, von dem er kein Wort behalten hatte.

Sara Fredrika stieg aus dem Bottich und hüllte sich in ein graues Leintuch. Lange rubbelte sie sich die Haare, es war, als würde sie einen frisch geschrubbten Boden trocknen. Sie leerte den Bottich, zog sich an und ging ins Haus.

Er lief gebückt den Pfad entlang, rutschte auf einer glitschigen Felsplatte aus und blieb erst stehen, als er sein Boot erreicht hatte. Er ruderte in den Nebel hinaus, die Dollen hatten wieder angefangen zu quietschen, er war verschwitzt und hatte nur noch den Drang zu entkommen.

Was fürchtete er? Er hatte keine Antwort.

Im Nebel verfehlte er die Richtung und fand das Schiff nicht mehr. Es herrschte eine eigentümliche Stille, er mußte rufen, und erst als er Antwort bekam, konnte er es ansteuern.

Leutnant Jakobsson stand mit seiner Pfeife am Fallreep und erwartete ihn. »Sie machen Ihre Morgenexpeditionen«, sagte er. »Jeder hat ein Recht auf sein Geheimnis. Welander hatte seins, ehe die Sache auflog. Wann fliegt Ihres auf?«

Lars Tobiasson-Svartman fragte sich wiederum, ob Leutnant Jakobsson etwas wußte. »Ich rudere nur hinaus in den Nebel«, sagte er. »Das kann sinnlos wirken, weckt aber den Körper und den Geist. Ich rudere mich in eine Bereitschaft hinein, meine Arbeit zu verrichten. Es verscheucht alle unangenehmen Träume. Rudern, das kann so sein, als würde man sich waschen.«

Leutnant Jakobsson hielt ihm seine Pfeife hin. »Ich rauche. Ohne den Tabak könnte ich nicht der Kapitän auf einem alten Schlepper der Flotte sein. Ich meine das symbolisch, es würde mir nie einfallen, schlecht über einen Klepper zu reden. Sie sind wie Ardennerpferde. Auch wenn ein Kanonenboot kein Herz und keine Lungen hat, verschleißt es sich und bewältigt das Ziehen nicht mehr. Die Pferde werden zum Abdecker geschickt, das Schiff zum Verschrotten.«

Er spürte plötzlich, wie sehr Leutnant Jakobsson ihn irritierte. Er hatte etwas Geschäftiges an sich, vielleicht eine Beflissenheit, er war ein verdammter Schwätzer mit schlechtem Atem und feuchter Pfeife. Es war wie mit dem verrotzten Matrosen. Lars Tobiasson-Svartman packte die Lust, ihn zu schlagen.

Er frühstückte und nahm danach die Arbeit auf. Der Matrose, der Welander ersetzen sollte, machte es ausgezeichnet. An diesem Tag brachen sie den Rekord, sie führten insgesamt 144 Lotungen aus, bevor die Arbeit eingestellt wurde, weil es zu dunkel wurde.

Immerzu dachte er an das, was er am Morgen erlebt hatte. Mehr und mehr kam es ihm vor wie eine Fata Morgana, etwas, das eigentlich nicht geschehen war.

53

Spätabends, er war schon eingeschlafen, klopfte Leutnant Jakobsson an seine Kajüte. Er zog sich rasch an und ging an Deck.

Weit draußen auf See, am östlichen Horizont, flackerte ein Feuerschein im Dunkel auf. Dort spielte sich eine für sie unsichtbare Seeschlacht ab.

»Wir haben über Funk Berichte gehört, daß etwas Großes und vielleicht Entscheidendes im Gange ist«, sagte Leutnant Jakobsson. »Die russischen und die deutschen kaiserlichen Flotten sind aufeinandergestoßen. Viele Menschen werden heute nacht in Dampf und Feuer sterben, zerfetzt, ertrinkend.«

Der Feuerschein kam und ging, er schlug zum Nachthimmel empor. Fernes Donnern und Druckwellen drangen bis zu ihnen.

Lars Tobiasson-Svartman dachte an die Tragödie, die sich abspielte. In der Hitze und im Kampf herrschte die Hölle. Es war, als würde ein Orchester mit den Musikern des Bösen dort in der Dunkelheit spielen. Jeder Lichtschein, der aufflammte, bestand aus Tönen, die sich in tödliche Geschosse verwandelten. Lange standen sie da und betrachteten die Schlacht, die dort tobte. Keiner sagte etwas, alle waren beklommen und stumm.

Kurz nach drei Uhr morgens war es vorbei. Der Feuerschein erlosch, das Donnern der Kanonen hörte auf.

Zurück blieb nur der Wind, der nach Osten gedreht hatte. Die Temperatur war im Begriff, wieder zu fallen.

54

Schneefälle kamen und zogen vorbei, doch der Wind war immer noch schwach und wechselte zwischen Ost und Nord. Sie hatten einen einzigen Tag mit einer steifen nördlichen Brise. Lars Tobiasson-Svartman beschleunigte den Arbeitstakt, die Matrosen gingen manchmal in die Knie vor Müdigkeit, aber keiner protestierte.

Das Meer hielt den Atem an: Vogelschwärme wurden immer seltener, sie waren nur flüchtig zu sehen, wenn sie dicht über den Wellenkämmen dahinzogen, in gerader südlicher Richtung.

Die Tage wurden immer kürzer.

Immerzu dachte er an die Frau auf Halsskär.

55

Es verging eine Woche, ohne daß er wieder zur Schäre ruderte.

Seine Unruhe wuchs, er wollte dorthin, hatte aber nicht den Mut. War sie zu nah, oder war der Abstand zu groß?

Die Svea erschien ohne Fregattenkapitän Rake, der nach Stockholm gefahren war, um seine Mutter zu beerdigen. Leutnant Sundfeldt empfing Lars Tobiasson-Svartman im

Salon. Er hatte zwei Briefe. Der eine war von Bankier Håkansson vom Hauptbüro der Handelsbank, der andere von seiner Frau.

Sie unterhielten sich kurz miteinander. Der Verschlüsselungsoffizier holte das Logbuch.

Als er in seine Kajüte zurückgekehrt war, begann er den Brief von Bankier Håkansson zu lesen. Die Börse reagierte weiterhin mit steigenden Kursen auf das Kriegsgeschehen. Es gab keinen Grund zur Beunruhigung. Der Krieg war gut für die Wertsteigerung und die Stabilität der Papiere in den führenden Wirtschaftszweigen.

Der Bankier schlug ihm vor, einen Aktienposten der Russischen Telefongesellschaft sowie von Bofors Gullspång zu erwerben, die kürzlich gute Gewinnprognosen geliefert hatten.

Den Brief seiner Frau hielt er lange in der Hand. Schließlich entschied er sich dafür, ihn nicht zu öffnen. Es war, als wüßte er bereits, was darin stand, und das irritierte ihn. Er steckte ihn zwischen die Blätter eines alten Atlasses, der sich im Reisearchiv befand.

Dann setzte er sich an seinen kleinen Tisch. Wie sollte er auf einen Brief antworten, den er nicht gelesen hatte?

Er schrieb einige wenige Zeilen: Er sei schwer erkältet, der Hals geschwollen. Abends habe er ein hartnäckiges Fieber, das zwischen 37,9 und 38,8 pendele. Aber er schaffe es trotzdem, seine Arbeit auszuführen, die sich jetzt in einer entscheidenden Phase befinde. Er dankte für ihren Brief und schrieb, daß er sie liebe. Das war alles.

Zuinnerst wußte er, daß er bald nach Halsskär zurückkehren würde.

56

Am 27. November hatten sie den Punkt der Messungen erreicht, an dem die neue Strecke des Fahrwassers mit der alten verbunden werden sollte.

Sie mußten immer weiter vom Mutterschiff wegrudern. Leutnant Jakobsson hatte die Blenda bewegen wollen, aber Lars Tobiasson-Svartman hatte darauf bestanden, daß sie liegenbleiben sollte.

»Meine Berechnungen der neuen Strecke des Fahrwassers gehen von dem Punkt aus, an dem die Blenda die ganze Zeit vor Anker gelegen hat. Es würde die Schätzungen durcheinanderbringen, wenn man das Schiff jetzt bewegte«, sagte er.

Leutnant Jakobsson begnügte sich mit dieser Antwort. Er durchschaute nicht, daß es Lars Tobiasson-Svartman darum ging, die Blenda nicht zu nahe an Halsskär zu bringen.

Am Morgen des 27. November bemerkte er, daß das Barometer fiel. Die Langsamkeit des Wechsels konnte darauf hindeuten, daß kein größeres Unwetter im Anzug war, aber er hatte den Verdacht, daß sich das Wetter bald stark verschlechtern würde. Ein erster dramatischer Wintersturm war zu erwarten.

Das war das Zeichen, auf das er gewartet hatte.

Rasch packte er etwas von der Trockennahrung ein, die er auf seinen Reisen immer bei sich hatte, falls etwas Unvorhergesehenes geschehen sollte. Heimlich begab er sich zum Munitionsvorrat des Schiffs und entnahm ihm ein paar rote Leuchtraketen.

Er rollte einen weiteren Pullover und warme Strümpfe in einen Ölmantel und legte das Paket in eine der Jollen.

Als er von der Blenda wegruderte, frischte der Wind bereits auf. Er war davon überzeugt, daß ein nördlicher Sturm bereits in einer guten Stunde über sie hereinbrechen würde.

Diesmal entschied er sich dafür, sein Boot in die schützende Bucht zu bringen. Die Segeljolle lag an ihrem Platz. Er steuerte seine Jolle an ihre Seite, zog sie zwischen den Steinen hoch und schlang die Fangleine um einen kräftigen Wacholderbusch.

Es war kurz nach acht. Ein Augenblick der Windstille trat ein, dann schlug der Nordwind zu. Er wartete so lange in der Bucht, bis er sicher war, daß der Sturm gekommen war und anhalten würde. Dann kletterte er auf die höchste Spitze der Schäre und feuerte eine Leuchtrakete ab. Nun würden sie auf der Blenda wissen, daß er auf der Insel in Sicherheit war und dort bleiben würde, bis der Sturm sich gelegt hätte.

Er eilte zurück zur Jolle, nahm das Paket und folgte dem Pfad hinauf zum Häuschen. Die Tür war geschlossen, Rauch stieg aus dem Kamin auf. Er setzte sich hinter seine Klippe und wartete auf den Regen. Er blieb sitzen, bis er richtig durchnäßt war.

Dann verließ er die Klippe.

57

Sie öffnete die Tür.

Als sie sein Gesicht erkannte, trat sie zur Seite. Sobald er im Haus war, hätte er sich umdrehen und davonrennen mögen. Es war, als wäre er in eine Falle geraten, die er sich selbst gestellt hatte. Was hatte er dort zu suchen? Es ist eine Torheit, dachte er, aber nach dieser Torheit habe ich mich gesehnt.

Sie schob ihm einen Hocker an den offenen Kamin.

»Der Sturm kam unerwartet«, sagte er und streckte die Hände zum Feuer aus.

»Stürme kommen immer unerwartet«, entgegnete sie.

Sie hielt ihr Gesicht in den Schatten, weg vom Feuer.

»Ich bin gerudert und habe es nicht zurück zum Schiff geschafft. Ich habe in der Bucht hier Schutz gesucht.«

»Man wird glauben, daß Sie ertrunken sind.«

»Ich hatte eine Leuchtrakete bei mir und habe sie abgeschossen. So wissen sie, daß ich hier auf Halsskär bin.«

Er überlegte, ob sie wüßte, was eine Leuchtrakete ist. Aber da sie nicht fragte, erklärte er es ihr nicht.

Sie trug den grauen Rock. Die Haare waren nachlässig im Nacken zusammengebunden, dichte Strähnen fielen ihr über die Wangen. Als sie ihm eine Tasse hinhielt, hätte er sie pakken mögen.

Der Kaffee war bitter, voller Kaffeesatz.

Sie blieb immer noch im Schatten. »Sie dürfen natürlich hierbleiben«, sagte sie aus der Dunkelheit heraus. »Bei diesem Wetter jage ich niemanden hinaus. Aber erwarten Sie nichts.«

Sie saß auf der Pritsche an der Wand. Er dachte, sie verberge sich im Dunkel wie ein Tier.

»In einer alten Steuerliste habe ich gelesen, daß hier früher einmal Menschen gewohnt haben«, sagte er. »Eine, vielleicht zwei Familien, die sich festgebissen hatten. Daß das Leben aber schließlich zu hart wurde und die Bewohner die Schäre verließen.«

Sie antwortete nicht. Der Wind rüttelte an den Wänden, die Hütte war morsch, obwohl er sah, daß sie versucht hatte, sie abzudichten.

»Ich erinnere mich Wort für Wort daran, was in dieser Steuerliste stand«, fuhr er fort. »Vielleicht war es keine Steuerliste, sondern ein Behördenbrief von einem Steuereintreiber. Vielleicht hieß er Fahlstadt. Ich erinnere mich Wort für Wort daran.«

Er sagte aus dem Gedächtnis auf: »Sie wohnen auf einer Klippe im wilden Meer, woselbst es weder Feld, Wiese oder Wald gibt, sondern sie müssen aus dem offenen Meer, oft unter Lebensgefahr, alles holen, was sie essen und womit sie sich kleiden und so weiter.«

»Das klingt wie ein Gebet«, sagte sie. »Wie ein Pfarrer.«

Sie saß immer noch in der Dunkelheit, aber ihre Stimme war näher gekommen. Sie hatte den besonderen Klang, den die Stimme annimmt, wenn man auf See zwischen den Booten ruft, in einer steifen Brise und bei Gegenwind. Ihr Dialekt war weniger ausgeprägt, als er es von anderen aus dieser Gegend kannte. Es gab an Bord der Blenda Matrosen, die aus diesem Teil des Schärenmeers stammten, einer von Gräsmarö, und ein anderer war ein Lotsensohn von Häradskär. Es gab auch einen Heizer aus Kättilö, und der sprach genau wie sie, wie die Stimme aus der Dunkelheit.

Plötzlich rückte sie aus der Dunkelheit heraus. Sie blieb auf der Pritsche sitzen, beugte sich aber vor und sah ihm direkt in die Augen. Daran war er nicht gewöhnt, seine Frau tat das nie. Er wich ihrem Blick aus.

»Lars Tobiasson-Svartman«, sagte sie. »Sie sind ein Militär und tragen Uniform. Sie rudern im Unwetter herum. Sie tragen einen Ring. Sie sind verheiratet.«

»Meine Frau ist tot.«

Er sagte das ganz selbstverständlich, nichts war gespreizt. Er hatte es nicht geplant, aber er war auch nicht überrascht von dem, was er sagte. Eine eingebildete Trauer wurde Wirklichkeit. Kristina Tacker hatte nichts in diesem Häuschen zu suchen. Sie gehörte jetzt zu einem anderen Leben als er, wie in einem umgedrehten Feldstecher, in einem weiten Abstand von ihm selbst plaziert.

»Meine Frau Kristina ist tot«, wiederholte er und dachte, es klinge immer noch so, als ob er die Wahrheit sagte. »Sie ist vor zwei Jahren gestorben, es war ein Unfall. Sie ist gestürzt.«

Wie war sie gestürzt? Und wo? Wie sollte er sie dem sinnlosesten aller Tode aussetzen?

Er beschloß, sie in einen Abgrund hinabstürzen zu lassen. Das mußte die, welche im Dunkel saß, verstehen können. Aber er würde sie nicht allein stürzen lassen. Die Eingebung kam mit solcher Kraft über ihn, daß er nicht zu widerstehen vermochte.

Sie sollte ein Kind bei sich haben, eine Tochter.

Wie sollte er sie nennen?

Sie mußte einen Namen haben, der ihrer würdig war. Laura sollte sie heißen. So hatte die Schwester von Kristina Tacker geheißen, die jung und von Tuberkulose hustend gestorben war, Laura Amalia Tacker. Die Toten gaben den Lebenden ihre Namen.

»Wir befanden uns auf einer Reise in Skåne. Bei Hovs Hallar, mit unserer Tochter. Sie war sechs Jahre alt, ein Kind ohnegleichen. Meine Frau stolperte draußen am Steilhang und stieß dabei unsere Tochter an. Ich schaffte es nicht bis hin, und sie stürzten ab. Ihre Schreie werde ich niemals vergessen. Meine Frau brach sich beim Sturz das Genick, eine scharfe Felsspitze drang tief in den Kopf meiner Tochter ein. Sie lebte noch, bis man sie aus dem Abgrund hochgeholt hatte. Sie sah mich an, als würde sie mich anklagen, und dann starb sie.«

»Wie kann man eine so große Trauer ertragen?«

»Man erträgt das, was man ertragen muß.«

Sie legte ein paar abgebrochene Zweige in den Kamin. Das Feuer holte Kraft aus dem feuchten Holz.

Er merkte, daß er sie näher heranzog. Es war, als würde er alle ihre Bewegungen lenken. Er sah jetzt ihr Gesicht, die Augen waren weniger wachsam.

Er dachte, es sei sehr einfach, seine Frau und seine Tochter zu töten.

Der Sturm rüttelte an den Wänden der Hütte. Er hatte seinen Höhepunkt noch lange nicht erreicht.

Teil 4

DER HERBST, DER WINTER, DIE EINSAMKEIT

58

Ihre Gespräche waren kurz.

Obwohl er sich die ganze Zeit in dem engen Raum in ihrer Nähe befand, war es, als würde der Abstand sich vergrößern.

Spät am Nachmittag stand sie auf und verließ das Haus. Er saß regungslos da und schaute dann heimlich zum Fenster. Er hatte erwartet, daß sie da draußen stehen und ihn betrachten würde.

Das Fenster war leer.

Er verstand das nicht. Sie benahm sich nicht, wie sie sollte. In seiner Kindheit und Jugend hatten ihn seine Eltern unter konstanter Bewachung gehalten. Er spähte durch Türspalten oder warf verstohlene Blicke in Spiegel, um heimlich in die Zimmer zu sehen, in denen die Eltern sich aufhielten, zusammen oder allein oder in der Gesellschaft von anderen. In der Phantasie bohrte er unsichtbare Löcher in den Boden der oberen Wohnung in dem Haus an der Skeppsbron, in dem sie wohnten, um in das Büro des Vaters blicken zu können.

Er hatte gelernt, sich nicht zu verraten, wenn er ihren erregten Gesprächen lauschte, sie sich betrinken sah oder, was oft bei seiner Mutter der Fall war, weinend allein dasitzen sah.

Seine Mutter weinte immer lautlos. Es war, als würde ihr Schmerz auf leisen Pfoten gehen.

Die Erinnerungsbilder durchquerten im Sturzflug seinen Kopf. Er stand auf und ging zum Fenster, das mit einer dünnen Schicht des Meersalzes bedeckt war, das ständig über die Schäre wirbelte.

Er entdeckte sie auf dem Pfad zur Bucht hinunter. Er

nahm an, daß sie die Festmacher der Jolle prüfen wolle, damit sie sich nicht losriß.

Er schaute sich im Zimmer um. Sie hatte eben noch Holz nachgelegt. Das Feuer duftete nach Wacholder. Die Flammen warfen ihren Schein an die Wände. In dem Zimmer befand sich eine niedrige Tür, die geschlossen war. Er ging hinüber und probierte die Klinke. Die Tür war nicht zugesperrt und führte in eine fensterlose Kammer. Ein paar Holzbottiche standen in einer Ecke, Wollscheren und schadhafte Wollkämme lagen auf dem Boden, außerdem gab es auch ein paar zusammengefaltete Mehlsäcke. Ein noch nicht fertig geknüpftes Heringsnetz hing an einer Wand. Er betrachtete den Raum und die Gegenstände eingehend, als wäre es wichtig, sich zu merken, wie alles aussah.

Sara Fredrika war immer noch draußen. In dem großen Zimmer gab es einen Eckschrank, undicht, mit rostigen Angeln. Sollte er es wagen, den Schlüssel umzudrehen? Vielleicht würde die Tür herausfallen. Er drückte die Hand gegen den Schrankrahmen und öffnete die Tür.

Auf dem einzigen Brett gab es zwei Gegenstände, ein Gesangbuch und eine Pfeife. Die Pfeife war von der Art, wie Leutnant Jakobsson sie gern im Mundwinkel hängen hatte. Er nahm sie zwischen die Finger und roch daran. Sie war offenbar lange nicht benutzt worden, die Kohle von dem verbrannten Tabak im Pfeifenkopf war hart geworden. Sie roch immer noch nach altem Teer. Er legte die Pfeife wieder hin, schaute auf das Gesangbuch, ohne es zu berühren, und schloß dann die Schranktür.

Er hockte sich hin und tastete mit den Fingern unter dem Bett. Da war etwas Kaltes, ein altmodisches Gewehr, das fühlte er, ohne es hervorzuziehen. Er drückte das Gesicht auf das Kissen und versuchte, ihren Duft zu spüren. Das einzige, was er wahrnahm, war Feuchtigkeit.

Eine feuchte Einsamkeit, dachte er. Das ist ihr Duft.

Der Gedanke erregte ihn.

Es hatte einen Mann in dem Haus gegeben, einen Mann, der eine gut eingerauchte Stummelpfeife und ein altes Gewehr hinterlassen hatte.

Vielleicht gab es ihn noch? Vielleicht befand er sich auf einer Fisch-Handelsfahrt durch Slätbaken nach Söderköping. Es war Herbst, und Schweden war ein Land voller Märkte.

Der Sturm schlug immer noch gegen die Wände. Er versuchte, den Mann vor sich zu sehen, konnte aber kein Gesicht hervorrufen.

Die Tür wurde aufgerissen. Sara Fredrika war wieder da. Der kalte Wind fegte ins Zimmer.

»Ich habe nach den Booten geschaut«, sagte sie. »So eins wie das Ihre habe ich noch nie gesehen.«

»Es ist ein Dingi. Wir haben vier Stück, falls das Schiff geräumt werden muß. Außerdem haben wir zwei große Barkassen. Niemand soll zurückbleiben, falls das Schiff zu sinken droht. Auch wenn man es nicht glauben mag, das Dingi ist als Kriegs-Wasserfahrzeug registriert.«

Sie schürte das Feuer. Er dachte, ihre Bewegungen seien exakt und zielbewußt, daß sie aber eigentlich eine Unruhe oder Ungeduld zu verbergen suchte.

Sie setzte sich wieder auf die Pritsche. Das Feuer war erneut aufgeflammt, er konnte sie deutlich sehen.

In ihm machte sich ein Gefühl breit, das er nicht näher bestimmen konnte. Irgendwie fühlte er sich hereingelegt, betrogen. Die Stummelpfeife im Schrank gehörte jemandem, der in diesem Haus gewesen war, es vielleicht erbaut hatte, der mit ihr das Bett geteilt hatte und vielleicht zurückkommen würde.

Er schaute sie an, wie er den verrotzten Matrosen angesehen hatte. Er hätte sie schlagen mögen. Rasch rückte er den Hocker zurück, um zu vermeiden, daß es geschah.

Um etwas zu sagen, fragte er: »Haben Sie keine Tiere? Ich glaube, ich habe eine Katze mit blaugrauem Fell gesehen. Wenn es Katzen mit einem Schimmer von Blau im Fell gibt.«

»Hier gibt es keine Tiere.«

»Nicht einmal eine Katze?«

»Ich hätte gern einen Hund gehabt, der hinausschwimmt und die Vögel holt, die ich abgeschossen habe.«

»Ich dachte, ich hätte eine Katze gesehen.«

»Es gibt keine Katze. Ich weiß, was es auf der Schäre gibt. Zwei Kreuzottern gibt es hier, ein Männchen und ein Weibchen. Im Frühjahr schlage ich die Jungen tot. Vielleicht sollte ich einige überleben lassen, damit es nicht ganz schlangenleer wird, wenn sich die alten plötzlich entschließen zu sterben oder ein Adler sie sich schnappt. Einen Fuchs hat es auch einmal gegeben.«

Sie deutete auf ein Fell, das auf der Bank lag.

»Ist er hierhergeschwommen?«

»Manchmal sind die Winter so kalt und lang, daß es bis hier draußen friert und noch weiter, bis zu den äußersten Heringsgründen. Da kam der Fuchs. Als das Eis brach, blieb er da. Ich habe ihn durch die Tür erschossen, als er nach etwas zu fressen suchte. Er hatte Tang und Steinscherben im Magen. Ich glaube, er wurde verrückt und begann Steine zu kauen, um davonzukommen. Es ist bestimmt schwieriger für einen Fuchs als für einen Menschen, allein zu sein. Aber es ist vielleicht leichter für die Tiere, sich ums Leben zu bringen.«

»Warum?« fragte er erstaunt.

»Sie haben keinen Gott zu fürchten. Wie ich.«

Er hoffte, sie würde anfangen, von sich selbst zu erzählen. Die Schlangen und Füchse interessierten ihn nicht.

Aber sie fuhr fort, von den Tieren zu sprechen. »Draußen auf den Schären nordöstlich von Sandsänkan kriechen manchmal Robben an Land, wenn es auf den Klippen zu eng wird. Die eine oder andere wird wohl auch hier hochkrabbeln. Sonst gibt es hier keine Tiere. Ich glaube, daß diese Schäre hier draußen die einzige ist, auf der es nicht einmal Ameisen gibt. Warum, weiß ich nicht.«

»Ich habe kein Gewehr gesehen«, sagte er. »Aber Sie haben einen Fuchs geschossen?«

Sie machte eine Geste zu dem Bett hin, auf dem sie saß. »Eine Flinte habe ich. Und Rutscheisen für die Stiefel. Es gibt auch eine Robbenkeule. Die hat mein Vater geschnitzt. Er wurde 1851 geboren, und er starb, als ich klein war. Es gibt kein Bild von ihm, nichts. In den 90er Jahren fuhr ein Photograph aus Norrköping draußen auf den Inseln herum. Aber mein Vater wollte sich nicht photographieren lassen. Er lief weg und versteckte sich in einer Felskluft. Einige von den alten Männern hier draußen glaubten, sie würden die Fähigkeit verlieren, Seevögel abzuschießen, wenn sie sich photographieren ließen. Es gab viel Aberglauben in den Schären, als ich klein war. Er hat mir nur diese Robbenkeule hinterlassen. Eine Keule mit eingetrocknetem Robbenblut statt eines Gesichts.«

Vorsichtig versuchte er eine Antwort auf das zu bekommen, was er eigentlich wissen wollte. »Gibt es noch andere Menschen hier auf der Schäre?«

»Nicht mehr. Es gab welche.«

»Das ist schwer zu verstehen.«

»Was zu verstehen? Daß jemand zurückbleibt. Ich bin geblieben. Aber nach mir wird hier niemand mehr sein. Wenn ich die Schäre verlasse, wird sie wieder so werden, wie sie vorher war. Die Schlangen werden ihre Ruhe haben. Vielleicht vermehren sie sich so, daß keine Menschen mehr hier an Land zu gehen wagen. Vor langer Zeit kamen Leute hier angerudert. Sie benutzten ihre Rippen als Ruder. Jetzt sind alle fort. Sogar die Steine, die von den Stränden heraufgetragen wurden, um als Ecksteine unter die Bodenstämme der Häuser gelegt zu werden, verschwinden allmählich. Ich gehe hinaus und sehe sie an. Es ist, wie zu versuchen, die Landhebung zu sehen. Man müßte viele Jahre still stehenbleiben, um zu sehen, daß sich das Land wirklich erhebt. So ist es auch mit den Steinen, die sie hierhergeschleppt haben, sie waren die ersten, die vor Hunderten von Jahren hierherkamen. Jetzt sind die Steine langsam wieder auf dem Weg zurück, zu den Plätzen, von denen sie geholt wurden.«

Er hörte ihr verwundert zu. Rippen als Ruder? Steine, die wandern? Was meinte sie?

»Ich bin an Menschen nicht gewöhnt«, sagte sie. »Nicht, seit ich allein zurückgeblieben bin.«

»Warum wohnen Sie allein hier?«

»Gibt es mehr als eine Antwort?«

»Entweder Sie haben es gewählt. Oder Sie haben es nicht getan.«

»Wer würde die Einsamkeit wählen?«

»Es gibt Menschen, die das tun. Man kann sich in einem Haus einschließen, aber auch auf einer Insel, wo das Meer wie ein erschreckender Wallgraben ist.«

»Das verstehe ich nicht. Ich bin siebenundzwanzig Jahre alt, und mich kann nichts mehr erschrecken.«

»Ich würde gern wissen, was geschehen ist.«

Ein Windstoß ließ das ganze Haus erzittern.

»Irgendwann kann das einfach einstürzen«, schrie sie in einem plötzlichen Ausbruch. »Ich lasse es um mich herum rasen.«

Sie redete weiter, in langen Sätzen. Sie formulierte sorgfältig, wie nur jemand es tut, der viel mit sich selbst spricht. Als sie abrupt verstummt war, als hätte es sie gereut, konnte er für einen Moment den Wind nicht mehr hören. Hatte der Sturm sich schon gelegt?

Er lauschte. Sie hatte sich wieder in den Schatten zurückgezogen.

Der Wind gewann neue Kraft.

Sie hatte gesprochen, ohne zu zögern, hatte bis ins Detail gewußt, was sie sagen wollte. Es war, als hätte sie schon viele

Male erzählt, aber kaum jemand anderem als sich selbst, warum sie sich allein auf Halsskär befand. Oder vielleicht hatte sie an den Abenden, in der Dunkelheit, geübt, es jemandem zu erzählen. Sie hoffte, daß jemand kommen würde.

Plötzlich war es, als wäre er aus einem einzigen Grund nach Halsskär gerudert.

Er war gekommen, damit sie jemanden hätte, der ihr zuhörte.

59

Der Mann, der seine Pfeife hinterlassen hatte, hieß Nils Ferdinand Persson.

Er war Sara Fredrikas Mann gewesen.

Die Geschichte hatte einige Jahre zuvor begonnen, als sie als frisch Verheiratete bei ihrem Verwandten Axel Theodor Homeros Lundberg als Dienstboten arbeiteten. Er war wohlhabend und besaß Höfe bei Gusum sowie in den Schären bei Finnö und so weit nördlich wie auf Risö. Sie hatten sich bei Lundberg nicht wohl gefühlt. Er war geizig und bösartig und schien nur seine Stiefel zu lieben, die er dauernd mit Seehundsfett einschmierte und die keiner anfassen durfte, nicht einmal seine verängstigte Frau. Sie hielten es ein Jahr lang aus, bis sie im Zorn kündigten und auf einer der Inseln in der Turmulebucht landeten. Es war ein miserabler Pachthof, aber es gab dort wenigstens niemanden, der Stiefel einschmierte und nach ihnen brüllte. Dort blieben sie ein weiteres Jahr, ehe sie erfuhren, daß ein verlassenes Häuschen draußen auf Halsskär frei war. Das konnten sie für eine niedrige Pacht haben, fast umsonst, jedes Frühjahr und jeden Herbst eine Tonne Hering, sonst nichts.

Sie waren an einem kühlen Sonntag im März hingesegelt, es war ein strenger Winter, und das Eis hatte seinen Griff noch kaum gelockert. Aber sie kamen hinaus auf die Schäre, und obwohl das Häuschen in einem erbärmlichen Zustand gewesen war, hatten sie nicht gezögert. Ihr Mann hatte gesagt, nichts könne schlimmer sein als brüllende Großbauern. Häuser konnte man abdichten, Heringsnetze und andere Netze flicken und ausbessern, aber niemand konnte einem Großbauern das Maul stopfen, wenn er brüllte und schrie.

Sie zogen im Sommer hinaus, renovierten das Haus und bereiteten sich auf das vor, was kommen würde, auf den Herbst, den Winter, das Eis, die Einsamkeit.

Ab und an tauchten Bauern aus den inneren Schären in der weiten Märsbucht auf, die hinaus nach Halsskär und Krampbådorna führte. Sie kamen zu den Heringsgründen und zur Vogeljagd gesegelt und staunten, als sie Sara und ihren Mann vorfanden. War Halsskär nicht schon seit hundert Jahren menschenleer? 1807 hatte dort eine einsame Magd gewohnt, die erfroren und dann von Möwen und Krähen zerhackt worden war. Seitdem war die Schäre nicht bewohnt gewesen. Die Scheunen waren verfallen, die Anlegebrücken in der Bucht vermodert, die Häuser, die beweglich waren, hatte man abgetragen, Stamm für Stamm, und auf den grünen Inseln weiter drinnen zum Land hin wieder aufgebaut.

Man sagte, Nils Ferdinand Persson und seine Frau Sara Fredrika hätten Hochmut an Bord, und ein so beladenes Boot würde gewöhnlich als erstes untergehen.

Es kamen auch Leute von Åland sowie Finnen, die heimlich Robbenjagd betrieben. Sie schüttelten ihre Köpfe und drückten in ihrer unbegreiflichen Sprache Warnungen aus.

Der Herbst kam im September, der erste Sturm war ganz unerwartet, er zog mitten in der Nacht von Osten auf, und es war der reine Zufall, daß sie keine Heringsnetze im Wasser hatten. Sie lernten schnell, und jedesmal, wenn die Netze ausgeworfen waren, hielten sie Wacht über das Meer, versuchten, die Zeichen deuten zu lernen, wenn gefährliche Winde aufzukommen drohten.

Im November rutschte eins von den Schafen auf einer Klippe aus und brach sich ein Bein. Sie hatten zwei Schafe, aber keine Kuh. Das andere Schaf legte sich hin und starb, und nun waren sie wenn möglich noch einsamer.

Im Dezember, am Morgen des Weihnachtstags, ein halbes Jahr nach ihrer Ankunft auf Halsskär, trat die Katastrophe ein. Sie hatten kurz vor Weihnachten Heringsnetze ausgelegt, als das Wetter kalt und klar war und nur eine leichte Brise von Süden wehte. Die Netze lagen bei zwei Gründen, nicht allzu tief, so daß es nicht so vieler Senksteine bedurfte, um sie an ihrem Platz zu halten. Gerade dort hatten sie seit Anfang Dezember gute Fänge gemacht. Da die Gründe keinen Namen besaßen, hatte Nils Ferdinand zum Scherz den einen auf Sarastein getauft, den anderen auf Fredrikas Grund.

In der Nacht zum 25. Dezember kam der Sturm. Er kam aus Süden, er fiel über sie her, mit dichtem Schneegestöber als Vorhut. In der Morgendämmerung sahen sie, daß sie die Netze verlieren würden, wenn sie nicht hinausfuhren, um sie zu bergen. Es war ein harter Sturm, aber sie zögerten nicht, sie hatten keine andere Wahl, fuhren mit dem Boot hinaus und schafften es, eins der Netze zu bergen. Da schlug eine Welle über Steuerbord herein und brachte das Boot zum Kentern.

Als es Sara Fredrika gelang, aus der treibenden Kiste herauszukommen, sah sie ihren Mann. Er hatte sich in dem Netz verstrickt, das er zu bergen versuchte, es war wie ein Meeresungeheuer, das sich um ihn schlang. Er zappelte und schrie, wurde aber hinabgezogen, und sie konnte nichts anderes tun, als mit Hilfe eines Ruders und der Ducht, die abgebrochen war, an Land zu paddeln und halb erfroren zum Haus hinaufzukriechen.

Das war ihre Geschichte. Sie hatte sie aus ihrem Innern herausgehauen, als bearbeitete sie mit gewaltigen Schlägen einen Steinblock. Einen Steinblock, einen Grabstein für ihren Mann.

Mehr sagte sie nicht. Es hatte zu dämmern angefangen, als sie verstummte. Die Schatten breiteten sich aus.

Er saß auf seinem Hocker und sah zu, wie sie eine Suppe kochte. Sie aßen schweigend. Lars Tobiasson-Svartman dachte: Es muß sein, als starrte man direkt in die Hölle hinein.

Einen Menschen, den man liebt, schreiend sterben zu sehen.

60

Nachts lag er auf dem Boden neben dem Kamin.

Seine Bettstatt bestand aus dem Fell des verrückten Fuchses, aus Flickenteppichen und Robbenfellen. Unter dem Kopf hatte er ein paar Holzscheite mit seinem Pullover als Überzug. Er breitete den Ölmantel über sich aus und fürchtete, der Zug vom Boden her würde ihn krank machen.

Sie hatte ihm das Bett angeboten. In einem schwindelerregenden Augenblick hatte er geglaubt, sie wolle es mit ihm teilen. Ahnte sie vielleicht seinen Gedanken? Das konnte er nicht erraten. Sie schob ihre Haare aus dem Gesicht und fragte noch einmal. Er schüttelte den Kopf, er konnte auf dem Boden schlafen.

Sie rollte sich in eine dicke Decke, die wahrscheinlich mit den Daunen von Vögeln gefüllt war, die sie selbst geschossen hatte. Sie drehte ihm den Rücken zu. Ihr Atem wurde tiefer, sie schlief. Als er die Holzklötze unter seinem Kopf zurechtschob, hörte er, daß sie aufwachte, horchte und dann wieder einschlief.

Ich stelle keine Gefahr für sie dar, dachte er. Ich bedeute keine Verlockung, überhaupt nichts.

Die Glut im Kamin glomm nur noch schwach. Er klappte seine Taschenuhr auf und konnte mühsam die Zeiger ablesen. Es war halb zehn. Die Kälte vom Boden her drang langsam durch die Felle.

Draußen tobte der Sturm noch ungebrochen. Der Wind kam und ging in kräftigen Böen.

61

Er dachte an seine Frau, wie sie sich in den warmen Räumen in der Wallingata bewegte. Vermutlich war sie noch wach. Abends ging sie gewöhnlich noch einmal durch die Zimmer und strich mit den Fingern über die schweren Vorhänge am Fenster, rückte Tischtücher zurecht, glättete eine Falte in einem Teppich.

Er suchte nach Abstand, ihm war es lebenswichtig, zu kontrollieren, wo er sich in der Beziehung zu anderen Menschen befand. Seine Frau suchte nach Unregelmäßigkeiten, um sie zu beseitigen.

Bevor sie die Tür des Schlafzimmers hinter sich zumachte, kontrollierte sie, daß die Haustür zugesperrt war und daß das Dienstmädchen in seiner Kammer hinter der Küche das Licht gelöscht hatte.

Ihm fiel es plötzlich schwer, ihr Gesicht in der Dunkelheit vor sich zu sehen. Es lag im Dunkel der Erinnerung, er konnte sie nicht erreichen. Auch ihre Stimme konnte er nicht hervorrufen, den angespannten, etwas harten Klang und das leichte, kaum merkliche Lispeln.

Er setzte sich auf. Von der Frau auf der Pritsche kam ein kurzes Schnarchen. Er hielt den Atem an.

»Ich liebe meine Frau«, flüsterte er leise, »aber auch die Frau, die in dem Bett ganz nahe bei mir schläft. Oder jedenfalls begehre ich sie und empfinde Eifersucht auf den Mann, der schreiend starb, verstrickt in ein Heringsnetz. Ich hasse die verdammte Pfeife, die sie in ihrem Schrank versteckt.«

Wieder war da die Versuchung, zu ihr ins Bett zu kriechen. Vielleicht war es das, worauf sie gewartet hatte, vielleicht hatte er nicht verstanden, daß sie das gemeint hatte, als sie die Felle auf dem Boden ausbreitete. Vielleicht erwartete ihn etwas in diesem morschen Häuschen, was er sich nie hätte vorstellen können.

Mit Entsetzen dachte er an seine und Kristina Tackers Hochzeitsnacht. Sie hatten sie im Hotel verbracht, in einer der Suiten des Grand Hotel, die Kristina Tackers reicher Vater bezahlt hatte. In der Dunkelheit hatten sie nacheinander getastet und versucht, der Angst vor dem, was sie erwartete, zu entfliehen. Die einzige Erfahrung, die er mitbrachte, waren ein paar abgegriffene und beschädigte Photos, die heimlich in den verschiedenen Messen herumgereicht wurden, Bilder, die in französischen Photoateliers aufgenommen waren. Sie zeigten fette Frauen, die in einem Raum mit ausgestopften Löwenköpfen an den Wänden ihre Beine spreizten und die Münder aufrissen.

Außerdem hatte er eine Nacht der Demütigung in einem schmutzigen Zimmer in Nyhavn erlebt. Er hatte als Kadett an Bord des alten Panzerschiffs Loke gedient, das bald abgewrackt werden sollte und der Kopenhagener Marine einen Besuch abstattete. Eines Abends hatte er Freiwache und betrank sich zusammen mit dem ersten Offizier und einem Flaggsteuermann in den Bars am Hafen. In der Nacht hatte er die anderen verloren und war in einem Zimmer bei einer zahnlosen alten Hure gelandet, die ihm die Hosen herunterriß und ihn höhnisch hinauswarf, als alles vorbei war. Anschließend hatte er sich in den Rinnstein übergeben, ein paar dänische Straßenjungen hatten ihm seine Mütze gestohlen, und dafür hatte er am folgenden Tag eine wütende Strafpredigt vom Kapitän ertragen müssen.

Das waren seine Erfahrungen, und er hatte seine Frau nie nach ihren Kenntnissen von dem, was sie erwartete, gefragt. Im entscheidenden Moment war es ein Kampf gewesen, bei dem jeder seine Krallen ausfuhr, und schließlich hatten sie sich jeder auf seine Seite des Betts geflüchtet, sie lautlos weinend, er verwundert. Aber sie hatten nach und nach zu einer Gemeinschaft gefunden, immer in der Dunkelheit, nicht besonders oft.

Er lag wach und lauschte den Atemzügen von Sara Fredrika. Er konnte hören, daß auch sie nicht schlief. Er stand auf, ging zu ihrem Bett hin und kroch hinein. Zu seiner Verwunderung nahm sie ihn entgegen, nackt, warm, weit offen. Für eine kurze Weile war es, als hätten alle Entfernungen aufgehört zu existieren. Der Sturm würde noch einen Tag dauern, vielleicht auch mehrere.

Er hatte Zeit. Er näherte sich.

62

Als er am nächsten Morgen die Augen aufschlug, hörte er, daß der Sturm sich schon gelegt hatte.

Er versuchte sich in der Stille zu orientieren. Die Stille konnte groß oder klein sein, aber sie kam immer von irgendwoher, es gab eine südliche Stille und eine nördliche, eine östliche und eine westliche.

Die Stille war immer unterwegs.

Sara Fredrikas Bett war leer. Sie mußte sich völlig lautlos bewegen können. Er schlief meistens leicht und wachte immer auf, wenn seine Frau aus dem Bett stieg. Aber als Sara Fredrika hinausging, hatte er nichts gehört.

Es war kalt im Zimmer, die Glut war längst erloschen. Plötzlich war er von Kristina Tackers Duft umgeben. Er wollte, daß sie ihn nie verlassen, sich nie heimlich einem anderen Mann nähern sollte. In den ersten Jahren war er ihr wie ein Schatten gefolgt, wenn sie nachts aufwachte und aus dem Schlafzimmer tappte. Aber sie ging nur auf die Toilette oder goß sich ein Glas Wasser aus der Karaffe ein, die immer auf dem Tisch im Wohnzimmer stand. Mitunter stand sie auch mitten im Zimmer vor den Regalen mit Porzellanfiguren; in

Gedanken verloren, so weit weg, daß er meinte, sie würde nicht wiederkommen.

Er sagte ihr nie etwas davon. Wahrscheinlich hatte sie nicht bemerkt, daß er sie überwachte.

Manchmal dachte er, sie seien wie ein Schiff in engen Fahrwassern. Mit Richtfeuern, die Aufmerksamkeit voraus und achteraus verlangten, nicht nach den Seiten.

Der Fußboden war kalt. Er stand auf, zog seine Stiefel, den Pullover und die Jacke an und ging hinaus. Der Wind fuhr noch hin und wieder zwischen den Klippen hindurch. Er sah sich um, ohne sie zu entdecken. Dann ging er hinunter in die Bucht, wo die Boote lagen. Kurz vorher bog er vom Pfad ab und schlich sich zu einem dichten Schlehengestrüpp.

Sie saß hinten in ihrem Boot und schöpfte mit einem Holzbottich Wasser. Den Rock hatte sie über den Knien zusammengebunden, eine ihrer langen Haarsträhnen hatte sie sich in den Mundwinkel geklemmt. Er sah sie an und taufte sie in Gedanken auf Sara Fredrika Kristina. Aber er konnte sie nicht in den stillen Räumen der Wohnung auf der Wallingata sehen. Er konnte sie nicht in einem langen Rock sehen, mit schmalen Fingern die Porzellanfiguren umstellend. Er konnte sie nicht mit hochgebundenem Rock in der Diele von ihm Abschied nehmen sehen, wenn er zu einer seiner Expeditionen aufbrach.

Sie nicht in sein Leben einfügen zu können regte ihn derart auf, daß er zu keuchen begann. Er zog sich aus dem Gebüsch zurück und lief hinauf zu einer Klippe, wo das Meer offen vor ihm lag und der Wind stärker war.

Er dachte an das, was er ihr am Vorabend erzählt hatte, von der Frau und dem Kind, die tot waren. Wenn er seinen Vater angelogen hatte, war ihm stets übel geworden, oder er hatte Durchfall bekommen. Der Schrecken steckte im Bauch, er versuchte immer, durch die dunklen Gänge der Gedärme zu flüchten.

Aber jetzt? Kristina das Leben genommen zu haben, ohne daß sie es wußte, war wie ein eigentümlicher Triumph.

Er betrachtete die Blenda, die da draußen auf den Wellen ritt. Für einen Moment dachte er sich das Schiff weg. Kein Leutnant Jakobsson, keine Besatzung, das Meer leer, die Fahrwasser sinnlos. Alles, was existierte, waren die Klippe und Sara Fredrika. Aber es ging nicht, das Schiff oder den Kapitän oder die Fahrwasser wegzudenken, es ging nicht, sich selbst wegzudenken.

Er stieg wieder hinunter zum Pfad, trat fest mit den Stiefeln auf die Steine, weil er sie nicht überraschen wollte. Als er ankam, merkte er plötzlich, wie schmutzig ihr Rock war. Der Dreck bildete Schichten darauf. Das Licht war jetzt heller, nachdem die Wolken davongetrieben waren, der Schmutz war nicht zu verbergen. Er sah, wie schmuddelig und klebrig von Fett und Meersalz ihre Haare waren, die Hände waren schwarz, sie hatte dunkle Streifen am Hals. Aber sie hat sich doch gewaschen, dachte er verwirrt. Ich habe sie nackt gesehen. Der Dreck muß woandersher kommen.

Sie hatte den Schöpfeimer weggelegt und war aus dem Boot gestiegen. Als er sich ihr näherte, nahm er auch wahr, daß sie nach allem roch, was ungewaschen war, nach Schweiß und Urin. Warum hatte er das nicht im Haus bemerkt? Warum jetzt, hier draußen?

»Das war kein langes Unwetter«, sagte sie fröhlich. »Der Sturm war ungeduldig.«

»Es heißt, daß es drei Tage lang stürmen soll«, sagte er. »Drei Tage, damit der Sturm sich als Sieger ausrufen kann.«

Ich rede Blödsinn, dachte er. Ich weiß nichts von einem dreitägigen Unwetter, ich weiß nicht, was man von einem Sturm glauben oder nicht glauben soll.

»Jetzt kannst du nach Hause rudern«, sagte sie.

Er streckte ihr die Hand hin. Sie zögerte, bevor sie sie nahm. Dann zuckte sie zusammen und zog ihre Hand rasch zurück. Wie ein Fisch, der es sich anders überlegt und einen

Angelhaken mitsamt dem Köder ausspuckt, den er im Maul probiert hat.

Sie ging hinauf zum Haus und holte seinen Ölmantel. Er machte die Fangleine los, das Boot schrammte über die Steine, und er sprang hinein.

Es gibt immer noch eine Möglichkeit, dachte er, einen Augenblick, in dem sich alles verändern wird. Ich kann ihr gestehen, daß das, was ich gestern gesagt habe, eine Lüge war.

Aber er sagte natürlich nichts. Sie blieb am Strand stehen und sah ihm nach.

Sie hob kein einziges Mal die Hand, sie winkte nicht. Wie wenn man ahnt, daß derjenige, der sich davonmacht, nicht mehr wiederkehren wird, dachte er.

Er wußte nicht, ob er wegruderte oder ob er nur einen Umweg nahm.

63

Die Tage wurden kürzer, dunkler, die See wurde immer unruhiger.

Ein einsamer Seehund schwamm eines Nachmittags vorbei, unterwegs zu fernen Gründen. Die Vögel zogen gen Süden, vorwiegend in der Dämmerung.

Lars Tobiasson-Svartman setzte das Wort *Kapitel* in seinen privaten Aufzeichnungen über die verschiedenen Etappen der Seevermessungsaufträge. Jetzt würde das Kapitel im Gebiet von Sandsänkan und Halsskär bald abgeschlossen sein. Die neue Fahrrinne sollte das nord-südliche Fahrwasser um eine gute Seemeile verkürzen. Außerdem würden die Schiffe früher in die inneren Schären gelangen, wo sie vor tückischen Treibminen oder Angriffen von U-Booten sicher waren.

Der Auftrag hatte bisher unter einem glücklichen Stern gestanden. Abgesehen von dem unerwarteten Felsrücken waren die Vermessungen erstaunlich gut verlaufen.

Es gab jedoch etwas, was Lars Tobiasson-Svartman beunruhigte. Als er nach dem Sturm zum Schiff zurückgekehrt war, hatte Leutnant Jakobsson seinen Unmut über die Abwesenheit nicht verborgen. Er war sichtlich unwirsch, grüßte kaum und stellte keine Fragen über die Nacht auf der Schäre. Lars Tobiasson-Svartman dachte zunächst, es sei eine vorübergehende Unpäßlichkeit, die das barsche Auftreten des Kommandanten erkläre. Aber sein Verhalten änderte sich nicht. Er versuchte vergebens, die Ursache zu erraten. Leutnant Jakobsson verschanzte sich hinter Wänden und saß bei den gemeinsamen Mahlzeiten stumm da.

Der Dezember rückte näher. Fregattenkapitän Rake hatte das Kommando über sein Schiff wieder übernommen. Lars Tobiasson-Svartman schrieb einen langen Brief an Kristina Tacker. Drei Tage nach seiner Nacht auf Halsskär übergab er ihn zur Weiterbeförderung.

Als er durchlas, was er geschrieben hatte, überkam ihn das Gefühl, ein Schweigen in den Umschlag gesteckt zu haben. Den Worten fehlte die Bedeutung, auch wenn es einen Zusammenhang zwischen den Sätzen gab. Er schrieb über den Sturm, aber nichts über die Nacht auf der Schäre, er schrieb über das Leben auf dem Schiff, über das Essen und den Koch, den er lobte, und er schrieb freundliche Worte über Leutnant Jakobsson; aber nichts davon war wahr.

Und vor allem schrieb er nicht das, was er dachte: Er zeichnete Wasserstraßen für andere, damit sie sicher fahren konnten. Doch in sich selbst zeichnete er Karten, die in die Irre führten.

Als er den Umschlag zuklebte, hatte er den verschwom-

menen Gedanken, daß er log, um sich zu rächen, um sich dafür zu rächen, daß seine Frau nie eine ihrer Porzellanfiguren zu Boden fallen ließ.

64

Fregattenkapitän Rake war von einem abstoßenden Ekzem
an Wangen und Stirn befallen worden. Lars Tobiasson-Svartman war es unangenehm, wenn er Rakes Gesicht sah. Rote
Flecke vereinigten sich zu kleinen erhöhten Inseln, gelbe
Eiterbeulen drohten in diesem Archipel zu platzen.

Rake selbst schien es nicht zu stören. Er sprach enthusia-
stisch über den Krieg. Die deutsche Invasion in Frankreich
verlief nach dem sogenannten Schlieffenplan. »Das ist einer
der ausführlichsten Kriegspläne, die jemals entworfen worden sind«, sagte Rake. »General von Schlieffen hat in den späten Jahren seines Lebens einen Plan erarbeitet, der die fran-
zösische Niederlage und den deutschen Gesamtsieg sichern
sollte. In diesem seltsamen Plan war alles bedacht: wie viele
Eisenbahnwaggons nötig waren, um Truppen, Pferde, Kanonen und Vorräte zu transportieren, exakte Berechnungen,
wie jeder Zug zu fahren hat, damit es keine Stockungen
gibt. Eine große Anzahl von Pionieroffizieren wurde in geho-
bene Eisenbahnverwalter verwandelt. Leider ist von Schlieffen im Januar 1913 gestorben und kann die Verwirklichung
seines Plans nicht erleben. Alles geht gut. Zu gut, könnte
man meinen. Nur eine Sache fehlt in Schlieffens Plan. Die
Einsicht, daß sich nicht alles planen läßt. Kein Krieg kann
gewonnen werden, wenn es da nicht auch ein improvisato-
risches Element gibt. Auf die gleiche Weise, wie keine bedeutende Kunst ohne den irrationalen Einschlag geschaffen
werden kann, der ganz einfach aus dem Talent des Künstlers
stammt.«

Sie tranken Kognak. Der Verschlüsselungsoffizier brachte das Logbuch, Rake sprach weiter über den Krieg und nahm den Brief von Lars Tobiasson-Svartman entgegen. Er selbst hatte keinen Brief von Kristina Tacker zu überreichen.

Sie trennten sich auf dem Brückennock an Backbord. Es war windstill und kalt. Der Sternenhimmel ganz klar.

»Vermutlich wird Schweden sich aus dem Krieg heraushalten«, sagte Rake. »Ob es das Beste ist, was hätte geschehen können, wird die Zukunft erweisen.«

Lars Tobiasson-Svartman kehrte über den Steg zurück, der steil zum Deck der Blenda abfiel. Gerade als er in seine Kajüte gehen wollte, nahm er den Geruch von Pfeifentabak wahr. Er drehte sich um und sah Leutnant Jakobsson in der Dunkelheit an einem der Kanonentürme.

Sein Gesicht lag im Schatten. Die Pfeife glühte. Lars Tobiasson-Svartman verspürte ein plötzliches Unbehagen.

Der Schatten des Kommandanten machte ihm angst.

65

Vier Tage bevor die Vermessungen bei Sandsänkan abgeschlossen werden sollten, ruderte er wieder nach Halsskär. Er wußte nicht, warum er sie wiedersehen wollte. Der Geruch nach Schweiß und Urin stand wie eine Barriere zwischen ihnen.

Zugleich übte er eine Verlockung auf ihn aus.

Das Wasser war ruhig, dunkle Wolken zogen aus Nordost heran, das Thermometer fiel. Das Meer roch herb, als sonderte es einen unbekannten Stoff aus.

Er legte in der Bucht an. Die Netze hingen an den Trokkengestellen, sie waren feucht und rochen nach Fisch. Er öffnete die Klappe eines Fischkastens, der im Windschutz ihres Boots zwischen zwei Steinen vertäut war. In dem Kasten platschte und zappelte es. Er steckte die Hände hinein und fühlte die Schuppen der peitschenden Fische. Etwas stach ihn in die Handfläche, eine Rückenflosse oder Zähne. Er zog die blutende Hand heraus. Die Wut schlug zu wie ein Reptil. Er kippte den Kasten um und ließ die Fische in die Freiheit entschlüpfen.

Er erinnerte sich an das Treibnetz, das er, an die Reling gelehnt, an einem der ersten Morgen gesehen hatte. Das war jetzt fern, eine schwache Erinnerung an ein Bild von den unmöglichen Bedingungen der Freiheit.

Er drehte den Fischkasten wieder um und ging davon. Er legte sich hinter den Klippen auf den Boden und spähte zum Haus hinüber. Es stieg kein Rauch aus dem Kamin auf, die Tür war geschlossen. Schnee begann zu fallen, ein dünner weißer Schimmer in der Luft.

Sie hatte sich lautlos bewegt und stand dicht hinter ihm, als er sich umdrehte. Sie sah ihm starr in die Augen, wirkte sprungbereit. »Warum liegst du hier? Was willst du? Was habe ich dir getan?«

»Nichts. Ich habe dich gesucht, ich habe mich hierhergelegt und gewartet.«

»Mit dem Feldstecher?«

»Ja, ich studiere gern die Einzelheiten.«

»Was habe ich getan?« wiederholte sie.

»Nichts. Ich wollte dich nicht erschrecken.«

»Du erschreckst mich nicht. Was sollte mich noch erschrecken, nach allem, was ich mitgemacht habe?«

Plötzlich packte sie ihn am Arm. »Hilf mir von hier weg.«

Die Stimme war heiser, fast fauchend. Er sah, wie sich ihr Gesicht veränderte.

»Ich sterbe hier«, sagte sie. »Hilf mir hier weg. Laß mich auf dem Schiff mitfahren. Ich kann hier nicht länger leben.«

»Ich kann dich nicht mit auf ein Kriegsschiff nehmen. Hast du keine Familie?«

Sie schüttelte erregt den Kopf. »Mein Familie liegt da draußen in der Tiefe. Ich rudere herum, und die Fische ernähren sich am Grabplatz meines Mannes. Manchmal glaube ich, daß Teile seines Körpers im Netz mit hochkommen könnten. Ein Arm, ein Fuß, sein Kopf. Ich halte den Gedanken nicht aus. Ich muß hier weg.«

»Dabei kann ich dir wohl kaum helfen.«

Ihr Gesicht war dem seinen nahe. Es war wie in der Nacht. Alle Gerüche waren verschwunden.

»Ich will alles dafür tun, daß ich hier nicht bleiben muß.«

Sie tastete mit den Händen über seinen Körper. Er stieß sie behutsam von sich und stand auf.

»Ich komme zurück«, sagte er. »Ich muß mir das alles überlegen. Ich komme zurück. In ein paar Tagen. In drei Tagen, höchstens vier.«

Er eilte hinunter zu seinem Boot. Der Schnee fiel immer noch dünn. Er ruderte von Halsskär fort und sah sie auf einer Klippe stehen und ihm mit dem Blick folgen.

Vier Tage würde sie warten. Wenn der fünfte Tag kam, würde das Schiff schon fort sein.

Er ruderte mit langen, saugenden Schlägen und sehnte sich nach Hause. Kristina Tacker saß auf der Ducht und lächelte ihm zu.

Der Auftrag wäre bald abgeschlossen.

66

Am folgenden Tag nahm er die letzten Vermessungen vor. Was jetzt noch blieb, war ein letzter Durchgang des vermessenen Gebiets. Es sollte zwei Tage dauern, wenn das Wetter ruhig blieb.

Das Barometer stieg, die dicksten Schneewolken waren nach Süden abgezogen.

Zum letzten Mal ließ er sein Lot auf den Grund sinken. Wieder verspürte er die schwindelerregende Hoffnung, einen Punkt zu finden, wo es keinen Boden gab, den Punkt, an dem sein ganzes Leben sich auflösen und verändern, zugleich aber auch einen Sinn erhalten würde. Das Lot blieb bei 19 Metern stehen. Er machte die letzte Aufzeichnung. 5346 Male hatte er das Lot ins Wasser getaucht, seit sie mit ihrer Arbeit begonnen hatten.

Sie ruderten zurück zur Blenda. Die Matrosen wirkten ausgelassen, sie ruderten aus Leibeskräften. Lars Tobiasson-Svartman wußte, daß sie über lange Zeit bei ihren Freiwachen mit leiser Stimme den einförmigen Auftrag verflucht hatten, der ihnen auferlegt worden war.

Mats Lindegren, der Matrose, den Lars Tobiasson-Svartman geschlagen hatte, saß immer noch am hintersten Ruder. Die dicke Lippe war abgeschwollen. Er vermied es, ihm in die Augen zu sehen.

Leutnant Jakobsson stand mit seiner Pfeife in der Hand da, als sie begannen, die beiden Barkassen an Bord zu hieven. Nach wie vor war er stumm und abweisend. Lars Tobiasson-Svartman empfand Freude darüber, daß sie sich bald trennen würden, um sich nie mehr wiederzusehen.

Er meldete, daß die Vermessungen abgeschlossen seien. Leutnant Jakobsson nickte, ohne etwas zu sagen. Dann zündete er die Pfeife an, sog den Rauch ein, hustete kurz und fiel mitten auf dem Deck um, als hätte ihn der harte Schlag einer unsichtbaren Faust getroffen.

Er fiel lautlos. Alle hielten inne, die Matrosen zögerten an den Taljen und Seilen der Hebewinde, Lars Tobiasson-Svartman hielt sein Notizbuch und sein Lot in den Händen.

Der erste, der reagierte, war Mats Lindegren. Er hockte sich hin, betastete mit den Fingerspitzen den Hals des Kommandanten. Dann erhob er sich und salutierte. Sein Dialekt war so breit, daß er wiederholen mußte, was er gesagt hatte, damit Lars Tobiasson-Svartman ihn verstand.

»Ich glaube, Leutnant Jakobsson ist tot.«

Lars Tobiasson-Svartman betrachtete den Mann, der auf

dem Rücken lag. Die Pfeife hielt er in der rechten Hand, der gebrochene Blick war auf einen Punkt über seinem Kopf gerichtet.

Leutnant Jakobsson wurde in seine Kajüte getragen. Fredén, der Erfahrung als Sanitäter hatte, suchte an vielen verschiedenen Stellen nach dem Puls, bevor er feststellte, daß Jakobsson verstorben war. Der genaue Zeitpunkt des Todes wurde im Logbuch eingetragen. Fredén übernahm das Kommando an Bord. Seine erste Handlung war, für den Marinestab in Stockholm eine Meldung über das Vorgefallene zu verfassen. Der Funker verschwand in seiner Kajüte, um die Mitteilung zu senden.

Für einen Moment war Fredén mit Lars Tobiasson-Svartman allein. Beide waren erschüttert.

»Woran ist er gestorben?«

Fredén verzog das Gesicht. »Schwer zu sagen. Es ging schnell. Jakobsson war noch verhältnismäßig jung. Er trank nicht mehr als andere, jedenfalls nicht wie ein besinnungsloses Schwein. Zuviel gegessen hat er auch nicht. Gelegentlich klagte er über Schmerzen im linken Arm. Das wird heute von einigen Ärzten als Symptom dafür gewertet, daß das Herz nicht ganz gesund ist. Die Art, wie er einfach umgefallen ist, kann auf einen großen Schlaganfall hindeuten. Entweder ist das Herz betroffen, oder ein Blutgefäß im Kopf ist geplatzt.«

»Er schien ganz gesund.«

»Choral 452«, sagte Fredén. »›Ich geh zum Tode, wo ich geh.‹ Wir singen ihn bei Seebestattungen. Wir haben das auch bei dem toten deutschen Matrosen gemacht, den wir an Bord hatten. Eigentümlicherweise scheinen nur wenige Menschen einzusehen, daß der Choralverfasser Wallin wußte, wovon er sprach. Er erinnert uns alle an das, was uns erwartet. Wir müssen nur hinhören.«

Er entschuldigte sich und ging hinaus an Deck, um der

versammelten Besatzung mitzuteilen, was alle schon wußten, daß Leutnant Jakobsson tot war.

Lars Tobiasson-Svartman fuhr fort, den toten Mann zu betrachten. Es war der dritte Tote, den er in seinem Leben sah. Erst den Vater, dann den deutschen Matrosen und jetzt Leutnant Jakobsson.

Der Tod ist Stille, dachte er. Nichts sonst. Umgestürzte Bäume, die mit blanken Wurzeln daliegen.

Vor allem Stille. Der Tod beginnt seinen Auftritt damit, daß er den Menschen die Zunge lähmt.

Für einen kurzen Moment war ihm, als würde er selbst umfallen. Er mußte sich an der in der Wand verankerten Kommode festhalten und die Augen schließen. Als er sie wieder aufschlug, war ihm, als hätte Leutnant Jakobsson die Stellung gewechselt.

Rasch verließ er die Kajüte.

67

Ein unsichtbarer Trauerflor senkte sich auf das Schiff.
Es dämmerte schon, als Fredén die Besatzung auf dem Vordeck antreten ließ. Einige Scheinwerfer des Schiffs brannten. Die Bogenlampen sprühten von nächtlichen Insekten, die zum Licht flatterten und verbrannten.

Lars Tobiasson-Svartman stellte sich eine Bühne vor. Ein Schauspiel, das gleich beginnen würde. Oder vielleicht eher der letzte Akt und der Epilog. Das Ende von Leutnant Jakobssons Geschichte.

Leutnant Fredén sprach sehr kurz. Er mahnte die Besatzung zu Besonnenheit und ungebrochener Disziplin. Dann löste er die Versammlung auf.

In dieser Nacht lag Lars Tobiasson-Svartman schlaflos da, obwohl er sein Lot umklammerte. Gegen Mitternacht stand er auf, zog sich an und ging hinaus an Deck. Der Auftrag war erfüllt, der Tod umgab ihn, auf einer Schäre lebte eine Frau, die ihn aufwühlte, und er ersehnte und fürchtete zugleich das Wiedersehen mit seiner Frau. Er hatte die Tiefen des Meeres beim Leuchtturm von Sandsänkan vermessen. Aber es war ihm nicht gelungen, seine Entdeckungen mit den Fahrwassern zu koordinieren, die er in sich trug.

Das Schiff bewegte sich sacht auf der Dünung. Es erinnerte an ein großes Tier, das sich in einem Verschlag bewegte. Die nächtliche Kälte ließ ihn schaudern. Er machte einen Rundgang auf dem Schiff. Die Nachtwachen salutierten. Er erwiderte den Gruß mit einem Nicken. Plötzlich stand er an der Tür zu Jakobssons Kajüte. Jetzt, da der Kommandant tot war, schien es ihm nicht mehr notwendig, seinen Titel zu gebrauchen, wenn er an ihn dachte.

Er überlegte flüchtig, wo Fredén schlafen würde. Bisher hatte er die Kajüte mit Jakobsson geteilt.

Der Tote lag noch da drinnen. Eine Laterne stand auf dem Tisch, der Lichtschein schimmerte unter der Tür hervor. Jemand hatte Jakobssons Gesicht mit einem Taschentuch bedeckt. Die Pfeife hatte man ihm aus der Hand genommen, ehe man seine Hände auf der Brust gefaltet hatte.

Lars Tobiasson-Svartman betrachtete den Brustkorb des Toten, als könnte es dort Spuren von vergessenen Atemzügen geben.

Er öffnete die Schublade der in der Wand verankerten Kommode. Darin lagen ein paar Notizbücher und eine gerahmte Photographie. Sie zeigte eine Frau. Mit scheuen Augen sah sie den Photographen an. Sie war sehr schön. Wie verhext starrte er auf das Bild. Es war eine der schönsten Frauen, die er je gesehen hatte. Auf der Rückseite stand der Name Emma Lidén.

Er setzte sich auf den Stuhl und begann, in den Notizbüchern zu blättern. Zu seinem Erstaunen entdeckte er, daß Jakobsson parallel zum offiziellen Logbuch ein privates Tagebuch geführt hatte.

Lars Tobiasson-Svartman warf einen Blick auf den Mann, dessen Gesicht von einem Taschentuch bedeckt war. Es war gefährlich und zugleich lustvoll, in seine Welt einzudringen. Er blätterte zurück bis zu dem Datum, an dem er selbst zum ersten Mal an Bord gekommen war.

Er brauchte eine Stunde, um zu Ende zu lesen. Die letzte Aufzeichnung hatte Jakobsson nur ein paar Stunden vor seinem Ableben gemacht. Er hatte »einen Schmerz im linken Arm, einen vagen Druck auf der Brust« notiert und darüber nachgedacht, warum er in den letzten Tagen unter Verstopfung litt.

Lars Tobiasson-Svartman war erschüttert. Der Mann, der sein Leben mit einer bekümmerten Bemerkung über seine schlechte Verdauung abschloß, war im Besitz gewaltiger Kräfte gewesen, in der Liebe wie im Haß.

Emma Lidén war seine heimliche Verlobte, aber sie war bereits an einen anderen Mann gebunden und hatte mehrere Kinder. Die Tagebücher waren voll von Aufzeichnungen über Briefe, die gewechselt und dann verbrannt wurden, über eine Liebe, die alle Grenzen überschreitet, die eine unendliche Gnade ist, aber nie etwas anderes werden kann als ein Traum. Der Satz »am Morgen wieder weinend aufgewacht« kehrte in gleichmäßigen Abständen wieder.

Lars Tobiasson-Svartman versuchte, es vor sich zu sehen. Der Mann mit der Pfeife und der verkrüppelten Hand, weinend in seiner Kajüte. Doch das Bild blieb nur ein trüber Dunst.

Nie hätte er sich vorgestellt, daß Jakobsson ihn so intensiv haßte. Schon von dem Augenblick an, als er an Bord gekommen war, hatte Jakobsson ihn nicht gemocht. »Auf diesen Mann werde ich mich nie verlassen können. Seine reservierte Haltung erscheint genauso falsch wie sein Lächeln. Ich habe einen Blender an Bord bekommen.«

Lars Tobiasson-Svartman versuchte, sich den Augenblick

zu vergegenwärtigen, als er den Kommandanten der Blenda zum ersten Mal getroffen hatte. Sein Eindruck war ein ganz anderer gewesen. Jakobsson mußte ein Mann gewesen sein, der sein Inneres nach außen kehrte.

Er war der gewesen, der er nicht war.

Lars Tobiasson-Svartman hatte alle Tagebuchabschnitte gelesen, die seine Zeit an Bord betrafen. Jakobsson nannte ihn nie beim Namen, bezeichnete ihn nur mit einem einzigen Wort, das tiefe Verachtung ausstrahlte – »der Seevermesser«.

Es klingt wie eine Larve, dachte er. Ein Wurm, der sich in den Rissen seines Schiffs verbirgt.

Der Haß, der aus dem Tagebuch aufstieg, war unförmig wie ein Klumpen Schlamm, der sich auf den Seiten ausbreitete. Jakobsson begründete seinen Widerwillen und seinen Abscheu nicht. Lars Tobiasson-Svartman war nur »widerlich, ein verdammter Schlammtaucher, eingebildet und einfältig. Außerdem riecht er genau wie der Bodenschlamm. Er hat Schlamm im Maul, er ist ein Mann, der vermodert.«

Es war fast halb zwei, als er das letzte Tagebuch zuklappte. Eine angebrochene Flasche Kognak ragte aus einem Stiefel. Er zog den Korken heraus und trank. Er nahm das Taschentuch weg und träufelte Kognak in die Nasenlöcher und Augenwinkel. Dann riß er Leutnant Jakobssons Hose auf, betrachtete das verschrumpelte, eingezogene Glied und beträufelte auch dieses mit Kognak. Er steckte die Flasche wieder in den Stiefel, legte das Taschentuch zurück und verließ die Kajüte mit den Tagebüchern in der Hand.

In seiner eigenen Kajüte nahm er das wasserdichte Futteral, das er für seine Vermessungsprotokolle benutzte, und legte die Tagebücher zusammen mit einer Stahlkante des Hellegatts, die er losgetreten hatte, hinein.

Er ging hinaus an Deck, zur Reling hin, wo keine der Nachtwachen ihn sehen konnte, und ließ die Tagebücher mit dem Senker ins Wasser fallen.

Von fern hustete einer der Wachtposten. Der schwache Widerschein des Halbmonds bildete eine Straße auf dem Wasser zwischen dem Schiff und dem Leuchtturm von Sandsänkan.

Er blieb lange an der Reling stehen. Auch wenn er sich in dem Bild der Tagebücher nicht wiedererkannte, kam er nicht davon los, daß es für Jakobsson die Wahrheit gewesen war. Er hatte sie mit in den Tod genommen.

Niemand konnte sie zurückholen.

68

Am 2. Dezember blies eine steife Brise über die Fahrwasser nördlich von Gotland.

Gegen neun Uhr vormittags war die Svea am Horizont aufgetaucht. Lars Tobiasson-Svartman hatte seine Koffer gepackt und sich von den Offizieren verabschiedet. Am Tag zuvor hatte er auch den Matrosen gedankt, die an der Arbeit teilgenommen hatten. Mats Lindegren hatte sich jedoch nicht gezeigt, und er hatte ihm nicht befohlen, sich an Deck einzufinden.

Später am Abend war er zu einem kleinen Fest in der Messe geladen worden. Der neue Kommandant Fredén hatte seine Zustimmung erteilt, sofern sie nicht zu laut würden, eingedenk dessen, daß sich ein Toter an Bord befand. Ein Flaggsteuermann und der Chefmaschinist hatten gute Singstimmen und trugen ein paar Trinklieder vor. Sie hatten einer Punschbowle mit einem kräftigen Schuß Branntwein darin reichlich zugesprochen. Als alle betrunken waren, hatten sie natürlich angefangen, über den toten Kommandanten zu sprechen. Mehrere der anwesenden Offiziere behaupteten, Leutnant Jakobsson wäre von Lars Tobiasson-Svartmans Arbeit angetan gewesen. Er mußte sich nicht verstellen, um zu zeigen, daß er erstaunt war. Aber es hielt ihn nicht lange bei dem improvisierten Fest; er zog sich mit der Entschuldigung zurück, daß er noch einige Berichte schreiben müsse.

Das letzte, was er hörte, bevor er einschlief, waren die dunklen, undeutlichen Männerstimmen, die sangen, möglicherweise auf italienisch.

Als er das Kanonenboot verließ und ein letztes Mal über den ausgefahrenen Landungssteg ging, warf er einen Blick über die Schulter, wie um sich zu vergewissern, daß Jakobsson nicht wieder auferstanden war.

Zwei Matrosen brachten sein Gepäck zu der Kajüte, die er auch zu Beginn seines Einsatzes belegt hatte.

Er stand ganz still in der Kajüte. Er war wieder am Ausgangspunkt.

Fregattenkapitän Rake empfing ihn. Er hatte seine Haare dicht über der Kopfhaut abgeschnitten und machte einen sehr erschöpften Eindruck. Sein linkes Auge war entzündet und näßte. Das Ekzem blühte.

Sie setzten sich, Kapitän Rake servierte Kognak, obgleich noch Vormittag war.

»Ich bin ein Mann, der nach strikter Routine lebt. Ich hasse Ausbrüche von mangelnder Disziplin. Die Menschen können niemals Würde erlangen, wenn sie nicht erkennen, wie wichtig es ist, sich selbst und anderen zu gehorchen. Aber manchmal erlaube ich mir vorsichtige kleine Fehltritte, zum Beispiel den, daß ich mir am Vormittag ein oder vielleicht zwei Glas Schnaps gönne.«

Sie stießen an.

»All die Toten«, sagte Kapitän Rake plötzlich. »Auf dem Weg hierher starb der Bootsmann Rudin. Dann habt ihr einen Kadaver in der Uniform der deutschen Marine herausgefischt. Und jetzt Leutnant Jakobsson. War es das Herz?«

»Das Herz oder das Gehirn.«

Rake nickte und strich sich über den fast kahlen Kopf.

Lars Tobiasson-Svartman bemerkte, daß seine Hände zitterten.

»Es sind die kleinen unsichtbaren Blutgefäße, die unser schwächster Punkt sein können«, sagte Rake. »Wenn sie platzen, werden wir in einen freien Fall hinausgeschleudert, der uns zum Tod und ins Grab bringt, oder zur Lähmung und an die eiserne Lunge, zu einer kurzen Qual oder zu einem langen und entsetzlichen Leiden.«

Er kniff die Augen zusammen und fixierte Lars Tobiasson-Svartman. »Was ist Ihre Schwäche? Sie brauchen natürlich nicht zu antworten, wenn Sie nicht wollen. Es ist ein Recht, das man als Mensch hat, nicht zu enthüllen, welchen Jammer man mit sich herumschleppt. Schwäche oder Elend sind nach meiner Auffassung dieselbe Sache. Es fragt sich nur, welches Wort man wählt.«

Lars Tobiasson-Svartman dachte, daß seine Schwäche eine Frau war, die allein auf einer Schäre lebte, etwa eine halbe Seemeile südlich vom Panzerschiff. Aber er sagte nichts. Auch Rake wurde jetzt eine Person, von der er sich bald frohgemut für immer würde verabschieden können.

»Ich habe viele Schwächen«, erwiderte er. »Es ist unmöglich, eine einzige hervorzuheben.«

»Meine Frage war nur zum Teil ernst gemeint.«

Rake stand auf, zum Zeichen, daß das Gespräch beendet war. »Das Wetter wird ruhig sein. Wir rechnen damit, morgen um neun an Skeppsholmen anzulegen. Leider können wir nicht mit der höchsten Geschwindigkeit fahren.«

»Gibt es einen Maschinenfehler?«

»Ein unglücklicher Beschluß des Marinestabs steckt dahinter. In einem mißverstandenen Versuch, die Maschinen zu schonen, sind Spitzengeschwindigkeiten nur während unmittelbarer Kriegsereignisse erlaubt. Es gibt nur wenige technisch qualifizierte Ingenieure und Offiziere im Marinestab. Die Maschinen sollten ab und zu, nicht oft, aber regelmäßig, auf Hochtouren gebracht werden. Sonst ist die Gefahr von Explosionen sehr hoch, wenn es wirklich darauf ankommt.«

Rake lachte auf. »Es ist wie mit den Menschen«, fuhr er fort. »Auch wir müssen hin und wieder etwas auf der Höhe unserer Kapazität leisten. Der Unterschied zwischen einer Maschine und einem Menschen ist nicht allzu groß.«

Rake öffnete ihm die Tür und lud ihn zu einem Essen am Abend ein.

Er kehrte in seine Kajüte zurück und streckte sich auf seiner Koje aus. Bald war er eingeschlafen.

Eine Stunde später erwachte er mit einem Ruck. Ein kratzendes und klagendes Geräusch, das sich durch den Schiffsrumpf fortpflanzte, verkündete, daß der Anker mit der Kette an Bord gezogen wurde.

Er erhob sich, zog die Jacke an und ging an Deck. Die Blenda war schon verschwunden. Die Maschinen vibrierten, Rauch stieg aus den vier hohen Schornsteinen auf. Das Schiff begann, sich langsam um seine eigene Achse zu drehen, und nahm Kurs auf Nordosten.

Er kniff die Augen zusammen und suchte mit dem Blick nach Halsskär, konnte aber keine Einzelheiten ausmachen.

Das Meer wirkte erschreckend verlassen.

Es gibt etwas, was ich nicht begreife, dachte er. Eine Warnung. Gerade jetzt begehe ich einen Fehler, ohne daß ich weiß, welchen.

Halsskär verschwand langsam im Dunst.

Lars Tobiasson-Svartman dachte an den Punkt, den er gesucht hatte, den Punkt, an dem das Lot den Boden nicht erreichte.

Diesen Punkt hatte er noch nicht gefunden.

Teil 5

DIE TOTEN AUGEN VON PORZELLANFIGUREN

69

In der Nacht vor der Rückkehr nach Stockholm hatte er schlecht geschlafen. Nachdem er die Petroleumlampe ausgeblasen hatte, war das Gefühl einer herannahenden Katastrophe übermächtig geworden.

Sie könnte jederzeit dasein: ein lautloser Torpedo, von einem unbekannten U-Boot abgefeuert und jetzt durch das dunkle Wasser rasend.

Er hatte, in Schweiß gebadet, in seiner Kajüte gelegen und den Vibrationen der großen Verbundmaschinen gelauscht. Rakes Versicherungen, daß er die Maschinerie keinen gefährlichen Strapazen aussetzen würde, half ihm nicht. Dampfkessel konnten ohne Vorwarnung explodieren, große Löcher unter der Wasserlinie reißen und das Schiff innerhalb von kaum dreißig Sekunden sinken lassen.

Das war sein größter Schrecken: in einer Luftblase eingeschlossen zu sein, weit im Innern eines Schiffs, das zum Meeresboden hinabsank. Nicht einmal seine Schreie würden eine Spur hinterlassen.

Er fürchtete, daß der Tod ganz lautlos kommen würde.

Erst in der Dämmerung, als die Vibrationen schwächer geworden waren und das Schiff sich in den inneren Fahrwassern von Stockholms Schären befand, schlummerte er ein. Doch die Vibrationen verfolgten ihn bis in die Träume hinein.

Er befand sich in einem Maschinenraum. Die Hitze war unerträglich, stöhnende und schreiende Heizer mit schwarzen Gesichtern und ölig glänzenden Rücken umgaben ihn, und er wußte, daß alles bald vorüber sein würde. Plötzlich entdeckte er, daß einer der verschwitzten Heizer der tote deutsche Matrose war. Er hielt eine Schaufel in der Hand, aber ihm fehlten die Augen, an ihrer Stelle gab es nur zwei blutige Löcher.

In diesem Moment gelang es ihm, sich von dem Traum loszureißen und wieder an die Oberfläche zu steigen.

Obwohl er sehr müde war, zog er sich an und ging hinaus an Deck. Das Meer war grau, die dunklen Felseninseln verschwammen im Dunst. Die Müdigkeit bewirkte, daß er von kurzen Sehstörungen befallen wurde. Meer und Himmel flossen zu undeutlichen Lichtpunkten zusammen, ein Wechselspiel zwischen Licht und Dunkel.

Die Temperatur war in der Nacht gefallen. Er stellte sich an den Platz, wo niemand ihn sehen konnte. Er blieb dort, bis sie Oxdjupet passierten. Dann kehrte er in seine Kajüte zurück, klappte die Kofferdeckel zu und betrachtete sein Gesicht im Spiegel.

Sein Vater wurde jetzt deutlicher sichtbar, in der Falte zwischen den Augenbrauen, ein verbitterter Zug, der ihm immer angst gemacht hatte. Gegen seinen Willen war er im Begriff, das gequälte Gesicht seines Vaters anzunehmen. Sein Vater versuchte, die frühere Macht wiederzugewinnen, in seinem eigenen Gesicht wieder lebendig zu werden.

Er hauchte den Spiegel an, bis er beschlug und das Gesicht verschwand.

Ich versiegele diese Reise, dachte er. Jetzt ist sie vorbei. Ich habe meinen Auftrag erledigt. Was von mir erwartet wurde, habe ich ausgeführt. Ich werde kaum Lob ernten, das ist beim Marinestab nicht üblich. Aber ich werde neue Aufgaben bekommen, weiterhin Verantwortung tragen, und früher oder später werde ich im Rang steigen. Ich wandere weiter auf den unsichtbaren Stufen des Lebens.

Er betrachtete seine Koffer, kontrollierte, daß er nichts vergessen hatte, und verließ die Kajüte. Es war jetzt heller geworden, die Schären stiegen aus dem Dunst empor. Fischkutter und kleine Küstensegler waren mit ihrem Fang unterwegs zur Stadt. Graue Menschen hockten an den Ruderpinnen und neben den Masten.

Er nahm ein rasches Frühstück in der Offiziersmesse ein. Ohne sich einzumischen, verfolgte er eine hitzige Diskussion zwischen einem Leutnant und einem Maschinenoffizier. Der Leutnant, bleich und rothaarig, meinte mit schriller Stimme, daß der Ausgang des Kriegs abzusehen sei. Deutschland werde ihn gewinnen, da diese Nation eine Wut in sich trage, die den Engländern abhanden gekommen sei. Der Maschinenoffizier war der Ansicht, Deutsche und Russen seien hochmütig, sie trügen »Napoleons Stiefel«, sagte er, die Stiefel der Niederlage, und das würde sich rächen.

Lars Tobiasson-Svartman verließ die Messe und ging an Deck. Welche Stiefel trage ich? dachte er. Sie befanden sich jetzt in der Nähe von Djurgården. Er dachte an seinen nächtlichen Traum. Was hatte er bedeutet? Der deutsche Soldat, der aus der Tiefe bei Sandsänkan wiedergekehrt war, was wollte er?

Eine Warnung, dachte er. Nicht zu schnell vorzugehen, nicht zu schnell zu vergessen.

Weiter kam er nicht. Ein Gedanke blockierte den anderen. Ein Gedankenkurzschluß.

70

Fregattenkapitän Rake verabschiedete sich von ihm, nachdem das Schiff festgemacht hatte. Ein Matrose trug bereits sein Gepäck auf den Kai und winkte einen Mann mit einem Karren zu sich.

Rake betrachtete ihn. Das Licht der Morgendämmerung war sehr scharf. »Sie sind bleich«, sagte er. »Bleicher als gestern.«

»Vielleicht fordert die Müdigkeit ihr Recht.«

Kapitän Rake nickte nachdenklich. »Wie nach einem Zusammenstoß von Kriegsschiffen«, sagte er. »Während es geschieht, merkt man nichts. Ärzte haben festgestellt, daß es ein rein physischer Prozeß ist. Etwas, das sie Adrenalin nennen, wird durch den Körper gepumpt. Ein schöner chemischer oder biologischer Name für menschlichen Blutdurst. Wenn man tot ist, wird der Blutdurst vergeblich durch den Kreislauf gepumpt. Wenn man am Leben ist, wird man von großer Müdigkeit überwältigt. Ob man gewonnen oder verloren hat, ist weniger wichtig. Besser gesagt, hat man überlebt, hat man gewonnen, auch wenn man auf der Seite der Besiegten ist.«

Rake brach abrupt ab, als hätte er sich dabei ertappt, etwas Unpassendes zu sagen. »Ich rede manchmal zuviel«, sagte er verlegen. »Ich sage oft zu den Menschen in meiner Umgebung, sie sollten das Maul halten. Aber ich lebe nicht immer so, wie ich lehre.«

Er streckte sich, salutierte und gab ihm die Hand. »Viel Glück.«

»Danke.«

Lars Tobiasson-Svartman ging den Landungssteg hinunter. Als er sich umdrehte, war der Kapitän verschwunden. Er tat ein paar unsichere Schritte, schwankte. Dasselbe Unbehagen hatte er empfunden, wenn er auf Halsskär war. Auf einem Schiff war er es, der die Balance halten mußte, an Land hatten die Erde oder der Stein unter seinen Füßen die Verantwortung dafür, daß er nicht fiel.

Der Matrose salutierte und verschwand. Der Mann, der den Karren mit dem Gepäck zog, war alt und zahnlos. Seine Wangen waren eingesunken, er röchelte. Um den Karren in Gang zu bringen, mußte Lars Tobiasson-Svartman bei den ersten Metern schieben helfen.

Die Stadt lärmte um ihn her. Sie kam ihm verrostet vor, mit Lehm beschmiert, all diese Häuser, Bäume, Straßen und Menschen, die ihn plötzlich umgaben.

Die Stadt wälzte sich über ihn, ganz unerwartet, vielleicht war es erschreckend, vielleicht schön.

71

Er nahm nicht den geraden Weg nach Hause.

Etwas von der Trägheit des großen Schiffs, die Geschwindigkeit langsam zu drosseln, ohne übertriebene Eile einen großen Kurswechsel vorzunehmen, steckte auch in ihm. Er konnte nicht zu früh durch die Tür der Wohnung in der Wallingata treten. Das wäre, als würde man unbeherrscht den Steven in den Kai rammen.

Beim ersten Mal, als er nach seiner Heirat mit einem Auftrag unterwegs war, hatte er ihr vor seiner Rückkehr eine telegraphische Mitteilung geschickt. Das war das einzige Mal. Er hatte diesen Fehler nicht wiederholt.

Er ließ den zahnlosen Mann vor dem Haus in der Wallingata stehen und ging zu einem einfachen Lokal mit Bierausschank, einen Block entfernt. Es war früh am Tag, aber er kannte die Wirtin, die Witwe eines Segelmachers, der sein ganzes Leben im Staatsdienst verbracht hatte. Sie hieß Sally Andersson, es sang um ihre Bewegungen. Bei ihr konnte er um sechs Uhr morgens ankommen und sich einen Rausch antrinken, wenn er wollte. Sie war noch jung, die tapfere singende Witwe, und er hörte nie auf, sich über ihre leuchtendweißen Zähne zu wundern.

Sally Andersson stand da inmitten ihrer Tassen und Krüge und sah ihn kommen. »Ich habe dich lange nicht gesehen. Es muß eine lange Reise gewesen sein, die jetzt zu Ende ist«, sagte sie und wischte die Platte eines Ecktischs ab, an dem er zu sitzen pflegte. »Erkläre mir, warum die Marine so miserable Köche beschäftigt.«

»Woraus schließt du das?«

»Du bist zu mager. Ein Kapitän darf nicht so mager sein.

Eines Tages weht der Wind durch dich hindurch. Dann wirst du zum Fraß der Möwen.«

»Der Koch war gut. Aber das Meer zehrt. Man magert nicht ab, man wird vom Salz und von den ständigen Bewegungen des Meers abgeschliffen.«

Sie lachte, schlug mit dem Lappen gegen eine Stuhllehne und stellte ihm wie üblich ein Glas Bier mit einem Schnaps hin.

Ein paar Jahre zuvor, im Mai 1912, nach einer ausgiebigen Kontrolle der geheimen Fahrwasser um das nördliche Gotland und Fårön herum, hatte er bei seiner Heimkehr viel zuviel getrunken. Bereits um zehn Uhr vormittags war er stark betrunken und hatte ununterbrochen geredet. Er hatte die Kontrolle über sich selbst verloren, und Sally Andersson hatte ihn vor der Demütigung bewahrt. Als er Dinge über den Marinestab sagte, die er später bereuen würde, hatte sie ihn in ein Zimmer hinter der Küche geschleppt und ihn auf eine Holzbank gelegt. Obwohl es zwei Kellnerinnen gab, kümmerte sich Sally Andersson immer persönlich um ihn. Niemand anders durfte in seine Nähe kommen, neue Gläser hinstellen, das Bier aufwischen, das er umstieß, wenn er in seiner Trunkenheit große Gesten machte. Sie gab ihm das zu trinken, was er brauchte, niemals mehr, und sie war es auch, die ihm schließlich sagte, er solle aufbrechen.

»Du bist am Ziel«, sagte sie. »Jetzt kannst du nach Hause gehen.«

Er hatte ihr Urteil nie in Frage gestellt, sondern nur das Geld auf den Tisch gelegt und war gegangen.

72

An diesem Morgen gab sie ihm verdünnten Branntwein und Bier zu trinken und drängte ihm ein paar Scheiben Brot mit viel Butter und dickem Schinkenbelag auf.

Er trank schnell. Bereits nach einer halben Stunde war er betrunken. Sally Andersson setzte sich an den Tisch und sah ihn an. Ihre weißen Zähne glitzerten. Sie waren wie Schnecken. Wie blankpolierte Schnecken, die in einer Reihe standen, in dunkelroten Sand gesteckt.

»Wie nahe ist der Krieg?« fragte sie.

Er suchte in seinem trunkenen Gehirn nach einer Antwort. »Feuerschein«, sagte er schließlich. »In der Ferne auf dem Meer. Eine furchtbare Stille.«

»Ich fragte, wie nah der Krieg ist, nicht wie er aussieht.«

Er deutete auf seine Stirn. »Hier drinnen«, sagte er. »So nah ist der Krieg.«

»Daß ein so kluger Mann aber auch so einen Mist verzapfen kann«, sagte sie und schüttelte den Kopf.

Er leerte das Glas, aber als er mehr haben wollte, wies sie ihn ab.

»Wenn du weitertrinkst, passierst du die Grenze.«

»Welche Grenze?«

»Die Grenze, an der eine Frau es nicht mehr schafft, sich zu ihrem Mann zu bekennen.«

Er legte das Geld auf den Tisch. Es roch nach feuchtem Leder und nassen Wollsachen, als er den verräucherten Raum verließ. Auf der Straße stolperte er. Er ging um den Block und blieb in der Wallingata an der Haustür stehen. Der Mann, der das Gepäck bewachen sollte, war an einem Wagenrad lehnend eingeschlafen. Lars Tobiasson-Svartman gab ihm einen Tritt. Der Mann fuhr auf und lud das Gepäck aus.

Er öffnete die Haustür. Drinnen in der Dunkelheit spürte er, daß er am Kai der Wallingata angelegt hatte.

73

Kristina Tacker erwartete ihn in dem dunklen Flur.

Das machte ihn unsicher, es verstieß gegen seinen Plan. Er hatte kein Telegramm geschickt, niemand anders hatte einen Grund gehabt, seine Heimkehr anzukündigen.

Sie bemerkte seine Verwirrung und natürlich auch, daß er betrunken war. »Ich habe den Karren mit dem Gepäck gesehen. Es war, als würde es bis hier herauf zu den Fenstern nach Meer riechen. Aber ich habe mich schon seit einer Weile gefragt, wann du heraufkommen würdest.«

»Ich bin um den Block gegangen, um Schaum und Algen und den Geruch nach Schlamm abzuschütteln. Ein Schiff zu verlassen ist ein komplizierter Prozeß.«

Er umarmte sie, sog all ihre Gerüche ein, den Wein, das Parfum mit dem vagen Duft von geriebener Zitronenschale. Sie drückte sich nicht an ihn, es gab einen Abstand zwischen ihnen, aber er hoffte, daß sie sich über seine Rückkehr freute.

Hinter ihnen kicherte jemand. Seine Frau fuhr zusammen, drehte sich um und gab dem Dienstmädchen eine schallende Ohrfeige. »Geh«, sagte sie. »Laß mich und meinen Mann in Frieden.«

Das Mädchen verschwand. Ihre eiligen Schritte waren fast lautlos. Er hatte seine Frau noch nie Gewalt anwenden sehen und erschrak über die Kraft des Schlags, als hätte er ihn selbst abbekommen.

»Hast du meinen Brief erhalten? In dem ich von ihr geschrieben habe?«

»Ich habe alle deine Briefe erhalten.«

Sie standen still da, er legte die Kapitänsjacke ab, schnürte seine Schuhe auf, streifte sie ab und folgte ihr in das Zimmer, in dem die Porzellanfiguren auf ihren Regalen standen.

Nichts war verändert. Es war, als trete er in ein Zimmer ein, das niemand bewohnte.

Sie setzten sich auf die Stühle am Fenster. Das Licht der tiefstehenden Sonne drang durch die dünnen Vorhänge.

Er erzählte mit großer Sorgfalt von seiner Reise. Hinter den Einzelheiten konnte er sich verstecken. Alles, was er sagte, war wahr, nur eine Sache ließ er aus: daß es im Meer eine Insel gab, die Halsskär hieß.

Er löschte ihre Existenz von der Seekarte und ließ die Schäre auf den Meeresboden sinken.

Der Gedanke, daß er gesagt hatte, seine Frau und seine Tochter seien tot, brachte ihn für einen kurzen Moment durcheinander. Es gab ihm einen Stich in den Magen.

Sie war wie ein wachsamer Vogel. »Was ist denn?«

»Ich habe Schmerzen in einem Zahn.«

»Wo?«

»Im Unterkiefer.«

»Du mußt zum Zahnarzt gehen.«

»Es ist schon vorbei. Es war nichts, nur ein kurzes Ziehen.«

Er fuhr fort zu erzählen, als wäre nichts gewesen. Sie erhob sich, um dem Dienstmädchen zu sagen, es solle den Kaffee servieren. Da dachte er, daß er einen großen Abstand zwischen sich und seiner Frau gemessen habe.

Er hatte eine Lüge zwischen sie gelegt. Eine Lüge, die weiterwachsen würde, auch wenn alles andere, was er zu ihr gesagt hatte, wahr oder wenigstens aufrichtig gemeint war. Die Lüge brauchte keine neue Nahrung. Sie würde ganz von allein gedeihen.

Er überlegte, ob es möglich sei zu leben, ohne zu lügen. Hatte er je einen Menschen getroffen, der nicht log? Er suchte in seinem Gedächtnis, ohne jemanden zu finden.

74

Sie tranken den Kaffee am Fenster.

Das Mädchen, das die Ohrfeige bekommen hatte, wirkte verschreckt und ängstlich. Sie tat ihm leid, und er erinnerte sich an den verrotzten Ruderer.

Wir gehören zu denen, die schlagen, dachte er. Wenigstens haben wir das gemeinsam, meine Frau und ich, daß wir kräftige Ohrfeigen austeilen, die auf die Haut klatschen. Außerdem kann man immer über Dienstboten reden. Über alles andere müssen wir vielleicht bis auf weiteres schweigen.

»Sie irritiert mich grenzenlos«, sagte Kristina Tacker. »Trotz aller Ermahnungen, sich zu waschen, riecht sie nach Schweiß, sie versäumt es, die obere Kante der Bilderrahmen abzustauben, läßt sich Zeit, wenn sie den Müll wegbringt oder fürs Essen einkauft, und die verschiedenen Maße der Rezepte kann sie nicht richtig ausrechnen.«

Sie sprach leise, damit ihre Worte außerhalb des Zimmers nicht zu hören waren.

»Ich werde mich selbstverständlich um die Sache kümmern«, sagte er. »Schlimmstenfalls müssen wir sie entlassen und eine andere einstellen.«

»Die Menschen wollen anderen nicht mehr dienen«, sagte Kristina Tacker. »Wir leben in einer unwilligen Zeit.«

75

Das Abendessen nahmen sie bei Kerzenschein ein.

Die Wärme der Kachelöfen breitete sich im Zimmer aus. Lars Tobiasson-Svartman wünschte intensiv, daß er zur Ruhe kommen möge und daß alles, was im Fahrwasser beim Leuchtturm von Sandsänkan geschehen war, sich aus seinem Bewußtsein verflüchtigen würde.

Dann würde es weder Wahrheit noch Lüge geben, nur das Fahrwasser, das er auf eine neue Strecke geführt hatte.

Er trank zum Essen Wein und anschließend Portwein. Kristina saß im Halbschatten und bestickte ein Tuch. Er spürte, daß er noch nicht bereit für die Nacht war.

Kurz nach zehn stand sie auf. Er wartete, bis er hörte, daß sie ins Bett gekrochen war. Dann trank er zwei Glas Kognak, wusch sich, kippte zwei weitere Gläser Kognak hinunter, putzte sich die Zähne und ging in das dunkle Schlafzimmer. Der Alkohol machte das Begehren stärker als die Unsicherheit.

Danach, als vorbei war, was in vollständiger Stille geschah, dachte er, ihrer beider Liebe sei so, als würden sie um ihr Leben laufen. Vor allem verspürte er Erleichterung. Er versuchte sich etwas auszudenken, was er sagen konnte. Aber es gab nichts.

Er lag lange wach und wußte, daß auch sie nicht eingeschlafen war. Er fragte sich, ob es einen größeren Abstand gäbe als den zwischen zwei Menschen, die im gleichen Bett liegen und vorgeben zu schlafen.

Es war ein Abstand, den er nach den Maßstäben, über die er verfügte, noch nicht zu bestimmen vermocht hatte.

76

Erst gegen drei war er sicher, daß sie eingeschlafen war. Ihr Atem war tief, sie schnarchte ein wenig. Er stieg aus dem Bett, zog seinen Morgenmantel an und verließ das Zimmer. Aus einem Schrank holte er ein Paar weiße Handschuhe.

Er goß sich ein Glas Kognak ein und ging zu ihrem Sekretär. Er horchte, ob sie erwacht wäre, stocherte vorsichtig das Schloß auf und holte ihr Tagebuch hervor. Er stellte sich vor, daß die weißen Handschuhe sein Eindringen mildern würden, da er die Buchseiten nicht mit seinen Händen berührte.

Seit er abgereist war, hatte sie jeden Tag Eintragungen gemacht. Ihre plötzliche Weigerung, ihn bei seiner Abreise zum Kai zu begleiten, hatte sie nicht notiert. Da standen nur die Uhrzeit und das Wetter und *Lars ist abgereist*.

Er blätterte weiter. Immerzu horchte er auf das Tappen ihrer Füße. Von der Straße her hörte man einen Mann, der seinen betrunkenen Zorn hinausschrie und Gott verfluchte.

Ihre Aufzeichnungen waren meist kurz und immer nichtssagend.

Ich habe einen Brief von Lars bekommen. Aber nichts über den Inhalt, nichts von ihren Gedanken über das, was er geschrieben hatte.

Ihr Leben ist wie ein langsames Versinken, dachte er. Eines Tages wird sie mich mit in die Tiefe ziehen. Eines Tages wird sie nicht mehr der Deckel über dem Abgrund sein, auf dem ich balanciere.

Als er zum 14. November kam, fand er etwas, das gegen dieses Muster verstieß. Sie hatte die Temperatur und die Windrichtung notiert, *ein leichter Schneefall gegen neun, der bald aufhörte*, aber da gab es noch etwas anderes, die ersten persönlichen Kommentare. Sie berichtete von einem Traum, den sie in dieser Nacht gehabt hatte. Er hatte sie geweckt, und sie war sofort aus dem Bett gestiegen und hatte aufgeschrieben, woran sie sich erinnerte. Sie endete mit den Worten: *In gewissen Nächten ist die Stille kalt und abweisend, in anderen Nächten ist sie sanft und einladend. In dieser Nacht ist die Stille verschwunden.*

Danach waren die Aufzeichnungen wieder wie gewohnt. Temperatursturz, Windböen, das Auswechseln eines Leitungsrohrs in der Küche.

In der Nacht zum 28. November träumte sie wieder:

Ich werde mit einem Ruck wach. In der Dunkelheit des Schlafzimmers ahne ich einen Menschen, aber als ich mich aufsetze, ist da niemand, nur der weiße Mondschatten an der Tür. Ich bleibe im Bett sitzen, und ich weiß, daß der

Traum wichtig ist. Ich stehe plötzlich auf einer Straße in einer fremden Stadt, ich weiß nicht, wie ich hingekommen bin oder wohin ich unterwegs bin. Auch kenne ich die Stadt nicht. Die Menschen um mich her sprechen eine Sprache, die ich nicht verstehe. Ich fange an, die Straße entlangzugehen, es herrscht reger Verkehr, es ist sehr warm, und ich habe einen dichten schwarzen Schleier vor dem Gesicht. Ich komme zu einem großen, offenen Platz mit einer Kathedrale. Auf dem Platz rennen Menschen hin und her, sie sind alle blind, aber sie spielen ein gewaltsames Spiel, sie stoßen zusammen, schlagen sich an den Steinwänden der Kathedrale oder an dem Springbrunnen mitten auf dem Platz blutig. Um nicht im Weg zu sein, gehe ich in die Kathedrale. Da drinnen ist es kalt und dunkel. Der Boden ist mit Neuschnee bedeckt, noch immer schweben einzelne Schneeflokken von den hohen Gewölbebögen hinab. Der Kirchenraum ist schwarz wie eine unendliche Eisfläche. Auf den Bänken sitzen vereinzelt Menschen. Ich gehe durch den Mittelgang nach vorn und setze mich auf eine Bank. Ich spreche keine Gebete, ich sitze nur da, ich weiß noch immer nicht, in welcher Stadt ich mich befinde, aber ich habe keine Angst. Das erstaunt mich, da ich immer Unsicherheit vor dem Fremden empfinde, ich, die ich es nie über mich bringe, allein zu verreisen, sondern immer jemand zur Gesellschaft brauche. Ich sitze da auf der Bank, es ist immer noch kalt, der Schnee wirbelt über den Steinboden, und plötzlich setzt sich jemand vor mich. Ich erkenne nur, daß es eine Frau ist, nicht, wie sie aussieht. Sie dreht sich um, und ich sehe, daß ich selbst es bin, die da sitzt. Sie flüstert etwas, was ich nicht verstehen kann. Wer bin ich eigentlich, wenn ich es bin, die in der Bankreihe vor mir sitzt? In diesem Moment wache ich auf. Was der Traum bedeutet, kann ich natürlich ahnen, vielleicht, daß ich nicht genau weiß, wer ich eigentlich bin. Aber am wichtigsten ist doch, daß ich im Traum keine Angst hatte

Hier endeten die Aufzeichnungen, abrupt, ohne Punkt.

Er legte das Tagebuch zurück, verschloß den Sekretär. Er stellte sich an ein Fenster, das auf die Straße ging. Eine Ratte lief an der Hauswand entlang und schlüpfte durch ein Kellerfenster hinein. Er dachte über den Traum nach, den seine Frau in ihrem Tagebuch beschrieben hatte. Ein Traum, der ihre Bequemlichkeit besiegte, dachte er. Es muß viel zusammenkommen, ehe sie sich freiwillig aus dem Bett erhebt, nachdem sie sich hingelegt hat. Sie lebt in großem Müßiggang. Aber ein Traum von einem Besuch in einer Kathedrale, eine unerwartete Spiegelung ihres eigenen Gesichts bringt sie dazu, aufzustehen und sich anzustrengen.

Er blieb an diesen Worten hängen. Seine Frau hatte sich *angestrengt*. Wie oft tat sie das? Wenn sie ihre Porzellanfiguren abstaubte und polierte. Aber sonst?

Er versuchte, den Traum zu deuten. Es war, wie heimlich bei ihr einzubrechen. Er setzte sich in einen Schaukelstuhl, den Kognak in der Hand, und ging den Traum im Kopf durch. Aber er fand keinen Zugang. Gerade als sie die verschneite Kathedrale betrat, schloß der Traum seine Tore.

Er trank noch ein Glas Kognak, merkte, daß er stark betrunken war, und ging in der Wohnung umher. An der Tür des Dienstmädchens blieb er stehen und horchte. Sie schnarchte. Vorsichtig öffnete er die Tür und spähte in das Zimmer. Das Mädchen schlief auf dem Rücken, mit offenem Mund. Die Decke war bis zum Hals hochgezogen. Er war einen Moment in Versuchung, die Decke anzuheben und nachzusehen, ob sie nackt schlief. Er schloß vorsichtig die Tür und ging in das Zimmer, in dem seine Frau die Porzellanfiguren aufbewahrte. Er bezwang seine Lust, eine davon zu zerschlagen. Es ist ein leuchtendes Elend, dachte er, daß ich auf eine Sammlung von leblosen, überwiegend schlecht gemachten Porzellanfiguren eifersüchtig bin.

Ihre toten Augen starrten ihn in dem bleichen Licht an, das durch die Fenster fiel.

Am Morgen des 17. Dezembers lag ein leichter Nebel über der Stadt, es waren einige Grad über Null. Er war gespannt auf das bevorstehende Treffen im Marinestab. Die Vermessungen, die er kürzlich abgeschlossen hatte, waren zwar vorbildlich durchgeführt und gemeldet, und er hatte keinen Grund, etwas anderes zu glauben, als daß man mit seiner Arbeit zufrieden war. Trotzdem war da eine Unruhe.

Noch immer raste ein unsichtbarer Torpedo auf ihn zu.

Er unternahm einen langen Spaziergang durch die Stadt, die Wohnung hatte er schon gegen sechs verlassen, ohne seine Frau zu wecken. Auch das Dienstmädchen hatte er nicht aufgestört, sondern sich selbst einen Kaffee gekocht. Seine Uniform hatte sie tags zuvor unter der Aufsicht von Kristina Tacker gebügelt. Er ging durch die Stadt, kletterte die Anhöhe zum Brunkebergstorg hinauf, wo die Droschkenkutscher wie üblich eine Schneegrotte gebaut hatten, um sich zu wärmen. Er überquerte die Strömbron und ging weiter durch die Gassen der Altstadt, wo schattenhafte Figuren in verschiedene Richtungen hasteten. Im Kopf wiederholte er alles, was während der Vermessungsarbeiten beim Leuchtturm von Sandsänkan geschehen war. Alle waren da, Fregattenkapitän Rake, Leutnant Jakobsson, Welander mit seinen Schnapsflaschen, der Matrose Richter, dem die Augen fehlten.

Die einzige, die nicht dabeisein durfte, war Sara Fredrika.

Sie, die jeden Tag Angst hatte, ihren eigenen Mann als Fang im Netz zu haben.

Punkt acht Uhr trat er durch die Tür des Hauptquartiers der Marine auf Skeppsholmen. Ein Adjutant bat ihn, Platz zu nehmen und zu warten, da der Ausschuß noch nicht vollzählig sei. Ein Vizeadmiral, der auf Djursholm wohnte, hatte mitgeteilt, daß er sich verspäten werde.

Lars Tobiasson-Svartman schauderte es in dem kalten Korridor. Er lauschte einigen Trompetensignalen, die durch die Fenster zu hören waren, und gleich darauf dem dumpfen Dröhnen eines einzelnen Kanonenschusses.

Nach einer guten halben Stunde meldete ihm der Adjutant, der Ausschuß sei jetzt bereit, ihn zu empfangen. Er betrat einen Raum, in dem ihn Porträts früherer Flottenchefs von den Wänden herunter ansahen. Der Ausschuß bestand aus zwei Vizeadmiralen und einem Kapitän sowie einem Leutnant, der Protokoll führte. Ein Stuhl für ihn stand mitten im Raum, die Mitglieder des Ausschusses saßen hinter einem mit grünem Filz bezogenen Tisch.

Vizeadmiral Lars H:son-Lydenfeldt war der Vorsitzende. Er war früher die treibende Kraft gewesen, wenn es darum ging, die operativen Möglichkeiten der schwedischen Marine auszubauen. Er stand in dem Ruf, ungeduldig und arrogant zu sein, und herrschte mit plötzlichen Wutausbrüchen über seine Umgebung. Er nickte Lars Tobiasson-Svartman zu, Platz zu nehmen.

»Ihre Arbeit ist imponierend«, sagte er. »Sie scheinen etwas so Seltenes zu besitzen wie eine Leidenschaft für geheime militärische Fahrwasser. Stimmt das?«

»Ich versuche nur, meine Arbeit so gut zu machen wie möglich.«

Der Vizadmiral schüttelte ungeduldig den Kopf. »Jeder Mann in der schwedischen Flotte macht seine Arbeit so gut wie möglich. Jedenfalls kann man davon ausgehen, daß Stümper und Schlappschwänze in der Minderheit sind. Ich spreche von etwas anderem. Von der Leidenschaft. Verstehen Sie?«

»Ich verstehe.«

»Könnte ich dann vielleicht eine Antwort auf meine Frage bekommen?«

Tobiasson-Svartman dachte an den Traum, eine Tiefe zu finden, die nicht zu vermessen war. »Es liegt eine Spannung darin, etwas zu kartieren, das nicht sofort zu überblicken und zu erfassen ist.«

Der Vizeadmiral sah ihn zögernd an, entschloß sich aber, die Antwort zu akzeptieren. »Was Sie sagen, ist begreiflich. In meiner Jugend habe ich ähnlich gedacht. Aber was man in seiner Jugend gedacht hat, vergißt man im Mannesalter und wird erst im Alter wieder daran erinnert.«

Der Vizeadmiral richtete sich auf und hielt ein Kartenblatt hoch. »Unsere Kommandanten sollen zu Neujahr von der neuen Strecke bei Sandsänkan in Kenntnis gesetzt werden. Einige unserer Jäger werden bei verschiedenen Wettertypen und in Nachtübungen die neuen Strecken testen.«

Er griff nach einem neuen Kartenblatt. »Gamlebyviken«, fuhr er fort. »Die Einmündung. Eng, fragwürdig vermessen, wachsende Untiefen, die seit den 40er Jahren nicht kontrolliert worden sind. Haben Sie, Kapitän Svartman, den Bescheid bekommen, daß wir damit rechnen, den Auftrag nach Neujahr zu beginnen?«

»Ich habe den Bescheid bekommen.«

»Wir sind zu der Einschätzung gelangt, daß der Auftrag wichtig ist und Vorrang haben soll. Andere Vermessungen werden bis auf weiteres eingestellt werden, da der Krieg andere Aufgaben für unsere Schiffe mit sich bringt.«

»Ich bin bereit, sofort anzufangen.«

»Ausgezeichnet. Sie werden zwischen Weihnachten und Neujahr Ihre Instruktionen bekommen.«

Der Vizeadmiral warf einen Blick auf den Leutnant, der Protokoll führte.

»Am 27. Dezember, 8 Uhr 45«, sagte der Leutnant.

Der Vizeadmiral nickte. »Das wäre dann alles. Hat jemand im Ausschuß eine Frage?«

Kapitän Hansson, der Älteste unter den Anwesenden, mit Erfahrung aus der Zeit der Segelschiffe, immer übergangen, wenn eine Beförderung anstand, hob die Hand. »Sie umgeben sich mit sonderbaren Todesfällen«, sagte er. »Es ist nicht gerade üblich, daß tote Matrosen aus dem Meer gefischt werden, daß Bootsmänner der Stammbesatzung sterben und daß Kommandanten auf ihrem Deck einfach tot umfallen.«

»Ich verstehe die Frage nicht«, sagte Lars Tobiasson-Svartman.

»Das war keine Frage«, sagte Kapitän Hansson. »Es war nur eine Bemerkung, die nicht ins Protokoll aufgenommen werden muß.«

»Können wir das Treffen beenden?« fragte Vizeadmiral H:son-Lydenfeldt.

Lars Tobiasson-Svartman hob die Hand. »Ich habe eine Frage. Bei der Einmündung von Gamlebyviken wird im Januar das Wasser vermutlich zugefroren sein. Ist es geplant, daß ich vermessen soll, indem ich Bohrlöcher mache?«

»Ihre gesamte Arbeit wird sich auf ein Gebiet von weniger als einer halben Seemeile beschränken«, antwortete der Vizeadmiral. »Das bedeutet, daß Eisbohrungen eine zufriedenstellende Art sind, die Neuvermessungen durchzuführen.«

Lars Tobiasson-Svartman nickte.

Der Vizeadmiral lächelte. »Ich habe seinerzeit selbst Löcher ins Eis gebohrt«, sagte er. »Ich erinnere mich an einen Fall, als wir mit einer Rinne ganz oben im Bottnischen Meerbusen beschäftigt waren. Das Eis war meterdick. Es war so kalt, daß die Senkleinen in den Bohrlöchern festfroren. Es war eine anstrengende Tätigkeit. Sie können sich jedoch darüber freuen, daß der Auftrag höchstens drei bis vier Wochen in Anspruch nehmen wird.«

Das Treffen war beendet. Die Mitglieder erhoben sich,

Lars Tobiasson-Svartman salutierte und verließ den Raum. Der Adjutant reichte ihm seinen schwarzen Mantel. Er ging durch die Tür des Hauptquartiers hinaus und empfand eine große Erleichterung.

Aber die Worte von Kapitän Hansson nagten an ihm. Waren die Todesfälle in seinem Umfeld nur ein Zufall? Oder war eine Botschaft darin enthalten? Eine Warnung?

Der Nebel lag immer noch dicht über Stockholm.

79

Am letzten Sonntag vor Weihnachten ereignete sich ein eigentümlicher Vorfall. Lars Tobiasson-Svartman stand ebenso unbeholfen vor dem, was geschehen war, wie vor Kristina Tackers Reaktion.

Es war, als hätte sie überraschend einen Sprung getan und ihn weit hinter sich gelassen.

Sie hatten einen Spaziergang zum traditionellen Weihnachtsmarkt auf Stortorget gemacht. Sie waren am späteren Nachmittag losgegangen, gerade in der kurzen Dämmerung. Es herrschte mildes Wetter, eine Woche der Kälte war von Tauwetter abgelöst worden. Sie gingen den ganzen Weg von der Wallingata zu Fuß, obwohl die Straßen und Gehsteige matschig und rutschig waren. Kristina Tacker bestand darauf, sie mußten sich bewegen, und er wollte sie nicht enttäuschen, obwohl er die Straßenbahn oder eine Droschke vorgezogen hätte.

In der Altstadt waren der Marktplatz und die Gassen voller Menschen. Sie sahen sich die Angebote in den verschiedenen Ständen an, seine Frau kaufte einen kleinen Strohbock, und nachdem sie eine Stunde herumgestreift waren, beschlossen sie, nach Hause zurückzukehren.

Am Slottsbacken hörten sie plötzlich ein Kind schreien. Ein Mann verprügelte seine Tochter in den Schatten neben dem Schloß. Er hob seine schwere Hand und versetzte dem Kind eine Ohrfeige nach der anderen. Kristina Tacker lief auf den Mann zu und stieß ihn weg. Sie schrie etwas, was weder der Mann noch Lars Tobiasson-Svartman verstanden, und legte ihre Arme beschützend um das Mädchen, das vor Schmerz und Angst brüllte. Erst nachdem der Mann versprochen hatte, keine Gewalt mehr gegen seine Tochter auszuüben, ließ sie das Mädchen los.

Der ganze Ablauf, von dem Moment an, als seine Frau von ihm weggelaufen war, bis zu dem, als der Mann und das Mädchen von der Skeppsbron verschwunden waren, spielte sich in vier Minuten und dreißig Sekunden ab. Er hatte seine eingebaute Stoppuhr eingeschaltet und die Zeit gestoppt, als sie zu ihm zurückkam, atemlos und zitternd.

Auf dem Heimweg wechselten sie kein einziges Wort.

Auch später am Abend kommentierten sie den Vorfall nicht. Aber Lars Tobiasson-Svartman grübelte darüber nach, warum seine Frau reagiert hatte und er nicht.

80

Kristina Tackers Eltern lebten in einer großen Wohnung an der Ecke von Strandvägen und Grevgatan. Lars Tobiasson-Svartman haßte das Essen am ersten Weihnachtsfeiertag. Es gehörte zu den festen Ritualen der Tackerschen Familie. Kristina Tackers Großvater, Bergrat Horatius Tacker, hatte diesen Brauch eingeführt, und niemand wagte auszubleiben.

Die Familie Tacker hatte einen wohlhabenden Teil, der sich ein Vermögen durch Raubkäufe von Wald in den nördlichen Provinzen geschaffen hatte, in eifriger Konkurrenz mit der Familie Dickson, und einen weniger begüterten Teil, der aus niederen Staatsbeamten, einer Anzahl von Großhändlern und Offizieren bestand, von denen jedoch keiner einen höheren Rang erworben hatte als den eines Kapitäns.

Auf die armen Verwandten wurde beim Weihnachtsessen herabgesehen, und die angeheirateten Männer und Frauen wurden gemustert, als wären sie Vieh bei einer Prämierung. Er haßte dieses Weihnachtsessen, und er wußte, daß seine Frau es verabscheute, da sie sah, wie er litt. Aber keiner kam davon. Diejenigen, die es versucht hatten, wurden hart bestraft, indem sie aus der finanziellen Gemeinschaft ausgeschlossen wurden, die sich immer als lohnend erwies, wenn einer von den Wohlhabenden gestorben war und das Testament verlesen wurde.

Kristinas Vater, Ludwig Tacker, hatte innerhalb der staatlichen Kollegien Proben von großem karrieristischem Talent gezeigt, und vor ein paar Jahren hatte er den endgültigen Gipfel erklommen, indem er zum Kammerherrn des Königs ernannt wurde. Lars Tobiasson-Svartman betrachtete ihn wie eine mechanisch sich verbeugende Puppe, der er am allerliebsten den Schlüssel aus dem Rücken gerissen hätte. Er stellte sich mit Vergnügen vor, daß man die Feder auf die gleiche Art aufzog, wie man in vergangenen Zeiten bei der Folter die Därme des Opfers aufgewickelt hatte.

Ludwig Tacker betrachtete ihn vermutlich als eine zweifelhafte Akquisition der Familie. Aber er sagte natürlich nichts. Die Familie Tacker herrschte durch ein Schweigen, das wie eine ätzende Säure wirkte.

Kristina Tackers Mutter glich den Figuren, die in der Wohnung auf den Regalen standen. Würde Frau Martina Tacker auf einem Teppich oder einem glatten Boden umfallen, würde sie sich nicht nur verletzen, sondern zerbrechen wie eine Porzellanskulptur.

An der Tafel am ersten Weihnachtsfeiertag 1914 waren vierunddreißig Personen versammelt. Lars Tobiasson-Svartman war zwischen einer von Kristina Tackers Schwestern und ihrer Großmutter plaziert. Er saß etwa in der Mitte an der einen Längsseite des Tisches und hatte noch einen langen

Weg zu klettern, um auf die begehrten Plätze nah bei seinem Schwiegervater zu kommen. Die ältere Frau an seiner rechten Seite war asthmatisch und hatte Atembeschwerden. Außerdem war sie schwerhörig. Sie antwortete nicht, als er sie anredete. Ob sie ihn nun nicht hörte oder es nicht der Mühe wert fand zu antworten, konnte er nicht entscheiden. Hin und wieder rief sie jemandem auf der anderen Seite des Tisches etwas zu, meist eine Strophe aus einem Gedicht von Snoilsky, und erwartete den nächsten Vers als Antwort.

Auch mit der Schwägerin, die streng religiös war, gelang es ihm nicht, ins Gespräch zu kommen. Sie war tief in sich selbst versunken und rührte das Essen, das serviert wurde, kaum an.

Es war, als wäre er auf einem Riff gestrandet.

Er trank viel Wein, um es zu ertragen. Er sah zu seiner Frau hin, die etwas weiter oben an der gegenüberliegenden Tischseite saß. Sie trug ein Kleid in Minzgrün, ihr Haar war dekorativ aufgesteckt.

Ab und zu kreuzten sich ihre Blicke, scheu, als würden sie einander nicht kennen.

81

Beim Nachtisch, einer vorzüglichen Zitronenspeise, hielt Ludwig Tacker seine traditionelle Weihnachtsansprache. Er hatte eine dumpfe und heisere Stimme, sein Gesicht war hochrot, obwohl er nie viel trank, und er legte eine große Kraft in seine Rede, mit der er sich, wie Lars Tobiasson-Svartman argwöhnte, im vergangenen Jahr vorwiegend beschäftigt hatte. Er lebte für die Reden, die er vor der versammelten Familie hielt. Jedes Jahr legte er fest, welche Wahrheiten gelten sollten. Es war wie eine Thronrede, die für die gehorsamen Untertanen verlesen wurde.

In diesem Jahr sprach er von dem großen Krieg. Daß er

sehr deutschfreundlich war, wunderte Lars Tobiasson-Svartman nicht. Aber Ludwig Tacker bezog nicht nur Stellung für Deutschland in diesem Krieg. Er schöpfte aus schier unendlichen Quellen seinen Haß auf Engländer und Franzosen, und das russische Reich tat er ab als »ein morsches Schiff, das sich nur durch all die Leichen in der Ladung über Wasser hält«.

Ich habe einen Schwiegervater, der wirklich hassen kann, dachte er. Was geschieht, wenn er merkt, daß ich diesen Haß nicht teile?

Während der Rede schaute er zu seiner Frau. Plötzlich wurde ihm klar, daß er überhaupt nicht wußte, welche Einstellung sie zum Krieg hatte.

Die Sätze erreichten sein Bewußtsein nicht länger. Ich kenne meine Frau nicht, dachte er. Ich teile Bett und Tisch mit einer unbekannten Frau.

In weiter Ferne sah er Sara Fredrika. Sie glitt ihm entgegen, die Tafel war verschwunden, er befand sich wieder auf Halsskär.

Erst als nach der Rede ein Toast ausgebracht wurde, kehrte er an den Tisch zurück. Nach dem Essen sollte jetzt der Kaffee im Salon serviert werden.

82

Die Weihnachtstage vergingen.

Am 27. Dezember fand Lars Tobiasson-Svartman sich wie verabredet auf Skeppsholmen ein. Er wartete ungeduldig in dem kalten Korridor, um vorgelassen zu werden und seine Instruktionen zu erhalten. Aber kein Adjutant kam, um ihn zu holen.

Plötzlich flog die Tür auf, und Vizeadmiral H:son-Lydenfeldt bat ihn herein. Er war allein im Zimmer. Der Vizeadmiral setzte sich und bedeutete ihm, dasselbe zu tun. »Der Marinestab hat kurzfristig beschlossen, in diesem Winter keine Seevermessungen mehr durchführen zu lassen. Alle Schiffe werden für die Bewachung unserer Küsten und als Eskorte für die Handelsflotte gebraucht. Der Beschluß wurde von Admiral Lundin getroffen und gestern spätabends von Marineminister Boström bestätigt.«

Der Vizeadmiral verstummte und betrachtete ihn. »Habe ich mich deutlich genug ausgedrückt?«

»Ja.«

»Man kann natürlich einwenden, daß ein paar Wochen für Bohrungen im Eis keine schädlichen Einwirkungen auf die Schlagkraft unserer Flotte haben könnten. Aber der Beschluß ist gefaßt.«

Der Vizeadmiral zeigte auf einen Umschlag, der auf dem Tisch lag. »Ich bin der erste, der es bedauert, daß die Seevermessungen auf unbestimmte Zeit eingestellt werden. Auch wenn ich es persönlich vorziehen würde, Anfang Januar nicht auf dem Eis zu sein und Bohrungen vorzunehmen. Habe ich recht?«

»Natürlich.«

»Bis auf weiteres stehen Sie dem Marinestab zur Verfügung. Es scheint kein Mangel an Aufgaben zu herrschen.«

Der Vizeadmiral ließ seine Hand schwer auf den Tisch fallen, zum Zeichen, daß die Besprechung beendet war. Er erhob sich, Lars Tobiasson-Svartman salutierte und verließ das Zimmer.

83

Erst als er sich vor dem Grand Hotel befand, blieb er stehen und öffnete den Umschlag.

Die Mitteilung war kurz. Schon am nächsten Tag um neun Uhr sollte er sich bei der Spezialabteilung für Fahrwasserstrecken, Markierungen und Hafenanlagen einfinden. Der

Befehl war im Auftrag eines Abteilungschefs bei der Marineeinheit von Leutnant Kaspersson unterzeichnet.

Er ging zum Rand des Kais. Ein paar weiße Schärenboote lagen still und eingefroren da.

Er merkte, daß er zitterte. Der Gegenbefehl, der eingestellte Auftrag, hatte ihn völlig unvorbereitet getroffen. Ihm wurde klar, daß er im Schutz des Auftrags, nach Gamleby zu fahren, einen Plan gemacht hatte, den er bisher sogar vor sich selbst geheimgehalten hatte. Er würde nach Halsskär zurückkehren und Sara Fredrika treffen. Nichts anderes bedeutete ihm etwas. Nur das hatte einen Sinn.

Er ging ins Grand Hotel und setzte sich ins Café. Es war noch früh, wenige Gäste, untätige Kellner. Er bestellte Kaffee und Kognak.

»Es ist kalt draußen«, sagte der Kellner. »Der Kognak ist für Tage wie heute geschaffen.«

Lars Tobiasson-Svartman unterdrückte einen gewaltigen Drang, aufzustehen und den Kellner zu ohrfeigen. Er ertrug es nicht, angesprochen zu werden. Der Bescheid war wie eine Kriegserklärung, er mußte Widerstand leisten, einen neuen Plan machen und den ersetzen, der soeben zerschlagen worden war.

Er blieb mehrere Stunden lang sitzen. Als er aufstand, war er betrunken. Aber er wußte, was er zu tun hatte.

Als er ging, gab er dem Kellner ein reichliches Trinkgeld.

84

Zu Kristina Tacker sagte er nichts über den Bescheid, den er erhalten hatte. Sie fragte, wie lange er schätze, in Gamleby zu sein, und wann er aufbrechen werde. Er antwortete, es könne einige Wochen dauern, aber kaum länger als bis Ende Januar. Sie solle Gepäck für dreißig Tage vorbereiten.

An diesem Abend, und bis tief in die Nacht hinein, saß er

über seinen Seekarten und Notizbüchern für die neue Strecke des Fahrwassers bei Sandsänkan. Um fünf Uhr morgens war er fertig und legte sich auf das Sofa im Arbeitszimmer, zugedeckt mit seinem Kapitänsmantel.

Zweimal während der Nacht hatte Kristina Tacker durch die Tür seines Arbeitszimmers gespäht.

Er merkte nicht, daß sie da war. Ihr Duft erreichte ihn nicht.

85

Am 9. Januar 1915 zog ein verheerender Wintersturm über Stockholm hin. Dächer wurden von den Häusern gerissen, Schornsteine stürzten ein, Bäume wurden entwurzelt, Menschen kamen zu Tode. Dem Sturm folgte eine Periode strenger Kälte. Sie hielt sich bis Ende des Monats über der Stadt.

Am 30. Januar setzte Lars Tobiasson-Svartman seinen Plan ins Werk. Auf Skeppsholmen hatte er freundlich und scheinbar zufrieden mit einer Durchsicht der Seekarten über den inneren Bottnischen Meerbusen begonnen. Er kam wie üblich um acht Uhr zur Arbeit, wechselte mit seinen Kollegen ein paar Worte über die strenge Kälte und ersuchte dann um ein Treffen beim Abteilungsleiter Kapitän Sturde. Der Abteilungsleiter war unangenehm fett, selten ganz nüchtern, und alle hielten ihn für einen Meister in der Kunst des Nichtstuns. Er träumte von dem Tag, an dem er seinen Dienst quittieren und sich ganz seinen Bienenstöcken auf dem Hof außerhalb von Trosa würde widmen können.

Lars Tobiasson-Svartman legte seine Seekarte auf den Tisch. »In die Berechnungen des neuen Fahrwassers bei Sandsänkan hat sich ein schlimmer Fehler eingeschlichen«, begann er. »In den Aufzeichnungen, die ich von Marineingenieur Welander bekommen habe, sind die Tiefen auf einer Strecke von 300 Metern mit einem Durchschnitt von 18 Metern falsch angegeben. Nach meinen eigenen Berechnungen habe ich Grund zu der Annahme, daß die Tiefen höchstens auf 6 oder 7 Meter berechnet werden können.«

Kapitän Sturde schüttelte den Kopf. »Wie konnte es dazu kommen?«

»Es ist sicher bekannt, daß Ingenieur Welander einen Zusammenbruch erlitten hat.«

»War das der, der sich kaputtgesoffen hat? Er soll sich jetzt angeblich in einer Nervenheilanstalt befinden. Völlig zerrüttet von der Trunksucht und der Verzweiflung, die von aufgezwungener Nüchternheit hervorgerufen wird.«

»Ich bin davon überzeugt, daß meine Angaben stimmen.«

»Was schlagen Sie vor?«

»Da die Aufgaben, die ich jetzt erledige, entweder warten oder von jemand anders ausgeführt werden können, schlage ich vor, daß ich nach Östergötland fahre und eine erneute Kontrolle vornehme.«

»Liegt da nicht Eis?«

»Da liegt Eis. Aber ich kann Hilfe von den örtlichen Fischern bekommen, um die Bohrungen durchzuführen.«

Kapitän Sturde überlegte. Lars Tobiasson-Svartman sah zum Fenster hinaus, wo sich ein Schwarm von Dompfaffen um etwas Eßbares an einem vom Rauhreif weißen Baum stritt.

»Da muß natürlich etwas geschehen«, sagte Kapitän Sturde. »Ich kann auch keine bessere Lösung sehen als die, die Sie vorschlagen. Ich frage mich nur, wie es dazu kommen konnte. Das ist natürlich völlig unverantwortlich.«

»Ingenieur Welander hat seinen Alkoholismus sehr geschickt verborgen gehalten.«

»Er muß doch gewußt haben, daß seine Schlamperei zu einer Katastrophe führen könnte.«

»Menschen mit schweren Alkoholproblemen sind angeblich nur an der nächsten Flasche interessiert.«

»Das ist tragisch. Aber ich bin Ihnen dankbar, daß sie den

Fehler aufgedeckt haben. Ich schlage vor, daß dies unter uns bleibt. Ich werde veranlassen, daß die neuen Seekarten einstweilen nicht verteilt werden. Wann können Sie aufbrechen?«

»In vierzehn Tagen.«

»Ich werde dafür sorgen, daß Sie Ihre Befehle bekommen.«

Lars Tobiasson-Svartman verließ Kapitän Sturde und kehrte in sein Büro zurück. Er war in Schweiß gebadet. Aber alles war nach Plan verlaufen. Er hatte Welanders Tagebücher heimlich mit nach Hause genommen und abends dagesessen und die Zahlen geändert. Es war eine perfekte Fälschung, die nie entdeckt werden würde. Selbst wenn Ingenieur Welander eines Tages aus der Nervenheilanstalt entlassen würde, könnten seine Erinnerungsbilder von der Zeit auf der Blenda verzerrt und diffus sein.

Er dachte an Sara Fredrika und die Eiswanderung, die ihm bevorstand.

Er dachte, daß sein Vater ihn wohl insgeheim bewundert hätte.

86

Jemand übte auf der Geige.

Der Ton war spröde, dieselben Takte wurden immer wiederholt.

Es war der Abend des 12. Februar. Die strenge Kälte lag wie eine Decke aus Eisen auf dem Bahnsteig des Hauptbahnhofs von Norrköping, als Lars Tobiasson-Svartman aus dem Zug stieg und sich nach einem Gepäckträger umsah. Es waren wenige Reisende unterwegs, schwarze Schatten, die durch die Dunkelheit huschten. Erst als die Lokomotive Dampf ausstieß und die Wagen auf ihrer Fahrt nach Süden losruckten, kam ein Mann mit Eiszapfen im Bart und kümmerte sich um das Gepäck.

Er hatte ein Telegramm geschickt und ein Zimmer im Göta

Hotel reservieren lassen. Der Fluß, der durch die Stadt strömte, war zugefroren. Der Mann, der den Gepäckwagen zog, keuchte schwer an seiner Seite.

Das Zimmer lag im ersten Stock und bot einen Blick auf eine Kirche, die im Halbdunkel ruhte. Es war warm im Zimmer, er hatte dieses Hotel gewählt, weil es über eine Zentralheizung verfügte.

Nachdem er die Tür hinter sich geschlossen hatte, stand er regungslos da und versuchte sich vorzustellen, daß er sich auf einem Schiff befand. Aber der Boden unter seinen Füßen machte keine Anstalten, sich zu bewegen. In diesem Moment hörte er die Geige. Jemand übte in einem angrenzenden Zimmer. Vielleicht spielte er Schubert.

Er setzte sich aufs Bett. Noch konnte er die Reise abbrechen. Er dachte, daß er verrückt sei. Er befand sich auf einer schwindelerregenden Reise mitten ins Chaos hinein, auf einen Abgrund zu, von dem es keine Wiederkehr gab. Statt weiterzufahren, könnte er einen Zug zurück nach Stockholm nehmen. Es wäre möglich, das zu erklären. Er könnte sich im letzten Moment erinnert haben, daß er die korrekten Angaben in Verwahrung hätte. Er könnte das gefälschte Kartenblatt verschwinden lassen und es durch eine weitere Fälschung ersetzen, die wahr war. Für nichts war es zu spät, er könnte die schwindelerregende Bewegung stoppen, die er in Gang gesetzt hatte, er konnte sich immer noch retten.

Ein Käfig, dachte er. Oder eine Falle. Aber ist sie in mir? Oder bin ich selbst die Falle?

87

Er ging hinunter ins Restaurant und aß zu Abend.
Ein Streichquartett spielte, er meinte, Auszüge aus Verdi-Opern zu erkennen.

Der Speisesaal war fast leer, bis auf ein paar vereinzelte

Gäste und die beschäftigungslosen Kellnerinnen. Vor dem Fenster Kälte und knirschender Schnee. In der Ferne der Schatten eines Krieges, den keiner richtig verstand und um den sich eigentlich keiner richtig kümmerte.

Er stellte sich vor, eine Kanone für Gasgranaten zu haben. Ein rotgesichtiger Mann beugte sich an einer Säule des Speisesaals kurzsichtig über eine Zeitung. Er berechnete den Abstand auf dreizehn Meter und feuerte dann den lautlosen Schuß ab. Der Mann wurde in Stücke gesprengt und von einer elektrischen Lichtflamme verschluckt. Systematisch tötete er alle Gäste im Speisesaal, dann die Kellnerinnen, zuletzt die Frau an der Getränkekasse und die Musiker des Streichquartetts.

Um Mitternacht flüchtete er aus dem Speisesaal. Er legte sich hin, das kalte Lot nah am Körper. Die Kälte knackte in den Wänden des Hotels.

Bevor er einschlief, versuchte er, eine Positionsbestimmung vorzunehmen. Wo befand er sich, wohin war er eigentlich unterwegs? Die Bewegung war schwindelerregend, vielleicht war er wirklich auf dem Weg zu seinem eigenen Untergang.

Das letzte, woran er dachte, war das Eis. Würde es ihn tragen? War das Meer bis hinaus nach Halsskär zugefroren? Oder würde er ein Boot übers Eis ziehen müssen, um das letzte Stück zu rudern? Würde er überhaupt dort ankommen?

Im Schlaf wiegten sich die Eisschollen in ihm.

Die Geige im Nebenzimmer war verstummt.

88

Nach einem raschen Frühstück verließ er das Hotel.

Der Portier, der mit dänischem Akzent sprach, hatte ihm einen Wagen besorgt. Es war nicht unproblematisch, da er bis zur Landungsbrücke von Gryt gefahren werden wollte, wo seine Wanderung beginnen sollte. Die Straße war vereist, die Kälte konnte Motorprobleme verursachen. Für einen Aufpreis von zehn Kronen hatte sich ein Fahrer in einem Ford bereit erklärt.

Sie verließen die Stadt kurz nach halb acht, im Auto war es kalt, Lars Tobiasson-Svartman saß eingehüllt in eine dicke Decke auf dem Rücksitz. Der Fahrer hatte einen Schal um seine Wintermütze geschlungen. Lars Tobiasson-Svartman erinnerte sich an Leutnant Jakobsson und seinen Schal. Ihn schauderte bei der Erinnerung an den Mann, der vor ihm auf dem Deck gestorben war, ohne ein Wort, ohne Vorwarnung.

Die Landschaft lag eingebettet in der Kälte da.

Kurz bevor sie durch Söderköping fuhren, passierten sie den Göta Kanal. Holzfrachter lagen eingefroren an der Kanalböschung. Sie waren an ihren Trossen festgekettet wie Tiere in ihren Verschlägen. Er dreht sich um und betrachtete die Frachter so lange, wie er konnte, durch die Rückscheibe.

Ich werde mich an diese Frachter erinnern, dachte er.

Einer davon wird mich zur letzten Grenze bringen, wenn es soweit ist.

Bei Gusum begann der Motor zu stottern, und in Valdemarsvik ging es nicht mehr weiter. Er beschloß dort zu übernachten, bezahlte den Fahrer und nahm sich ein Zimmer in einer Pension, die auf einer Anhöhe hinter der großen Gerberei zuinnerst in der Bucht lag. Der Ostwind trieb den Gestank aus den Schornsteinen davon. Der Wirt bot ihm in seinem schwerverständlichen Dialekt an, am nächsten Tag für den Transport zu sorgen.

Nachdem er sein Gepäck abgestellt hatte, ging er zum Hafen hinunter und untersuchte das Eis. Es war dick und bog sich nicht unter seinen Füßen. Er wandte sich an einen Mann, der Eis von einem Fischerboot abschlug, und fragte nach den Verhältnissen draußen im Schärenmeer.

Doch der Mann wußte nichts. »Wenn es an den Klippen da draußen kalt ist, wird da wohl auch Eis sein. Aber ich weiß es nicht. Und es kümmert mich auch nicht.«

Er aß in der Pension, vermied es, anders als einsilbig auf die Fragen des neugierigen Wirtspaars zu antworten, und ging früh zu Bett.

Er bohrte sich tief ins Kissen und versuchte sich vorzustellen, daß es ihn nicht gab.

89

Die Landungsbrücke von Gryt lag verlassen da, ein paar im Eis festgefrorene Boote, ein verrammelter Dampfschiffschuppen, eine halb eingestürzte Slipanlage. Der Fahrer hob die beiden Säcke heraus und nahm das Geld entgegen. Eine dünne Schneedecke lag über dem Eis, ohne andere Spuren als die von einer einsamen Krähe oder Elster.

»Hier ist niemand gegangen«, sagte der Fahrer. »Und niemand ist gekommen. Hier kommen keine Boote herein, bis das Eis im März oder April aufgeht. Und da stehen Sie mit Ihren Reisesäcken. Sind Sie wirklich sicher, daß Sie hierherwollten?«

»Ja«, antwortete Lars Tobiasson-Svartman. »Hierher will ich.«

Der Fahrer nickte bedächtig. Er stellte keine weiteren Fragen. Das schwarze Auto verschwand am Hang zur Brücke hinauf. Lars Tobiasson-Svartman stand regungslos da, bis das Geräusch des Motors verschwunden war. Dann holte er seine Seekarte heraus. Die Panik grollte dumpf in ihm. Ich kann nicht umkehren, dachte er. Es gibt nichts hinter mir, vielleicht auch nichts vor mir, aber ich muß das tun, was ich mir vorgenommen habe.

Der Wind war schwach östlich. Er würde drei Tage brauchen, um bis nach Halsskär zu kommen, unter der Voraussetzung, daß das Wetter sich nicht verschlechterte und das Eis wirklich bis zum offenen Meer hin trug. Er beschloß, an diesem ersten Tag bis nach Armnö in den mittleren Schären zu gelangen. Dort müßte es einen Geräteschuppen geben, in dem er übernachten und sich warm halten konnte.

Er schnallte sich die beiden Säcke um, nachdem er Rutscheisen an seinen Lederstiefeln befestigt und sich die Eissporen um den Hals gehängt hatte. Es war zehn Minuten nach zehn, als er die ersten Schritte auf dem Eis machte. Er würde südlich von Fågelö vorbeikommen und dann die Richtung zum Höga Svedsholmen nehmen. Den Abstand nach Armnö berechnete er auf acht Kilometer, was bedeutete, daß er vor Einbruch der Dämmerung dort sein würde.

Er ging los. Die dünne Schneeschicht war an verschiedenen Stellen weggeblasen und hatte das dunkle Eis entblößt. Er hatte das Gefühl, an einem Abgrund zu balancieren, der jederzeit nachgeben konnte. Das Schärenmeer lag verlassen da. Hin und wieder blieb er stehen und lauschte. Vereinzelte Vögel riefen aus ihrem unsichtbaren Unterschlupf, im übrigen herrschte Stille. Als er an Fågelö vorbei war, blieb er stehen, schnallte die Säcke ab und kerbte mit seinem Messer ein Loch ins Eis. Er maß die Dicke des Eises auf vierzehn Zentimeter. Es würde nicht unter seinen Füßen nachgeben.

Er ging mit einer Geschwindigkeit von fünfundzwanzig Metern in der Minute. Er wollte nicht riskieren, schweißnaß zu werden und zu frieren. Beim Höga Svedsholmen blieb er stehen und brach einen Ast ab, den er als Stütze auf der Wanderung benutzen konnte. Er trank Wasser und aß ein paar von den Butterbroten, die man ihm in der Pension mitgegeben hatte. Er machte zwanzig Minuten Rast.

Als er von Höga Svedholmen aufbrach, probierte er, die Säcke hinter sich herzuschleifen, als würden sie auf Kufen liegen. Er band sich einen Strick um den Leib und begann zu ziehen. Die Säcke glitten leicht über das Eis und die dünne Schneedecke. Aber bevor er auch nur halbwegs zu den Gråholmarna gekommen war, spürte er Schmerzen im Kreuz. Er blieb stehen und dachte sich eine neue Konstruktion aus. Er knüpfte ein Geschirr aus den Seilen, so daß sich das Gewicht auf Rücken und Schultern verteilte. Als er weiterging, fühlte er, daß die Belastung sich verringert hatte.

Bei den Gråholmarna machte er zwischen ein paar Klippen ein Feuer. Nirgends sah er Rauch über den Baumwipfeln aufsteigen, nirgends gab es eine Spur von Menschen. Eine ganze Welt hatte sich unsichtbar gemacht.

Während er darauf wartete, daß das Kaffeewasser kochte, ging er hinaus auf eine Klippe und schrie über die vereiste Bucht. Der Schrei wurde zurückgeworfen, es kam ein fernes Echo, dann wieder Stille. Durch seinen Feldstecher konnte er schon Kråkmarö und Armnö sehen.

In der Bucht von Armnö fand er einen Geräteschuppen, der nicht verschlossen war. Drinnen gab es eine Feuerstatt. Keinerlei Fußabdrücke waren um den Schuppen herum zu sehen. Im Raum gab es Netze und Lockvögel, es roch stark nach Teer. Er öffnete eine amerikanische Fleischkonserve und kroch in den Schlafsack.

Er schlief in dem Gefühl ein, unerreichbar zu sein.

90

Am nächsten Tag machte er eine Wanderung von zehn Kilometern über das Eis.

Sie führte ihn über das Bockskärdjupet bis nach Hökbodan, wo er sein Nachtlager aufschlug.

Er hatte vorgehabt, direkt Richtung Halsskär zu gehen. Doch eine Eisspalte, die sich bei Harstena geöffnet hatte, zwang ihn zu einem Umweg nach Norden. Hökbodan bestand nur aus ein paar kargen Klippen ohne Geräteschuppen. Vor Einbruch der Dämmerung war es ihm gelungen, ein Dach aus Zweigen und Moos über eine Felsspalte zu legen, in der er die Nacht verbringen wollte. Er machte Feuer und öffnete noch eine von den amerikanischen Fleischkonserven. Der Wind wehte schwach, als er in den Schlafsack kroch. Die strenge Kälte hatte sich tagsüber gemildert. Er schätzte die Temperatur auf drei Grad unter Null. Als die Dunkelheit sich herabsenkte und das Feuer verglomm, lag er da und lauschte auf das Meer. Konnte er offenes Wasser hören, das sich an einer Eiskante brach? Oder lag die Eisdecke bis hinaus nach Halsskär? Er konnte nicht entscheiden, was er hörte, ob es das Meer war oder die Stille in seinem Kopf.

Ein paarmal meinte er Kanonenschüsse zu hören, erst einen fernen Donner, dann eine Druckwelle, die durch die Dunkelheit herannahte.

Niemand weiß, wo ich bin, dachte er. Mitten im Winter, in der kalten Welt des Eises, habe ich ein Versteck gefunden, das sich niemand auch nur vorstellen kann.

91

In der Morgendämmerung machte er Feuer. Der Wind war immer noch schwach, die Temperatur ein Grad unter Null. Er aß die letzten Butterbrote, trank Kaffee und machte sich dann bereit, die letzten zehn Kilometer hinaus nach Halsskär zu wandern. Die Wolken lagen reglos über seinem Kopf, das Eis und die dünne Schneedecke waren nicht mehr von Felsen und Schären durchbrochen. Jetzt ging er auf das offene Meer zu. Durch den Feldstecher sah er Halsskär und den Leuchtturm von Sandsänkan. Doch konnte er immer noch nicht erkennen, ob das Eis bis ganz hinaus reichte.

Er zog die Säcke hinter sich her, vom Geschirr hatte er an

der linken Schulter eine wundgescheuerte Stelle, aber nicht so schlimm, als daß er nicht noch einen Tag weitergehen konnte.

Nirgends sah er Spuren von Tieren. Er ging nach Osten und nahm sich nicht die Zeit für Ruhepausen. Jede halbe Stunde spähte er durch den Feldstecher zum Horizont.

Er hatte Krokbåden rechts liegen lassen, ehe er sicher war, daß das Eis trug. Kein offenes Wasser bildete ein Hindernis zwischen ihm und Halsskär. Das Eis lag bis hinaus zur Schäre, vielleicht bis zum Leuchtturm von Sandsänkan.

Er ließ den Feldstecher langsam über Halsskär schwenken. Schließlich fingen die Linsen einen schmalen Rauchstreifen ein, der von der Schäre aufstieg.

Sie war noch da. Aber sie erwartete ihn nicht.

92

In der Dämmerung erreichte er Halsskär.

Sein erster Gedanke war, übers Eis zu eilen und sich direkt zu Sara Fredrikas Hütte zu begeben. Aber irgend etwas hielt ihn davon ab, er zögerte. Was sollte er sagen? Wie sollte er erklären, daß er zurückgekommen war? Was, wenn es ihn reute, sobald sie ihm die Tür aufmachte?

Er ballte die Fragen zu einem Klumpen zusammen: Warum befand er sich eigentlich hier auf dem Eis? Warum hatte er diese Reise herbeigelogen? Was erwartete er überhaupt?

Er ging an Land, ohne zu einer Antwort gelangt zu sein. Sara Fredrikas Boot war an Land gezogen und lag umgedreht auf ein paar dicken Treibholz-Klötzen. Die Netze waren weg, eine zurückgelassene Heringstonne war bis zum Rand mit Schnee gefüllt.

Er machte sich ein Lager in einer Spalte zwischen der Bucht und den Klippen, wo das Häuschen sich versteckte. Von dort aus kannte er den Weg, er würde ihn in der Dunkelheit fin-

den. Das war das einzige, wozu er sich hatte entschließen können, die Dunkelheit abzuwarten und sich anzuschleichen. Er
wollte durch das Fenster sehen, was sie tat, erst dann würde
er wissen, welches der nächste Schritt sein sollte.

Er kroch in den Schlafsack. Die Dunkelheit kam, aber er
wartete noch. Die Wolken zerstreuten sich, es war sternklar,
ein Streifen vom Neumond war zu sehen. Als er schließlich
aufstand, war es neun Uhr. Er tastete sich zur Klippenkan-
te vor und schaute aufs Meer hinaus. Der Leuchtturm von
Sandsänkan war nicht zu sehen. Er kniff die Augen zusammen, einen Moment lang unsicher, ob er sich in den Himmelsrichtungen geirrt hätte. Dann wurde ihm klar, daß der
Leuchtturm als ein Glied in der verstärkten schwedischen
Küstenwache abgeschaltet worden war.

Mit der Dunkelheit war auch der Krieg hierhergekom-
men.

Er wartete noch eine Stunde. Der Wind war abgeflaut, das
Eis lag bis so weit draußen, daß er das Meer nicht hören
konnte.

Er tastete sich den Pfad entlang.

Das Fenster war schwach erleuchtet. Er zuckte zusammen,
als etwas sein Bein berührte. Es war die Katze. Er beugte sich
hinunter und strich ihr übers Fell. Die Katze, die es nicht
gab.

Er achtete darauf, wohin er die Füße setzte, als er sich dem
Fenster näherte. Durch den Rauhreif konnte er ins Zimmer
hineinsehen, es war ein zerbrochenes Bild.

Er fuhr zusammen und schreckte vom Fenster zurück.
Die Katze folgte ihm und strich ihm um die Beine.

Er warf noch einen Blick durchs Fenster. Sara Fredrika
hockte da drin vor dem Feuer. Sie hatte eine zottelige Mütze
auf und war in Decken eingehüllt.

Aber sie war nicht allein. Auf dem Boden neben der Feuerstelle saß ein Mann in Uniform.

Vor ein paar Monaten hatte er die gleiche Uniform ge-

sehen. An einem deutschen Soldaten, der nahe beim Kanonenboot Blenda im Meer gelegen hatte.

Das Bild jagte einen ziehenden Schmerz durch ihn hindurch.

In Fredrikas Haus saß ein deutscher Soldat. Ein deutscher
Soldat, der ihm den Weg versperrte.

Die Katze war neben ihm.

Sie strich ihm weiter um die Beine.

Teil 6

DAS KREUZOTTERNSPIEL

93

Jemand hatte seinen Platz eingenommen, sein Fuchsfell. Durch die dünne Tür hörte er die Stimme des Soldaten. Es war schwer, alle seine Worte zu verstehen, er sprach mit leiser Stimme, als ahnte oder fürchtete er, daß sich jemand in der Nähe befand und ihn belauschte.

Das Deutsch, das er in seinen verhaßten Schuljahren gelernt hatte, reichte nicht, um zu verstehen, was gesagt wurde. Außerdem sprach der Soldat einen Dialekt, die Stimme war gleitend, manche Konsonanten waren fast unhörbar, als hätte er sie verschluckt.

Lars Tobiasson-Svartman drückte die Wange gegen die kalte Wand. Eigentlich hätte er mit der Faust das Fenster einschlagen, die Tür mit einem Tritt öffnen und den Mann, der vor dem Kamin hockte, hinauswerfen wollen. Aber er verhielt sich still und blieb in der Dunkelheit neben der Hütte, bis das Licht im Kamin fast erloschen war. Sie lag auf der Pritsche, der deutsche Soldat, wie er damals selbst, auf Flikkenteppichen und alten Fellen vor dem Kamin.

Er kehrte zu seiner Felsspalte zurück. Er war sehr müde, die Gelenke schmerzten von der Kälte. Wind war aufgekommen. Als es hell wurde, verwischte er seine Spuren und bewegte sich weiter hinaus zu der nordöstlichen Felswand, die steil ins Meer abfiel. Dort gab es tiefe Spalten, fast wie Höhlen. Er erreichte kletternd eine davon, die in Lee lag, rutschte zu der gefrorenen Wasserlinie hinunter, sammelte Treibholz und machte ein Feuer.

Mit bloßem Auge konnte er sehen, daß das Eis sich fast bis zum Leuchtturm von Sandsänkan erstreckte. Das offene Meer zeichnete sich wie ein schwarzer Gürtel ab, eine Linie von Nordost nach Südwest. Weit draußen an der Eiskante ahnte er ein paar schwarze Flecken, die sich bewegten, vielleicht ein kleinerer Bestand an Robben.

Er holte den Feldstecher hervor und suchte langsam den Horizont ab. Da war nur das Meer. Keine Schiffe.

Das Meer war Leere, eine Erinnerung an das, was keine Grenzen hatte.

Er wärmte sich am Feuer und schlief schließlich ein. Die Klippen ringsum schirmten ihn vor dem Wind ab. Der Rauch verschwand übers Meer, verdünnt, fast unsichtbar.

Er wurde wach, als das Feuer im Begriff war zu erlöschen. Mehr als eine Stunde lang kroch er auf den vereisten Klippen herum und sammelte Treibgut, Äste, zerbrochene Fischkästen, Teile einer Reling. Von dem Holz baute er sich eine Hütte, in der er sich zusammenkauern konnte. Er kochte Kaffee und machte die letzte Konservendose auf. Jetzt hatte er nur noch Zwieback und einen gefrorenen Butterklumpen. Er trank den Kaffee in langsamen Schlucken, legte Brennholz nach und kauerte sich zusammen, die Füße in einen der Reisesäcke gesteckt.

Er nahm eine Beurteilung seiner Situation vor. Spätestens an diesem Abend mußte er sich zu erkennen geben. Er konnte das Haus nicht noch eine weitere Nacht überwachen. Es bestand große Gefahr, daß er erfrieren würde. Er hatte den Tag vor sich, um einen Entschluß zu fassen, seine Erzählung zu erschaffen. Ein Mann, der übers Eis gewandert kam, mußte eine plausible Erklärung für sein Handeln haben, wenn er sich zu erkennen gab.

Er versuchte, ganz ruhig zu denken. Der Soldat und Sara Fredrika hatten, solange er durchs Fenster gesehen hatte, nicht beieinander gelegen. Sich nicht berührt, nicht einmal gelacht. Der Mann wirkte verzagt.

Angst, dachte er. Vielleicht war das, was ich bei dem deutschen Soldaten in Uniform gesehen habe, ganz einfach Angst?

Plötzlich bewegte sich etwas neben ihm. Er zuckte zusammen. Die Katze war wiedergekommen. Sie war hungrig, schnupperte nach Essensresten in der Konservendose und an dem Messer, mit dem er den Deckel geöffnet hatte.

Die Katze sah ihn mit ausdruckslosen Augen an. Sie war wie eine der Porzellanfiguren auf Kristina Tackers Regal. Eine, die zu Boden gefallen war, ohne zu zerbrechen.

Die Wut kam wie eine Explosion.

Er packte das Messer, hielt die Katze am Nackenfell fest und schlitzte ihr den Bauch auf. Die Eingeweide begannen herauszuquellen, die Katze konnte nur noch ein Fauchen von sich geben, ehe sie tot war. Es zuckte ein paarmal an ihrem Kiefer, die Augen waren offen. Er schleuderte den Kadaver über die Klippen hinunter aufs Eis. Dann wischt er das Blut von der Hand und vom Messer ab.

Es gab keine Katze, dachte er zornig. Das hat sie damals gesagt, als ich sie fragte.

Es gab keine Katze. Es gibt keine Katze. Es gibt nichts.

94

Die Wut verflog.

Der Tod der Katze war schon Erinnerung.

Als er ein Kind war, hatte er manchmal Vögel in der Schlinge gefangen und dann getötet, indem er ihnen mit der Büroschere des Vaters die Köpfe abschnitt. Hinterher war er immer von Unlust und Reue erfaßt worden. Während seiner Jahre als Kadett war er daran beteiligt gewesen, Beutel mit Schwarzpulver an Straßenhunden festzubinden, die sie dann mit brennender Lunte verjagten. Sie hatten gewettet, welcher Hund es am weitesten schaffte, ehe er in die Luft gesprengt wurde.

Aber darüber hinaus?

Er hatte noch keinen Menschen getötet, er fürchtete den Tod.

Die Katze war ihm zu nahe gekommen. Sie hatte sich auf ein verbotenes Territorium geschlichen. Die Katze hatte die Grenze überschritten, mit der er sich umgab.

Er sah mit zusammengekniffenen Augen in den Himmel. Es war zehn Uhr. Die Kontur der weißen Sonnenscheibe war hinter den dünnen Wolken zu sehen. Er betrachtete die Katze, die unten auf dem Eis lag. Um den Körper herum hatte sich eine Blutlache gebildet.

Eigentlich war es nicht die Katze, dachte er. Ich habe etwas anderes angegriffen. Vielleicht meinen Vater? Oder warum nicht Leutnant Jakobsson mit seiner verkrüppelten Hand und seinem geschwollenen Gesicht?

Zwei Schatten erschienen über dem Eis. Zwei Adler, die auf den Winden ruhten. Sie hatten die tote Katze entdeckt. Durch den Feldstecher konnte er sehen, daß es junge Seeadler waren. Sie kreisten eine Weile, bevor sie aufs Eis hinunterstießen. Wachsam näherten sie sich der Katze, als fürchteten sie eine Falle.

Dann begannen sie zu fressen.

Leben und Tod, dachte er. Mein Leben, mein Tod, meine Konservenbüchse mit amerikanischem Fleisch. Das Leben und der Tod der Katze, Adler auf einer unendlichen Eisfläche.

Er legte Brennholz nach, steckte die Füße in den Sack und versuchte wieder, ganz ruhig nachzudenken. Als er aufstand, war es kurz nach zwölf. Er stieß mit dem Fuß Schnee über das Feuer, verteilte den Inhalt der Säcke so, daß er einen zurücklassen und nur den anderen mitnehmen mußte.

Die Adler waren verschwunden. Von der Katze war nichts übriggeblieben als der dunkle Fleck von gefrorenem Blut.

95

Er näherte sich der Hütte von der Bucht her, in der das Boot lag, blieb regungslos hinter einer Klippe stehen und spähte hinüber. Die Tür war geschlossen, der dünne Rauch trieb aus dem Kamin davon.

Eine Minute würde er warten, eine Minute gab er sich Zeit, um es sich anders zu überlegen. Auch wenn er keinen Proviant mehr hatte, würde er es schaffen, bis nach Harstena zu gehen, wo das größte Fischerdorf des Schärengebiets lag. Er konnte immer noch umkehren.

Ich gehe, dachte er. Ich kehre über das Eis zurück. Sara Fredrika hat mit meinem Leben nichts zu tun. Ich riskiere etwas, das ich nicht verlieren will.

Er tat einen Schritt zur Bucht hin, kehrte dann rasch um, ging zur Hütte und klopfte an die Tür. Sie machte nicht auf. Aber er klopfte nur dieses eine Mal. Er tat einen Schritt zurück, sie sollte ihn vom Fenster aus sehen können.

Als sie die Tür weit öffnete, nicht nur einen Spaltbreit, wußte er, daß sie ihn gesehen hatte.

»Du«, sagte sie. »Du hier?«

Sie wartete nicht auf Antwort, sondern ließ ihn ein. Das Zimmer war leer, er fühlte, daß er die Oberhand hatte. Sie hatte den fremden Mann in der Vorratskammer mit den Netzen und Tonnen und Lockvögeln versteckt. Er schnupperte und nahm den Geruch von etwas Fremdem wahr, wie von altem Maschinenöl und Waffenfett. Er hockte sich vors Feuer und wärmte seine Hände.

Seine Geschichte hatte er sorgfältig vorbereitet. In der verlassenen Winterlandschaft geht es besser als in den Städten, dachte er. Weit draußen am offenen Meer ist die Wahrheit schwerer zu kontrollieren.

Alles kam von der Eisspalte.

Er hatte einmal einen Unteroffizier in Karlskrona getroffen, der Bootsmann auf der Svensksund gewesen war. Auf diesem Schiff war die schwedische Ballonexpedition unter der Leitung des Patentingenieurs André im Sommer 1896 nach Spitzbergen aufgebrochen. Das Schiff war mit einem verstärkten Rumpf ausgerüstet, um durchs Eis fahren zu können und auch Packeiswälle zu bewältigen. Es war jetzt fast zwanzig Jahre her, niemand hatte mehr etwas von den drei Ballonfahrern gehört, die im Nebel über dem unendlichen Eismeer verschwunden waren.

Sie hatten über die Expedition geredet und über das Eis und sein rätselhaftes Wesen. Der Bootsmann hatte erzählt, daß das Eis aufbrechen konnte, in gewaltige Spalten zerspringen, ohne daß äußere Kräfte in Bewegung gesetzt wurden. Plötzlich war die Spalte einfach da. Es war, als würde das Eis ein Geheimnis bergen. Der Bootsmann behauptete, die Eskimos würden es »die erfrorene Seele« nennen. Erst 1893 waren sieben schwedische Robbenjäger auf einer Eisscholle durch eine ausgedehnte Spalte isoliert worden, die es ihnen unmöglich machte zurückzukehren. Der einzige Überlebende, ein Bauer aus Öland, hatte dem Bootsmann erzählt, daß die Eisdecke fest und geschlossen gewesen war und Windstille herrschte, als sie aufbrachen. Plötzlich hörten die Jäger ein Dröhnen, das Eis war gerissen, das Meer hatte sich wie ein gigantischer Walrücken erhoben, und sie hatten nicht umkehren können. Sie trieben dem Untergang entgegen, die Spalte erweiterte sich, er war der einzige, der mit amputierten erfrorenen Füßen überlebt hatte, der einzige, der von dem plötzlichen Riß erzählen konnte.

Das Eis lebte, man konnte ihm nicht trauen.

Lars Tobiasson-Svartman erzählte jetzt Sara Fredrika, daß sie zu acht Mann unterwegs vom Festland gewesen seien, um Eisbohrungen vorzunehmen und gewisse Meßresultate vom vergangenen Herbst zu kontrollieren. Irgendwo in den äußeren Schären, vielleicht bei Lökskär oder dem Tyskärsarchipel, war er allein auf eine Erkundungstour gegangen. Da hatte sich die Spalte geöffnet und ihn von den anderen getrennt. Er hatte kaum Proviant dabei, seine einzige Möglichkeit war, in Richtung Meer zu gehen, nach Halsskär, wo er wußte, daß sie sich befand.

»Du hättest natürlich fort sein können«, sagte er zum Schluß. »Das Haus hätte leerstehen können. Aber dann hätte ich jedenfalls ein Dach über dem Kopf gehabt, ich hätte Löcher ins Eis bohren, fischen und überleben können.«

»Ich bin noch da«, sagte sie.

»Der Riß wird wohl wieder zufrieren. Aber man kann nicht wissen, wie lange es dauert.«

»Ich bin nicht allein«, sagte sie. »Du bist nicht der erste, der in diesem Winter übers Eis gekommen ist. Jemand ist aus der anderen Richtung gekommen.«

»Vom Meer her?«

»Mit einem Ruderboot, einem solchen, wie du eins hattest.«

»Ich habe es nicht in der Bucht gesehen.«

»Er ließ es treiben, als er den Eisrand erreichte.«

»Er?«

Sie hockte sich plötzlich dicht neben ihn auf den Fußboden, er nahm gleich wahr, daß sie schlecht roch.

Gewöhnlich empfand er einen Widerwillen gegen Menschen, die stanken, wie das Dienstmädchen Anna. Als er auf dem Kanonenboot Edda Dienst tat, hatte er als junger Kadett bei einem Fallreepmanöver einen einfältigen Matrosen mit verfaulten Zähnen anleiten müssen. Es kam ein Geruch aus seinem Mund, wie er ihn sich nie hätte vorstellen können. Auch zwei Meter von dem Matrosen entfernt schlug ihm der Geruch noch entgegen, es war der Geruch des Todes, der mit jedem Atemzug aus dem Mund des Matrosen fuhr.

Sara Fredrika stank nicht nach Tod. Sie roch nur nach

Schmutz, ein freundlicher, etwas trauriger Geruch von Dreck, den er ertragen konnte.

Weil ich sie liebe, dachte er.

Einfach so. Deshalb ertrage ich sie.

96

Sie hockte sich dicht neben ihn und sprach mit leiser Stimme. Aber derjenige, der sich in der Vorratskammer bei den Netzen befand, konnte sie nicht verstehen, er konnte nur erraten, daß die flüsternden Stimmen jetzt von ihm sprachen.

Er muß Angst haben, dachte Lars Tobiasson-Svartman. Ein deutscher Soldat, der keine annehmbaren Gründe hatte, sich auf schwedischem Boden aufzuhalten. Auf einer Klippe wie Halsskär, bei einer Fischerwitwe.

Er hatte sein Boot treiben lassen. Wer immer er war, er hatte eine gefährliche Brücke hinter sich abgerissen.

Sie sagte: »Ich bin hier nicht allein. Da ist jemand bei den Netzen.«

Er tat verwundert. »Wen versteckst du? Wer versteckt sich?«

»Du hast im letzten Herbst, als du hier warst, vom Krieg erzählt. Manchmal wachte ich von einem dumpfen Donner auf, der die Hütte erzittern ließ. Ich ging hinauf auf den Berg, manchmal sah ich Feuerschein. Einmal, als ich nördlich der Schäre Netze einholte, draußen bei Jungfrugrunden, trieb ein Tauende vorbei. Es war wie eine lange Schlange im Wasser. Das Seil war so dick wie mein Arm. Es roch nach Pulver, es roch nach Tod. Ich rührte es nicht an, es schlängelte sich so, als wäre es lebendig. Ich wußte, daß dieses Tauende mit dem Krieg zu tun hatte. Einige Tage später kamen zwei Finnen in einem Boot. Einer heißt Juha, der andere nennt sich Arvo, heißt aber eigentlich anders, nur kann man es auf schwedisch nicht sagen, weil es hier etwas Häßliches bedeutet. Sie machen hier draußen Jagd auf Robben, aber vor allem schmuggeln sie Branntwein, sie haben mir nie etwas getan. Diesmal hatten sie einen Mann von den Ålandinseln in der Schaluppe dabei. Er hieß Ville, mit Nachnamen vielleicht Honka. Er erzählte vom Krieg, und er fing an zu weinen und uns Schweden zu verfluchen, weil wir keine Truppen nach Åland schicken wollten, um die Inseln zu verteidigen. Plötzlich begann ich zu verstehen, was der Krieg war, diese Feuer in der Nacht, die Druckwellen und das Donnern und Menschen, die zu Tausenden starben.«

»Und dann kam er? Der sich da drinnen in den Netzen verfangen hat?«

»Ich bekam Angst, als es klopfte. Ich öffnete nicht. Ich nahm ein Messer. Er trug eine Uniform und redete in einer Sprache, die ich nicht verstand, es klang wie bei einem Aalaufkäufer, den ich einmal als Kind gehört hatte. Aber als der da draußen in Ohnmacht fiel, war er nicht mehr gefährlich. Ich schleppte ihn herein, seine Rippen fühlten sich unter der Jacke an wie Hühnerknochen, vielleicht war er krank, ich dachte, er würde sterben. Ich konnte mir den Tod holen, er konnte eine tödliche Krankheit haben. Zwei Nächte lang schlief ich im Boot. Er kam zu sich und phantasierte, er hatte Fieber, aber er war nicht verwundet, nur hungrig und ausgetrocknet. Schließlich begriff ich, daß er ein Deutscher war. Er hatte versucht mir zu erklären, wer er war, aber ich verstand nicht, was er sagte. Die Worte sind wie glatte Steine. Aber er hatte Angst, ich habe gesehen, daß er immerzu horchte, sogar wenn er schlief, hat er die Ohren aufgespannt und den Kopf und die Augen auf irgend etwas hinter ihm gerichtet.«

»Bin ich gefährlich?«

»Ich weiß nicht.«

»Ich habe hier geschlafen.«

»Gefährlich kannst du trotzdem sein.«

»Es liegt bei dir, was du glauben willst. Ich kann das nicht für dich entscheiden.«

Sie zögerte. Es zuckte in ihrem Gesicht, sie schüttelte ungeduldig die Haare weg, die ihr in die Augen fielen. Dann stand sie hastig auf, es war, als täte sie einen Sprung, und öffnete die Tür zur Vorratskammer.

Der Soldat kam heraus. Er blieb regungslos stehen, wachsam, bereit, sich zu verteidigen.

Sara Fredrika sagte, obwohl sie wußte, daß er es nicht verstand: »Er ist nicht gefährlich, er ist ein Militär wie du, er ist schon früher hiergewesen.«

Lars Tobiasson-Svartman betrachtete den Soldaten. Er trug die gleiche Uniform wie Karl-Heinz Richter, als sie seinen durchnäßten, halb aufgelösten Körper im Kanonenboot Blenda an Bord zogen. Das Gesicht war bleich, die Haare waren dünn, er mochte fünfundzwanzig oder sechsundzwanzig Jahre alt sein.

Aber es war etwas Besonderes mit den Augen des Matrosen: er versuchte nicht nur, mit ihnen zu sehen, sondern auch, mit ihnen zu lauschen, Gerüche wahrzunehmen, Gedanken zu lesen.

Er streckte die Hand aus und sprach langsam auf deutsch. *»Ich heiße Lars Tobiasson-Svartman, ich vermesse die Tiefen, ich bin durch einen plötzlichen Riß im Eis von meinen Freunden getrennt worden.«*

Das Wort für »Spalte« kannte er nicht auf deutsch, aber »Riß« war fast das gleiche. Der Deutsche schien zu verstehen.

Der Matrose nahm vorsichtig seine Hand. Sein Griff war schlapp, wie der von Kristina Tackers Hand. »Dorflinger.«

»Sind Sie übers Eis gekommen?«

Der Soldat zögerte, ehe er antwortete. »Ich bin weggegangen.«

»Wie ich sehe, gehören Sie der deutschen Marine an. In den Fahrwassern hier draußen finden Kämpfe von russischen und deutschen Flotteneinheiten statt. Von wo sind Sie weggegangen? Von einem sinkenden Schiff?«

»Ich bin weggegangen.«

Lars Tobiasson-Svartman begriff, daß er einen deutschen Deserteur vor sich hatte, einen jungen Mann, der von seinem Schiff geflüchtet war, verzweifelt versucht hatte zu entkommen. Es erfüllte ihn mit Abscheu. Deserteure waren feige. Sie liefen weg. Deserteure hätten es verdient, hingerichtet zu werden. Es gab keine andere Möglichkeit, die Verräter zu behandeln. Sie behaupteten, sie seien sich selber treu, aber in Wirklichkeit waren sie allen anderen untreu. Mit welchem Recht war der Deserteur gekommen und hatte sich ihm in den Weg gestellt, ihm, der aus einem inneren Drang heraus seine Ehefrau und seine Karriere aufs Spiel setzte? Was riskierte der Deserteur? Er, der nur seine eigene Feigheit verteidigte?

Sie standen in dem Raum wie die Spitzen in einem Dreieck. Er versuchte festzustellen, ob Sara Fredrika ihm näher war als dem Deserteur. Aber es gab keine Abstände, es war, als wäre das Haus selbst in Bewegung, oder vielleicht war es ganz Halsskär, das sich langsam verschob, getrieben vom Eis, das gegen die Klippen drängte.

Das Eis, dachte er, das Eis und die tote Katze. Alles gehört zusammen. Und jetzt ein Mann, der mir im Weg steht.

Er lächelte. »Vielleicht sollten wir uns setzen«, sagte er zu Sara Fredrika. »Ich glaube, daß der Herr Marinesoldat Dorflinger müde ist.«

»Was sagt er? Ich weiß nicht einmal, wie er heißt.«

»Dorflinger.«

»Ist das ein Vorname?«

»Nein.«

Er fragte nach dem Vornamen.

»Stefan. Ich heiße Stefan Dorflinger.«

»Woher kommen Sie?«

»Aus einer kleinen Stadt zwischen Köln und Bonn, tief drinnen in Deutschland. Weiter weg vom Meer kann man nicht kommen.«

»Warum wurden Sie von der Marine eingezogen?«

»Ich habe mich freiwillig gemeldet. Um das Meer zu sehen. Wir fuhren von Kiel los, in einer Flotteneinheit von Admiral Wettenberg.«

Stefan Dorflinger hatte sich auf die Pritsche sinken lassen. Sara Fredrika bewegte sich in den Schatten. Lars Tobiasson-Svartman setzte sich auf den Hocker bei der Feuerstelle, versuchte, es ganz lautlos zu tun, warum, wußte er selbst nicht. Allzuoft tat er Dinge mit Entschiedenheit, obwohl er nicht wußte, warum.

»Hier sind Sie sicher«, sagte er. »Auch wenn Sie der sind, für den ich Sie halte.«

»Und für wen halten Sie mich?«

»Für einen Deserteur.«

»Ich habe es nicht mehr ausgehalten.«

Es kam wie ein Schrei. Als der Soldat weitersprach, war er wieder ruhig. »Ich habe es nicht ausgehalten mit all dem Töten. Ich kann das beschreiben, was eigentlich nicht zu beschreiben ist, das, wovor sich sogar die Wörter ducken. Es gibt Ereignisse, die auch die Worte scheuen, die nicht für eine Beschreibung benutzt werden wollen. Ich habe von Worten geträumt, die um ihr Leben laufen, auf die gleiche Art, wie ich gelaufen bin.«

Er verstummte und holte heftig Luft. Lars Tobiasson-Svartman dachte flüchtig, daß gleich noch ein Mensch tot vor seinen Füßen niederfallen würde.

Aber Stefan Dorflinger fuhr fort, als hätte er sich an die Oberfläche gekämpft und könnte wieder Luft in die Lungen ziehen. »Ich war auf dem Schlachtkreuzer Weinshorn. Am Morgen des ersten Weihnachtsfeiertags wurden nordöstlich von Rügen zwei russische Panzerschiffe gesichtet. Das Wetter war ruhig, aber sehr kalt, Dunst stieg aus dem Meer auf, als könnte auch die Kälte einen Siedepunkt erreichen.

Ich gehörte zur Besatzung an einer der Kanonen mittschiffs bei der schweren Artillerie. Unsere Kanone konnte Salven

abfeuern, die mit relativer Treffsicherheit über 130 Hekto-
meter weit reichten. Wir bekamen den Befehl, klar Schiff
zu machen und sofort die Gefechtsstationen zu bemannen.
Ich hatte meinen Posten bei der unteren Station auf dem
Munitionsdeck. Meine Aufgabe war es, die Pulverkartuschen
in den Aufzug zu laden, der zur Laderampe oben an Deck
ging.

Wir haben neunzehn Schuß aus meiner Kanone abgefeuert, es war ein entsetzliches Inferno, ich sah nicht, ob wir
trafen, ich sah nicht, womit wir schossen, jeder Schuß warf
uns gegen die Wände. Einige bluteten aus Augen und Nase,
mir platzten schon beim ersten Schuß die Trommelfelle.

Ich hatte gar nicht gemerkt, daß die Kanonen verstummten, derjenige, der den zweiten Aufzug bediente, mußte mich
schütteln und darauf zeigen. Die Kanone schwieg, wir sollten zum Deck zurückkehren. Ich hörte nichts, es war, als befände ich mich hinter dicken Glasscheiben. Es ist eine andere
Wirklichkeit, die sich offenbart, wenn man nur die Augen
zu Hilfe hat. Wenn die Geräusche und Stimmen weg sind,
wird die Wirklichkeit eine andere.

Die Weinshorn navigierte näher zu den Truppentrans-
portschiffen hin, die im Sinken begriffen waren. Das Wasser war von brennendem Öl bedeckt. Hunderte von schreienden Menschen kämpften, um nicht zu ertrinken, gegen das
Feuer, gegen das Öl. Aber die Weinshorn tat nichts. Kein einziges Rettungsboot wurde hinuntergelassen, kein einziger
Rettungsring wurde geworfen, kein Tauende, nichts.

Ich sah zu den Kameraden hin. Genau wie ich starrten sie
mit Entsetzen auf alle, die starben, und niemand verstand,
warum wir sie nicht zu retten versuchten. Wir befanden uns
zwar im Krieg mit Rußland, aber diese Menschen waren ja
besiegt. Wir sahen zu, wie sie starben, und ich erinnere mich,
wie unsere Knöchel weiß wurden, als wir die Reling um-
klammerten. Wir sahen die Offiziere oben auf der Kommandobrücke, wie sie lachten und ins Wasser deuteten.

Ich hörte die Schreie ebensowenig wie das Lachen. Da waren nur der furchtbare Tod in dem kalten Wasser und das brennende Öl. Schließlich war keiner übrig, alle waren tot, die meisten waren untergegangen, vereinzelte Körper trieben rauchend dahin. Einige waren so stark verbrannt, daß man die Knochen aus den zerfetzten Uniformen herausragen sah.

Dann verließ die Weinshorn den Ort. Das war vielleicht das Grauenhafteste. Wir blieben nicht einmal da. Wir nahmen Kurs gen Südwesten, und am Nachmittag wurden Weihnachtsbäume auf dem Achterdeck aufgestellt, und man sang Weihnachtslieder. Ich hörte immer noch nichts, ich sah nur meine Kameraden, die um den Weihnachtsbaum hüpften und tanzten, und ich fühlte, daß ich fortmußte.

Zwei Tage nach dem Neujahrsabend, spätnachts, machte ich mich davon. Der Matrose, der Wache hatte, verstand, was ich vorhatte. Er wäre mir gern gefolgt, hatte aber nicht den Mut dazu. Er fürchtete, als Deserteur erschossen zu werden und seinen Eltern Kummer zu bereiten. Ich ruderte davon, nach sieben Tagen kam ich hierher. Ich ließ das Boot weggleiten und ging auf dieser Schäre an Land. Natürlich kann ich nicht bleiben. Aber ich weiß nicht, wohin ich soll. Ich habe versucht, es ihr zu erklären, aber wir verstehen einander nicht.«

Lars Tobiasson-Svartman übersetzte. Nicht alles, nur das, was er für geeignet hielt. Dem Übersetzer gehörte die Erzählung. Er veränderte sie, erwähnte nichts von den russischen Schiffen, die versenkt worden waren, sondern ließ statt dessen Stefan Dorflinger desertieren, nachdem er vorsätzlich einen Offizier an Bord des Schiffs getötet hatte.

»Man muß verstehen«, schloß er. »Die militärischen Gesetze sind hart, es gibt keine Gnade, kein Mitgefühl, nur einen Strick oder ein Hinrichtungskommando. Dann versucht man, sich davonzumachen. Ich hätte dasselbe getan.«

»Warum hat er jemanden getötet? Wen hat er getötet?«

»Ich werde ihn fragen.«

Stefan Dorflinger sah ihn unruhig an.

Er hat immer noch die Bilder im Kopf, dachte Lars Tobiasson-Svartman. Die stummen Bilder, die ruckartigen Bewegungen des Krieges, geräuschlos.

»Wie hieß der Wachtposten an Deck? Der nicht den Mut hatte, dir zu folgen?«

»Fritz Buchheim. Er war so alt wie ich.«

Sara Fredrika wartete ungeduldig. »Was hat er gesagt?«

»Der Getötete war Bootsmann und hieß Fritz Buchheim. Er war ein Schinder. Schließlich ist er zu weit gegangen.«

»Man darf nicht töten. Sollte ich jeden verdammten Finnen totschlagen, der herkommt und mich mit Gewalt zu nehmen versucht? Oder die Kerle von den Inseln in den inneren Schären, die denken, die Witwe sei eine Hure, die man anpflocken und arbeiten lassen sollte?«

Er war von ihrer Sprache überrascht. Sie erinnerte ihn an die Nacht in Nyhavn.

»Ich kann keinen Mörder hier dulden«, fuhr sie fort. »Auch wenn er den Krieg schlecht erträgt.«

»Wir müssen ihn schützen.«

»Wenn er gemordet hat, muß er doch verurteilt werden.«

»Er ist bereits verurteilt. Sie werden ihn hängen. Wir müssen ihm helfen.«

»Wie?«

»Ich muß ihn mitnehmen, wenn ich meine Arbeit erledigt habe.«

Sara Fredrika sah Stefan Dorflinger an. Lars Tobiasson-Svartman erkannte, daß er sich geirrt hatte.

Die beiden waren sich nähergekommen. Stefan Dorflinger war schon seit über einem Monat auf Halsskär. Sara Fredrika wollte nicht, daß er verurteilt wurde. Sie wollte ihn behalten. Ihre Empörung war nicht echt.

Er zog seinen Hocker näher an Stefan Dorflinger heran. »Ich habe ihr gesagt, was du erzählt hast. Ich habe auch gesagt, daß ich dir helfen werde. Als Deserteur von der deutschen kaiserlichen Flotte bist du im voraus verurteilt. Aber ich werde dir helfen.«

»Warum? Du bist auch ein Soldat.«

»Schweden und Deutschland liegen nicht im Krieg miteinander. Du bist nicht mein Feind.«

Er sah, daß Stefan Dorflinger zweifelte.

Er lächelte. »Ich lüge dir hier nichts vor. Ich werde dir helfen. Du kannst nicht hierbleiben. Wenn ich meine Arbeit beendet habe, gehst du mit mir. Verstehst du, was ich sage?«

Stefan Dorflinger saß schweigend da.

Lars Tobiasson-Svartman wußte, daß er verstanden hatte. Aber daß er noch nicht zu glauben wagte, daß es wahr war.

97

In der Nacht lag er dem Feuer am nächsten.

Der Deserteur hatte sich in seinen Mantel verkrochen, halb unter der Pritsche, auf der Sara Fredrika sich zusammengerollt hatte, das Fell über den Kopf gezogen.

Lars Tobiasson-Svartman schlief tief und wurde dann mit einem Ruck wach. Er lauschte den Atemzügen der anderen. Er meinte, einen Atem zu hören, den er kannte, den Atem seines Vaters.

Die Toten, dachte er, sie kommen näher und näher. Irgendwo in diesem Haus ist auch mein Vater. Er betrachtet mich, ohne daß ich ihn sehen kann.

Die Uhr zeigte, daß es auf die Dämmerung zuging. Er stand vorsichtig auf und verließ das Haus.

Es war kalt, er folgte dem Pfad hinunter zur Bucht.

Als das Licht wiederkehrte, entdeckte er einen Seevogel, der erfroren im Eis lag. Er hatte die Flügel ausgebreitet, es sah aus, als wäre er in dem Moment erstarrt, in dem er abheben wollte.

Er betrachtete ihn lange, ging schließlich aufs Eis hinaus und knickte die ausgebreiteten Flügel zusammen. Jetzt ruhte der Vogel, der Fluchtversuch war beendet.

Er ging weiter, folgte dem Weg, den er gerudert war, und näherte sich der Stelle, an der die Blenda vor Anker gelegen hatte.

Von Osten zog eine Wolkendecke heran. Er hatte den exakten Abstand zu dem Schiff vermessen und blieb auf dem Eis stehen, wo das Fallreep heruntergehangen hatte. Die Wolken waren dunkel, es fing an zu schneien. Er betrachtete Halsskär. Die grauen Klippen, unterbrochen von weißen Feldern, glichen einem zerfetzten, auf einen Acker hingeworfenen Mantel.

Er hatte seinen Feldstecher zuoberst auf seinem Gepäck zurückgelassen. Es war einer von der modernen Art, mit doppelten Linsen, die an einem beweglichen Zylinder im Verhältnis zu den Augen eingestellt werden konnten. Wenn die Einstellung verändert wäre, könnte er sicher sein, daß Sara Fredrika den Feldstecher genommen hatte und hinaus auf die Klippen gegangen war, um zu sehen, womit er sich beschäftigte.

Er stand mitten auf der gewaltigen Eisfläche. Unter ihm betrug der Abstand zum Boden achtundvierzig Meter. Er sah hinaus übers Eis, er kannte die exakte Tiefe von jeder einzelnen Stelle.

Für einen kurzen Augenblick wünschte er, das Eis möge brechen und alles vorüber sein. Diese ganze sinnlose Suche nach einem Punkt, an dem es keinen Boden gab, wo alles, was gemessen wurde, zurückwich.

Da meinte er, daß Kristina Tacker bei ihm wäre. Sie beugte sich vor und flüsterte ihm etwas ins Ohr, ohne daß er sie verstehen konnte.

Er ging weiter hinaus aufs Eis. Die Oberfläche war höckerig, es gab Nähte im Eis, die sich erhoben wie Wülste. Er ging zu der Stelle, an der sie die Leiche des toten Matrosen versenkt hatten. Er blieb stehen, als er sich genau über der größten Tiefe befand.

Aus seinem Sack zog er den Eisbohrer, den die geschickten Ingenieure und Maschinenbauer nach seiner Zeichnung angefertigt hatten. Im Unterschied zu den Eisbohrern, die von der Marine benutzt wurden, hatte sein Bohrer einen kürzeren Schaft. Das war weniger anstrengend, da er auf dem Eis knien und den Bohrer mit der Brust abstützen konnte, wenn er sich durchs Eis arbeitete. Mit einem seiner Eissporen markierte er eine Fläche von einem Quadratmeter. Dann begann er zu bohren.

Irgendwo stand Sara Fredrika und beobachtete ihn durch den Feldstecher. Vielleicht hatte sie Stefan Dorflinger an ihrer Seite. Der Deserteur war natürlich mißtrauisch, und schon allein um seinetwillen war die Vorstellung notwendig.

Er bohrte sein erstes Loch an einer Ecke des Quadrats und dachte, daß Sara Fredrika glauben würde, er sei ein Kontrollvermesser.

Er bohrte ein zweites Loch an der nächsten Ecke und maß die Dicke des Eises, die vierzehn Zentimeter betrug.

Anschließend bohrte er noch weitere zwei Löcher in den verbleibenden Ecken. Er machte die Löcher so groß, daß er seine Faust hindurchpressen konnte. Als er fertig war, stellte er einen Fuß in das Viereck. Er nahm die Mütze ab und horchte.

Das Eis knackte unter seinen Füßen. Er würde seinen Plan verwirklichen können.

Das Licht war stark. Das Eis reflektierte die Strahlen. Er drehte sich um und beschattete sein Gesicht mit der Hand.

Er war sich nicht sicher. Aber er meinte, Sara Fredrika auf einem Klippenabsatz gleich unter Halsskärs höchstem Punkt zu sehen. Wenn er recht hatte, war es kein verdrehter Wacholderbusch, der an ihrer Seite stand, sondern der Deserteur, dem er Schutz und Hilfe versprochen hatte.

Er wollte nicht einmal seinen Namen aussprechen, da

war es schon leichter, ihn sich nur als den verachtenswerten Deserteur vorzustellen, den Mann, der seine Aufgabe verraten und sich ihm in den Weg gestellt hatte.

98

Er kehrte über das Eis zurück.

An der Stelle, wo die tote Katze gelegen hatte, war nur der eingetrocknete Blutfleck zu sehen. Als er an der Insel angelangt war, bahnte er sich einen Weg durch das Ufergestrüpp und näherte sich vorsichtig dem Haus.

Vom Meer her war plötzlich ein Kanonenschuß zu hören. Die Druckwelle folgte. Dann noch ein Schuß und eine weitere Druckwelle. Dann war es wieder still.

Vielleicht war es ein Warnsignal. Vielleicht war der Deserteur umzingelt, vielleicht schlich sich die ganze deutsche Ostseeflotte immer näher an den Eisrand?

Bei einem der Felsabsätze nördlich der Hütte setzte er sich. Von da aus konnte er die Vorderseite des Häuschens unter Aufsicht halten.

Eine Eisente zog mit wie rasend schlagenden Flügeln an seinem Kopf vorbei. Er hatte das Gefühl, sie sei ein Projektil, für niemanden bestimmt.

Sara Fredrika kam heraus, hinter ihr der Deserteur. Er hatte die Uniformjacke abgelegt und sich eine alte Joppe angezogen, die ihrem Mann gehört haben mußte.

Die Eifersucht.

Er dachte an den Revolver, der in einem Schrank in Stockholm eingeschlossen war. Hätte er ihn mitgenommen, hätte er sie leicht alle beide töten können.

Sie zeigte auf die Bucht hinunter, sie machten sich auf den Weg.

Plötzlich blieb er stehen, ergriff ihren Arm und zog sie an sich. Sie ließ es geschehen.

Erst war die Eifersucht klein gewesen, kriechend und nicht besonders lästig. Jetzt wuchs sie zu etwas Unerträglichem heran.

Danach kam der Zorn.

Sein Vater hatte einmal bei einer Einladung zum Essen davon gesprochen, wie wichtig es für die Menschen sei, es den Schlangen gleichzutun. Unterkühltes Blut, endlose Geduld und giftige Zähne, die exakt im richtigen Augenblick zuschnappten. Er selbst war nicht bei den Gästen gesessen, er war noch ein Kind. Aber er hatte an einer Türspalte gelauscht.

Danach hatte er Kreuzotter gespielt. Er hatte sich in Braun gekleidet, Farbstriche auf die Zunge gemalt, damit sie sich spaltete, und versucht, sich voranzuschlängeln, geduldig im Schatten eines Baums zu warten, sich auf einer warmen Felsplatte auszustrecken. Er hatte sogar gelernt, dünne Strahlen von Speichel durch die Schneidezähne zu spucken.

Als er acht Jahre alt war, hatte er sich zu der äußersten Schlangenprobe gezwungen. Er hatte eine lebende Maus in einer Falle gefangen und sie dann zu Tode gebissen. Aber er hatte sich nicht dazu bringen können, sie aufzuessen.

Jetzt war etwas Ungewöhnliches eingetreten. Ein Deserteur war ihm in den Weg gekommen.

Ich werde ihn töten, dachte er. Und ich werde ihr die Haare abschneiden, die er mit seinen Händen berührt hat.

Er blieb regungslos auf dem Felsabsatz sitzen, bis sie verschwunden waren. Dann ging er in die Hütte, fand die Papiere im Waffenrock des Deserteurs und studierte sie.

Stefan Dorflinger, geboren in Siegburg am 12. September 1888. Die Eltern: Karl, Trompeter bei der Armee, und Elfriede Dorflinger. Im Dienstbuch war angegeben, daß Stefan Dorflinger als gemeiner Soldat bei der Geschützmannschaft auf dem Schlachtkreuzer Weinshorn im November 1912 angemustert hatte. Mehrere regelmäßig wiederkehrende Dienstvermerke stellten ihm ein gutes Zeugnis aus. Außer den Dokumenten gab es eine Photographie seiner Eltern. Karl Dorflinger hatte einen kräftigen Schnurrbart, war ein freundlich lächelnder Mann, aber aufgedunsen. Elfriede Dorflinger war ebenfalls dick, ihr Kopf ruhte ohne Hals auf den Schultern. Ein Trompeter und eine Hausfrau, photographiert in einem Biergarten. Eine schattenhafte, unscharfe Kellnerin eilte im Hintergrund mit Bierkrügen auf einem Tablett vorbei.

Karl und Elfriede Dorflinger hielten einander an der Hand.

Lange betrachtete er diese Photographie. Zwei fette Menschen, die sich an der Hand hielten.

Er dachte an die Bilder, die von ihm und Kristina Tacker existierten. Sie hatten sich angewöhnt, mindestens einmal pro Jahr zum Photographen zu gehen. Aber es gab kein Bild, auf dem sie physischen Kontakt miteinander hatten, keine verflochtenen Hände, nicht einmal eine Hand auf der Schulter des anderen.

Er legte die Dokumente zurück und holte den Feldstecher aus seinem Seesack. Er öffnete die Haustür und setzte den Feldstecher an die Augen.

Das Bild war unscharf. Das Bild war für ihre Augen.

99

Er stand mit dem Feldstecher in der Hand da, als er ihre Schritte hörte.

Er legte ihn auf den Boden, schloß die Tür und setzte sich an der Hauswand in die Sonne.

Sie kamen angelaufen. Beide waren atemlos.

»Es sind Leute auf dem Eis«, sagte sie.

»Haben sie euch gesehen?«

»Ja.«

»Was für Leute?«

»Vermutlich Jäger. Aber man kann nie wissen.«

Er überlegte. »Haben sie euch deutlich gesehen, oder nur, daß ihr zu zweit wart?«

»Sie waren weit weg, an den kleinen Felsen bei den Händelsöarna.«

Die Händelsöarna lagen weiter als einen Kilometer von Halsskär entfernt. Wenn die Jäger keine Feldstecher hatten, konnten sie unmöglich die Menschen identifiziert haben, die sie gesehen hatten.

»Wenn sie kommen, müssen wir sagen, daß sie dich und mich gesehen haben. Ob sie hier übernachten wollen?«

»Sie müssen sich Hütten auf dem Eis bauen. Alle wissen, daß ich keine unbekannten Männer in meiner Hütte übernachten lasse. Falls nicht ein Sturm herrscht oder ein Unglück geschehen ist.«

»Er muß sich draußen verstecken.«

Er erklärte es ihm rasch. Der Deserteur verstand, schien ihm jetzt zu vertrauen, er zögerte nicht, als sie gleich darauf hinaus zu den Klippen gingen. Er führte den Deserteur zu einer Kluft, in der er sich hinkauern konnte.

»Warum tust du das für mich?«

»Ich hätte dasselbe getan wie du«, erwiderte Lars Tobiasson-Svartman, »und ich würde hoffen, jemanden zu treffen, der bereit wäre, mir dieselbe Hilfe zu gewähren.«

»Ich hätte niemals überlebt, wenn Sara Fredrika sich meiner nicht angenommen hätte.«

Der Deserteur hatte sich in die Kluft gelegt, einen Schal um den Kopf gewickelt, das Fell des verrückten Fuchses um den Hals gelegt. »Ich liebe sie«, sagte er. »Ich werde sie niemals vergessen. Eines Tages, wenn der Krieg vorüber ist, werde ich hierher zurückkehren.«

»Weiß sie davon?«

»Wir können nicht miteinander reden. Aber ich glaube, sie weiß es.«

Lars Tobiasson-Svartman nickte langsam. »Ja«, sagte er. »Ich glaube, du hast recht. Sie weiß es bestimmt.«

Er kehrte zum Haus zurück und erklärte, wo der Deserteur sich versteckt hatte. Sie hatte die Haare hochgesteckt und einen Schal umgelegt.

Sie schrak zurück, als er sie berührte.

»Ich verspreche, daß ich ihm helfen werde«, sagte er. »Aber will er Hilfe bekommen? Ich fürchte, er wird eines Tages einfach übers Eis fortwandern.«

»Warum sollte er das tun?«

»Er hat Dinge erlebt, die eigentlich niemand aushalten kann. Ich werde ihn mit aufs Eis nehmen. Er kann mir behilflich sein.«

Sie stellte sich ans Fenster. »Ich erinnere mich, wie du das erste Mal hier warst«, sagte sie. »Ich dachte, auf diesen Mann kann ich mich nicht verlassen. Jetzt schäme ich mich, wenn ich daran denke.«

»Warum solltest du dich nicht auf mich verlassen können?«

»Ich hatte das Gefühl, du wärst lüstern und hättest Schlimmes im Sinn. Jetzt weiß ich, daß ich unrecht hatte.«

»Ja«, erwiderte er. »Du hattest unrecht.«

»Ich denke an deine tote Frau und deine tote Tochter.«

»Das haben wir gemeinsam«, sagte er sanft. »Die Toten.«

100

Die Männer kamen von den inneren Schären, sie hatten Flinten und wollten Seevögel jagen, die über den Winter dageblieben waren. Es waren Vater und Sohn, der Vater mager, mit eingesunkenen Augen, der Sohn groß. Der Vater hatte einen Goldring im Ohr, vielleicht war er ein alter Seemann, der glaubte, der Ring würde ihn vor dem Ertrinken beschützen oder wenigstens dafür reichen, die Beerdigung zu bezahlen. Sara Fredrika kannte sie von früher. Sie kamen in jedem Winter einmal vorbei, verlangten nichts anderes, als zu erfahren, ob sie Seevögel gesehen hätte. Sie trugen Lockenten in Körben auf dem Rücken, und Lars Tobiasson-Svartman bemerkte, daß der Vater nach Schnaps roch.

Sie betrachteten ihn neugierig und verhehlten nicht, daß sie sich wunderten, was ein Offizier der Flotte hier draußen auf der Schäre zu tun hatte. Er erzählte ihnen von seinem Vermessungsauftrag im Spätherbst und von der Kontrolle, für die er die Verantwortung trug.

»Ich erinnere mich an Seevermesser hier, als ich jung war«, sagte der Vater, Helge Wallén. »Es muß in den Jahren 1869 oder 1870 gewesen sein. Es lagen Boote drinnen bei Barösund und vermaßen. Mein Vater verkaufte den Leuten Lebensmittel, Eier, Milch, er schlachtete sogar ein Schwein, da er gut bezahlt wurde. Wir Kinder nagten am Hungertuch, aber mein Vater wußte, was er tat. Mit dem Geld, das er zusammenkratzte, hat er im Jahr danach den Hof freigekauft. Sie waren lange da beim Ausloten. Kann sich wirklich am Boden so viel verändern, daß es noch mal vermessen werden muß?«

»Es geht um die Schiffe«, erwiderte Lars Tobiasson-Svartman. »Die Schiffe, ihren zunehmenden Tiefgang, die Forderung nach breiteren Fahrrinnen.«

Sie standen außerhalb des Hauses. Der Sohn hatte gestottert, als er gegrüßt und seinen Namen gesagt hatte, Olle.

»Und du bist noch da«, sagte Helge Wallén zu Sara Fredrika.

»Ich bin noch da.«

»Wir haben gesehen, daß du nicht allein warst, als wir da von den Händelsöarna kamen. Ich sagte zu Olle, jetzt hat Sara Fredrika einen Mann gefunden.«

»Ich bin noch da, aber mein Mann ist immer noch mein Mann, auch wenn er da draußen auf dem Meeresboden liegt.«

Sie blieben vor der Hütte stehen. Der Vater kaute an seinen Lippen und dachte über die Antwort nach, die Sara Fredrika ihm gegeben hatte.

Dann spuckte er aus und hob das Gepäck an. »Dann gehen wir«, sagte er. »Hast du Vögel gesehen?«

»Nahe an der Eiskante. Aber weiter nach Süden, Richtung Häradsskär. Da kannst du deine Lockvögel auslegen.«

Die Männer verschwanden zur Bucht hinunter. Lars Tobiasson-Svartman und Sara Fredrika gingen hinaus auf eine der Klippen und folgten ihnen mit dem Blick, sahen, wie sie nach Süden abbogen, als sie die Eiskante erreicht hatten.

»Auf irgendeine Weise sind wir verwandt«, sagte sie. »Ich kann nicht erklären, wie. Aber irgendwo in der Vergangenheit hängen wir zusammen.«

»Ich dachte, das wäre bei allen in den Schären so?«

»Viele kommen von auswärts«, antwortete sie. »Solche, die sich verstecken, und solche, die sich von den Städten nicht einfangen lassen. Einmal war ich in Norrköping. Ich war nicht älter als sechzehn, mein Onkel wollte zwei Kühe verkaufen, ich sollte mitkommen. Ich erinnere mich an die Stadt nur als an einen Ort, wo niemand mich sah. Die Stadt hatte einen Geruch, der mir das Atmen schwermachte.«

»Trotzdem willst du, daß ich dich von hier weghole?«

»Ich denke, daß man es lernen kann. Wie das Schwimmen. Oder Rudern. Man kann auch in einer Stadt zu atmen lernen.«

»Ich werde dich hier wegholen«, sagte er. »Aber nicht jetzt. Erst muß ich dem anderen helfen.«

Sie betrachtete ihn unsicher. »Meinst du, was du sagst?«

»Ich meine immer, was ich sage.«

Sara Fredrika kehrte zur Hütte zurück. Er sah, wie sie über die Klippen sprang, sie kannte jeden Stein.

Er wartete, bis sie verschwunden war. Dann holte er den Deserteur, der bibbernd in seiner Felskluft wartete.

101

In der Nacht erwachte er von einer Bewegung.

Der Mann, der an seiner Seite lag, erhob sich vorsichtig. Die Glut im Kamin war fast erloschen, die Kälte gewann bereits die Oberhand im Raum. Er hörte, wie der Mann sich zur Pritsche vortastete, ein leises Flüstern, dann Stille, nur ihrer beider Atem.

Er blieb wach, bis der Mann vorsichtig zu seinem Platz auf dem Fußboden zurückkehrte.

Die Eifersucht stieg aus der Tiefe auf und näherte sich dem Punkt, an dem sie die Oberfläche durchbrechen würde.

102

Das Wetter schlug um.

Tagsüber herrschte jetzt Tauwetter, in den Nächten hingegen war es noch kalt. Eine Woche lang nahm er Stefan Dorflinger jeden Morgen mit aufs Eis hinaus. Es war ein absonderliches Spiel, bei dem er eine Linie hundert Meter von dem Punkt entfernt zog, an dem er die Falluke ins Eis gebohrt hatte. Er brachte ihm das Bohren bei, erklärte ihm die Grundlagen der Seevermessung und ließ ihn selbst das Lot zum Boden hinablassen und Berechnungen anstellen. Er selbst stellte sich als einen Zauberer dar, der hin und wieder eine korrekte Tiefenangabe machte, ehe das Lot auch nur den Boden erreicht hatte.

Nichts ist so magisch wie das exakte Wissen, dachte er. Der Mann, der sich von seinem deutschen Kriegsschiff davongemacht hatte, war in der schwedischen Winterlandschaft auf einen eigentümlichen Zauberer gestoßen. Einen Mann, der durchs Eis sehen konnte, der Entfernungen messen konnte, nicht mit Hilfe des Lots, sondern durch seine magischen Kräfte.

Der Deserteur wurde mit jedem Tag ruhiger. Jeden Morgen spähte er aufs Meer hinaus, aber da keine Schiffe zu sehen waren, schien er seine Verfolger zu vergessen.

Hin und wieder sprach er von seinem Leben. Lars Tobiasson-Svartman stellte vorsichtige Fragen, immer höflich, nie aufdringlich.

Bald hatte er einen klaren Eindruck.

Stefan Dorflinger war ein beschränkter junger Mann, ohne Wissen, ohne Interessen. Sein größter Vorzug war seine Angst, die ihn in die Flucht getrieben hatte.

Sie verbrachten die Vormittage draußen auf dem Eis. Sie bohrten und vermaßen. Hin und wieder konnten sie Sara Fredrika auf den Klippen von Halsskär sehen.

Am Nachmittag ließ er sie beide allein. Jeden Abend erzählte er Sara Fredrika von den Fortschritten des Soldaten, wie sein Vertrauen zu ihm wuchs.

»Ich nehme ihn mit, wenn ich zurückgehe«, sagte er. »Ich habe Kameraden, die die deutsche Kriegsmacht verabscheuen und ihm helfen werden. Ich nehme ihn mit, ich schütze ihn. Dann kehre ich zu dir zurück.«

Ihre Antwort war immer die gleiche. »Das glaube ich nicht. Nicht, bevor ich dich auf dem Eis sehe.«

»Ich lasse den Feldstecher zurück«, antwortete er. »Dann siehst du mich früher. Dann wird dein Warten kürzer.«

Jeden Nachmittag zog er sich zurück und machte Notizen in seinem Tagebuch. Er schrieb über den Deserteur.

Am 17. Februar notierte er:

Der Tag rückt näher, an dem ich meine Pflicht tun und den entlaufenen deutschen Matrosen gefangennehmen muß, der sich nach Schweden begeben hat und sich hier versteckt hält. Nicht ohne Grund kann man sich fragen, ob er seine ganze Geschichte erfunden hat. Vielleicht ist er hier plaziert, am äußersten Vorposten, in einer Kette von Spio-

nen, die einen deutschen Angriff auf Schweden planen. Da
ich damit rechne, daß er Widerstand leistet, werde ich für
alle Eventualitäten planen.

Er dachte, daß er zugleich in vielen Welten lebte. Alle diese
Welten waren in gleichem Maße wahr.

Der Tag näherte sich. Er wartete auf einen Wetterumschlag.
Er wartete auf einen kalten Morgen mit Nebel.

103

Am 19. Februar, gegen neun Uhr vormittags, sah er durch
den Feldstecher die beiden Jäger, Vater und Sohn, übers Eis
zum inneren Schärengebiet zurückkehren. Sie passierten
weiter südlich und hatten offenbar eine erfolgreiche Jagd gehabt. Sie zogen ein Netz mit toten Vögeln auf dem Eis hinter sich her.

Dann richtete er den Feldstecher aufs Meer. Er ahnte, daß
der Wetterumsturz nahe bevorstand. Die Sonne versteckte
sich hinter einer dichten Wolkendecke, die Temperatur fiel.
Alles deutete darauf hin, daß es in den nächsten Tagen Nebel geben würde.

Gerade an diesem Tag hatte er Stefan Dorflinger damit beauftragt, auf eigene Faust ein paar Bohrungen und Messungen vorzunehmen.

Er betrachtete den Mann, der draußen auf dem Eis über
dem Bohrer hockte. Sara Fredrika tauchte an seiner Seite auf.
Sie hatte den Vormittag damit verbracht, auf der westlichen
Seite der Schäre Dorsche aus verschiedenen Eislöchern zu
ziehen.

Er ahnte, daß sie ihn beobachtet hatte, ehe sie zu ihm
kam.

»Warum richtet ein Mann den Feldstecher auf einen anderen Mann?«

Einmal habe ich dich nackt gesehen, dachte er. Ohne Feldstecher. Ich habe gesehen, wie du dich gewaschen hast, ich habe deinen Körper gesehen. Den habe ich nie vergessen. Vielleicht werde ich dich vergessen. Aber niemals deinen Körper.

»Ich kontrolliere nur, ob er es richtig macht.«

Sie griff heftig nach seinem Arm. »Ich will nicht hierbleiben.«

»Was wäre geschehen, wenn ich nicht gekommen wäre?«

»Dann hätte ich ihn gebeten, mich mitzunehmen.«

»Du wärst einem zum Tode verurteilten Mann gefolgt?«

»Das wußte ich ja nicht.«

»Nein«, erwiderte er. »Das konntest du nicht wissen.«

Als sie zum Haus zurückkehrte, folgte er ihr vorsichtig, um zu sehen, ob sie wirklich hineinging.

Stefan Dorflinger nahm seine sinnlosen Bohrungen auf dem Eis vor. Lars Tobiasson-Svartman suchte nach einem passenden Senkstein und stieß ihn mit dem Fuß aufs Eis hinaus. Er hatte eine abgerundete Unterseite und glitt dahin, ohne daß man viel Kraft aufwenden mußte. Dann sammelte er kleine Stöcke und Äste, zerbrach sie in Stücke und legte sie neben das umgedrehte Boot.

Die Temperatur fiel und fiel. Noch einmal konnte er die beiden Jäger sehen.

Er folgte ihnen mit dem Blick, bis sie auf der vereisten Bucht Richtung Festland verschwanden.

104

Am Tag darauf war die Schäre in Nebel gehüllt.

Lars Tobiasson-Svartman wartete, bis die anderen aufgewacht waren. »Ich gehe jetzt hinaus«, sagte er. »Komm etwa in einer Stunde. Warte ab, ob sich der Nebel lichtet.«

»Ich verirre mich nicht«, sagte Stefan Dorflinger.

»Ich lege von der Bucht aus eine Spur. Man wird im Nebel

leicht übermütig. Rufe bitte, wenn du übers Eis gehst, damit ich dich richtig führen kann, wenn du auf dem falschen Weg bist.«

Er wartete keine Antwort ab, hängte den Sack mit dem Bohrer über die Schulter und ging los. Unten auf dem Eis fing er an, den Weg zu den Bohrlöchern zu markieren. Der Nebel war sehr dicht. Er stieß den Senkstein ein paar Meter vor sich her und tat einen Schritt zurück, dann noch einen. Der Stein war im Nebel verschwunden. Die Sicht betrug höchstens vier Meter.

In der Ferne meinte er, ein Nebelhorn zu hören. Er lauschte, ohne daß die Sirene wiederkam. Er fuhr fort, den Weg mit den Ästen zu markieren, bis er an der Stelle anlangte, wo er die ersten Löcher gebohrt hatte. Mit dem Fuß drückte er aufs Eis. Es knackte. Er hatte die Bohrlöcher offen gehalten, indem er sie jeden zweiten oder dritten Tag vom frischen Eis säuberte. Jetzt bohrte er weitere zehn Löcher. Als er fertig war, lief ihm der Schweiß herunter. Als er jetzt den Fuß ausstreckte und leicht drückte, barst das Eis an allen vier Ecken. Er kniete sich hin und strich den aufgebohrten Schnee über den Riß, so daß er bedeckt war.

Plötzlich fürchtete er, daß Sara Fredrika dem Deserteur aufs Eis folgen würde, aus Sorge, daß er sich verirren könnte. Dann müßte er das abbrechen, wozu er sich entschlossen hatte. Er hoffte, daß sie nicht kommen würde. Einen Plan zu ändern war eine Niederlage.

Aus dem Sack zog er ein dickes Seil, das er in Sara Fredrikas Segeljolle gefunden hatte. Es war eine lose Trosse, die als Reserveleine in die Vorpiek gestopft worden war. Er knotete das Seil um den Senkstein und beförderte diesen mit einem Tritt in den Nebel hinaus.

Er tat ein paar lange Atemzüge und maß seinen Puls. Er war nur leicht erhöht, 82 Schläge pro Minute. Er zog die Fäustlinge aus und hielt die Hände vor sich hin. Die Finger zitterten nicht.

Er stand vor einem fremden Menschen, jemand, der er war, aber doch wieder nicht.

Dann hörte er schlurfende Schritte auf dem Eis. Stefan Dorflinger trat aus dem Nebel hervor. Er war allein.

Lars Tobiasson-Svartman lächelte.

105

Es war ihr letztes Gespräch, und es war sehr kurz.

Lars Tobiasson-Svartman hatte sich hinter das Eisloch gestellt, Stefan Dorflinger war auf der anderen Seite.

»Du weißt, welches Schicksal einen Deserteur erwartet«, sagte Lars Tobiasson-Svartman. »Sie werden dich an einem Baum erhängen oder an einem Laternenpfahl. Oder sie erschießen dich, und vielleicht köpfen sie dich. Sie werden dir ein Schild vor die Brust hängen. *Er ist ein Verräter.* Und es wird viele Freiwillige geben, die nur zu gern den Strick straffziehen oder das Gewehr abfeuern wollen. Ein Deserteur ist ein Mann, der anderen das Leben stiehlt.«

Lars Tobiasson-Svartman trat einen Schritt zurück. Stefan Dorflinger folgte ihm. Er trat auf die angebohrte Fläche, die Eisluke barst, und er landete im Wasser. Lars Tobiasson-Svartman hob das Lot und schlug ihn damit fest in den Nacken. Zu seinem Erstaunen sah er, daß im Messing eine blutige Beule entstand. Dann entdeckte er, daß Stefan Dorflinger noch lebte. Seine Hände zerrten an der Eiskante. Mit aufgerissenen Augen starrte er Lars Tobiasson-Svartman an.

Lars Tobiasson-Svartman nahm einen der Eissporen, die um seinen Hals hingen, und hackte damit nach Stefan Dorflingers Augen. Sie mußten aufhören zu sehen, er mußte vernichten, was sie gesehen hatten.

Ein einziges Mal schrie Stefan Dorflinger auf, ein Laut wie von einem kleinen Kind. Dann verstummte er.

Lars Tobiasson-Svartman gab dem Senkstein einen Tritt

und band dem Mann im Eisloch das Seil um den Leib. Das Wasser war kalt, der Eismatsch klebrig von Blut. Er vermied es, das Gesicht mit den versehrten Augen anzusehen. Als er den Senkstein hineinschob, wurde der Körper sofort in die Tiefe gesogen und verschwand.

106

Er erinnerte sich an das Begräbnis von Karl-Heinz Richter. Jetzt würden er und Stefan Dorflinger sich bald auf dem Kirchhof treffen, der 160 Meter unter der Oberfläche lag. Zwei Männer ohne Augen, zwei Männer, die in fünf bis sechs Minuten sacht zu Boden gesunken waren.

Er lauschte. Nichts war zu hören. Er wischte sein Lot ab und scharrte das Blut weg, das übers Eis gespritzt war.

Als um das Eisloch herum alles sauber war, wurde ihm schlagartig klar, was er getan hatte. Sein ganzes Leben lang hatte er Angst vor dem Tod gehabt, vor toten Menschen. Jetzt hatte er selbst einen Menschen getötet, nicht im Krieg, nicht auf Befehl, nicht in Notwehr. Er hatte kaltblütig gehandelt, überlegt, ohne Zögern oder Reue. Er sah zum Eisloch hin, zu der kleinen Eisrinne, zur Graböffnung. Da unten in der Tiefe sinken zwei Menschen zu Boden, dachte er.

Der eine ist ein deutscher Deserteur, den ich totgeschlagen habe, da er sich mir in den Weg stellte.

Aber da ist noch einer, der mit einem unsichtbaren Senkstein um den Hals versinkt.

Das bin ich. Derjenige, der ich war. Oder möglicherweise der, von dem ich endlich weiß, daß ich es bin.

Er wurde von einem plötzlichen Schwindel erfaßt. Um nicht umzufallen, setzte er sich aufs Eis. Das Herz raste, das Atmen fiel ihm schwer. Er starrte auf das Eisloch und hatte das eigentümliche Gefühl, daß Stefan Dorflinger aus dem eiskalten Wasser herausklettern könnte.

Was habe ich getan, dachte er starr vor Schreck. Was geschieht mit mir?

Es gab keine Antwort. Die Panik, die ihn überfiel, war stumm.

Er erhob sich und wollte sich hinabstürzen. Da stand plötzlich Kristina Tacker an seiner Seite und sagte: »Du bist nicht derjenige, der sterben soll. Es sind deine Feinde, die sterben. Leutnant Jakobsson, der dich verachtete, fiel um und starb. Du lebst, und die anderen sterben. Vergiß niemals, daß ich dich liebe.«

Dann war sie wieder verschwunden.

Die Liebe ist unbegreiflich, dachte er. Unbegreiflich, aber vielleicht unüberwindbar.

Er blieb eine halbe Stunde am Eisloch und kehrte dann zur Schäre zurück, die sich immer noch im Nebel verbarg. Wenn er einen Ast sah, der den Weg markierte, bückte er sich und warf ihn zur Seite. Abwechselnd warf er den einen nach links, den anderen nach rechts.

Bald würde auch das Eisloch zugefroren sein. Hinter ihm gab es keinen Weg mehr.

Hinter ihm gab es nichts.

107

Es würde nicht schwierig sein, Sara Fredrika zu erklären, was geschehen war.

Der Deserteur hatte der Angst einfach nicht mehr widerstehen können.

Es gab Menschen, die versuchten, den Tod zu überlisten, indem sie sich das Leben nahmen. Das war nichts Besonderes, es geschah häufig, vor allem in Kriegszeiten. In der Nähe des Todes suchten die Menschen nicht nur das Leben, sondern auch Möglichkeiten, sich den Tod im voraus zu holen.

Er erreichte das Ufer und warf den letzten Ast in den Nebel hinaus.

Sie war oben am Haus und nahm Fische aus, ein paar Dorsche, einen Barsch, als er aus dem Nebel hervortrat.

Sie wußte sofort, daß etwas geschehen war. Sie ließ das Fischmesser fallen und setzte sich, nicht auf den Hocker, der hinter ihr stand, sondern direkt auf den Boden. »Sag es«, sagte sie. »Warte nicht, sag es sofort.«

»Es ist ein Unglück geschehen.«

»Ist er tot?«

»Er ist tot.«

»Ist das Eis gebrochen?«

»Er muß ein Loch ins Eis gehauen haben, als er beim Bohren allein draußen war. Er trat nur direkt hinein und versank.«

Sie schüttelte den Kopf.

»Er hat sich das Leben genommen«, sagte Lars Tobiasson-Svartman. »Ich war völlig unvorbereitet. Er sagte kein Wort. Er kam nur aus dem Nebel hervor, ging direkt zu dem Loch und trat hinein. Es gibt keinen Zweifel. Er wollte sterben.«

»Nein. Er wollte nicht sterben. Er wollte leben.«

Sie war entschieden. Sie biß fest auf die Haarsträhne im Mundwinkel. Er hatte ein Gefühl, als läge sie selbst in einem Loch und hielte sich an ihren eigenen Haaren fest.

»Er hatte Angst. Sogar draußen im Nebel lauschte er nach Verfolgern. Wenn er schlief, drehte er im Traum den Kopf, um zu sehen, ob jemand hinter ihm war. Ein Mensch, der sogar in den Träumen verfolgt wird, kann nicht beliebig viel erdulden.«

»Er wollte nicht sterben.«

Sie stützte sich mit den Händen an der Wand ab und stand auf. Als er ihr helfen wollte, stieß sie ihn mit der Hand zurück. Sie ließ sich auf den Hocker sinken. Der Nebel lichtete sich langsam, die Sonne brannte auf den Eisrand am Dachfirst.

»Ich kann das nicht verstehen«, sagte sie. »Er wollte leben. Hast du nicht seine Augen gesehen? Ich habe noch nie so etwas gesehen.«

»Sie strahlten Angst aus.«

»Sie waren *ganz*. Er hatte Augen, die zusammenhingen, die sahen, daß es etwas gab, was man nur erreichen konnte, wenn man von dem wegkam, was weh tat.«

»Du mußt dich getäuscht haben. Er war so furchtbar ängstlich, daß er es schließlich nicht mehr aushielt. Er hatte sich gut vorbereitet, das Loch aufgebohrt, Steine in seine Taschen gesteckt. Er trat ins Wasser hinunter, wie man einen Schritt auf einen Tanzboden macht oder von einem warmen Zimmer in ein kaltes. Er wollte das, was er tat. In dem Augenblick, in dem er ins Wasser ging, hatte er keine Angst mehr.«

»Ich meinte, ich hätte einen Schrei gehört.«

»Das muß ein Vogel da draußen im Nebel gewesen sein.«

Das Eis auf dem Dach hatte zu tropfen begonnen. Er stand auf, streckte die Beine und dachte, daß Stefan Dorflinger eigentlich nicht existiert hatte, sondern nur eine flüchtige Einbildung war.

»Warum hat er sich nicht gleich das Leben genommen, nachdem er das Loch gebohrt hat? Warum hat er gewartet?«

»Wenn man sich entschlossen hat zu sterben, hat man es nicht eilig. Er wollte gut vorbereitet sein.«

»Wenn er mich mit seinen Händen berührte, hatte er keine Angst. In diesen Händen war kein Selbstmord.«

Es gab ihm einen Stich, als sie von den Händen des Soldaten sprach. Er schob den Gedanken weg. Ich müßte sagen, wie es ist, dachte er. Daß ich ihn umgebracht habe und daß sie jetzt wählen kann, ob sie hierbleiben oder mir folgen will.

»Er hat Dinge gesehen, die er nicht aushalten konnte«, sagte er. »Er hat den Krieg gesehen, er ist davor geflüchtet, und die Verfolger fraßen ihn von innen auf. Ich hätte in seiner Situation vielleicht dasselbe getan.«

Sie ließ ihn stehen und rannte den Pfad zur Bucht hinunter.

Er folgte ihr vorsichtig.

Sie saß auf dem umgedrehten Boot und weinte.

Sie tat ihm leid, aber noch mehr tat er sich selbst leid. Verstand sie nicht? Sie war es, die ihn zum Töten gezwungen hatte, indem sie den Deserteur in Haus und Bett aufgenommen hatte.

Die Wolken hatten sich zerstreut, und auch der Nebel war verschwunden. Er kehrte in die Hütte zurück, setzte sich und wartete.

Sie ließ sich Zeit. Aber als sie kam, kam sie zu ihm, zu keinem anderen.

108

In dieser Nacht teilten sie die Pritsche. Zum zweiten Mal. Für einen kurzen, schwindelerregenden Augenblick meinte er, den Duft von Kristina Tackers Körper zu spüren, ihren keuchenden Atem.

Dann war er wieder zurück. Ihre langen Haare hüllten ihn ein, als hätte er sich in einem Netz verfangen und würde zu einem Punkt hingezogen, an dem er schier zerbrach.

Danach waren sie still, regungslos. Er konnte nicht ausmachen, ob sie wach war oder schlief. Aber sie war da. Er war da. Es war nicht wie beim Zusammensein mit Kristina Tacker, daß sie immerzu in verschiedene Richtungen liefen.

In der Morgendämmerung wurde er davon wach, daß sie ihn betrachtete. Ihr Gesicht war sehr nahe.

»Ich muß dich bald verlassen«, sagte er. »Aber ich komme zurück. Ich komme und hole dich hier weg.«

»Das hoffe ich«, antwortete sie. »An irgend etwas muß ich glauben. Sonst geht es nicht.«

Sonst geht es nicht. Was würde dann sein?

109

Frühmorgens am 27. Februar verließ er sie.
Er hatte sich darauf vorbereitet, zum Festland zu gehen. Sie begleitete ihn bis zum Eisrand.

»Die Katze«, sagte er, als sie sich verabschieden wollten. »Ich habe hier auf der Insel einmal eine Katze gesehen. Aber du hast gesagt, es gäbe keine.«

»Ich weiß nicht, warum ich gelogen habe. Natürlich gibt es eine Katze. Aber ich weiß nicht, wo sie geblieben ist.«

»Ich dachte, du solltest es vielleicht wissen«, sagte er. »Stefan Dorflinger hat sie mit einem Stein erschlagen und aufs Eis geworfen. Er schlug die Katze in einer eigentümlichen Raserei tot. Ich weiß nicht, warum. Aber ich dachte, du solltest es wissen.«

Sie antwortete nicht.

Der Abschied war unbeholfen, ein Handschlag, sonst nichts.

Er zählte die Schritte bis zweihundert. Dann drehte er sich um.

Sie war schon fort. Sie blieb zurück.

Teil 7

DER FANG

110

Der Zug blieb mitten auf der Strecke stehen.

Sie hatten soeben Åby passiert. Das Bahnhofsgebäude war dunkel, neben den Schienen brannte ein Feuer. Es war Abend, der Wind blies vom Bråviken her. Lars Tobiasson-Svartman befand sich in dem Wagen gleich hinter der Lokomotive. Er saß im Abteil zusammen mit einem Mann, der in einer Ecke fest schlief, den Kopf in einem mottenzerfressenen Pelz verborgen. Er lauschte auf das seufzende Geräusch der Dampflokomotive. Ein Gefühl der Unwirklichkeit überkam ihn: Er würde hier zurückbleiben, der Zug würde nicht mehr weiterfahren. Vor ihm gab es keine Schienen, nur eine unendliche Leere und die Seufzer der Lokomotive.

Es war der zweite Tag, nachdem er Halsskär verlassen und die Wanderung zum Festland begonnen hatte. Er hatte in dem Geräteschuppen auf Armnö übernachtet. Aber er hatte nicht schlafen können und in der Morgendämmerung seine Wanderung übers Eis nach Gryt fortgesetzt.

Irgendwo in der Gegend von Kettilö hatte er Gewehrschüsse gehört, zuerst einen, dann noch einen. Sonst verharrte alles in einer reglosen Stille: das Eis, die Inseln, einzelne Vögel.

In Gryt, am Hang zur Kirche hinauf, hatte er Glück. Ein Auto war auf der Straße vorbeigekommen, er hatte bis nach Valdemarsvik mitfahren können. Der Fahrer hatte während der zwanzig Kilometer langen Fahrt kein einziges Wort geäußert. Das Auto hatte große Rostlöcher, unter Lars Tobiasson-Svartmans Füßen war die Fahrbahn zu sehen.

Auf dem Rücksitz des Autos lag eine Kinderleiche, ein

Mädchen, in eine Decke gehüllt. Erst als sie in Valdemarsvik angekommen waren, fragte er, was vorgefallen sei.

Der Mann antwortete erschöpft: »Sie hat sich verbrüht. Hat eine Wanne mit kochendheißem Wasser umgekippt. Es ergoß sich auf sie, vom Bauch an abwärts. Sie schrie furchtbar, ehe sie starb. Aber ihr Gesicht ist nicht verbrannt.«

Das Mädchen lag da, das Gesicht ihm zugewandt.

Als er später im Zug saß, dachte er weder an Sara Fredrika noch an Kristina Tacker. Er dachte an das Mädchen, das sich verbrüht hatte.

Vom Bauch an abwärts war sie gestorben.

111

Ein Schaffner kam vorbei.

Lars Tobiasson-Svartman hatte sich in den Gang zwischen dem ersten und dem zweiten Wagen gestellt und fragte, warum der Zug hielt. Er bemerkte, daß in einer der Uniformtaschen des Schaffners eine Bibel steckte.

»Es ist die Kälte. Eine Weiche ist eingefroren. Zwei Bahnwärter sind dabei, das Eis aufzutauen. Wir haben fünfundzwanzig Minuten Verspätung.«

»Neunundzwanzig«, entgegnete Lars Tobiasson-Svartman.

Kurz nach Mitternacht setzte sich der Zug ruckelnd wieder in Bewegung. Der Mann in der Ecke wachte kurz auf, sah Lars Tobiasson-Svartman verwirrt an und schlief dann weiter.

Er hatte einen Menschen getötet. Fürchtete er den Tod jetzt weniger als zuvor? Oder war das Gegenteil der Fall?

Es gab keine Antwort. Seine Instrumente waren tot. Das Lot lag stumm in seinem Sack.

In der Morgendämmerung des 2. März kam er in Stockholm an. Vor dem Hauptbahnhof stieß er mit dem Schaffner des Zugs zusammen. Doch der Mann erkannte ihn nicht.

112

Die Stadt empfing ihn mit Schneetreiben und Kälte. Er blieb zusammen mit seinen Säcken und einem Gepäckträger stehen, ohne zu wissen, wohin er wollte. Erst gab er seine eigene Adresse an, überlegte es sich dann anders und nannte den Namen eines kleineren Hotels am Norra Bantorget. Der Gepäckträger verschwand im Schneegestöber, und Lars Tobiasson-Svartman kehrte zum Hauptbahnhof zurück. Im Speisesaal der ersten Klasse bestellte er Frühstück, aber das Essen blieb ihm im Hals stecken, und er mußte auf die Toilette rennen und sich übergeben. Die Kellnerin sah ihn fragend an, als er mit Tränen in den Augen zurückkehrte.

Sie sieht es, dachte er. Sie sieht, daß ich einen Menschen getötet habe.

Er zahlte und ging. Die Stadt und das Schneetreiben machten ihn schwindlig im Kopf. Er kam zu dem Hotel, wo der Gepäckträger wartete. Als der Portier sagte, daß alles völlig ausgebucht sei, bekam er einen Wutanfall. Der Portier wurde blaß und gab ihm ein Zimmer, das eigentlich schon reserviert war.

Der Gepäckträger brachte die Säcke hinauf. »So muß man mit diesen Scheißkerlen umgehen«, sagte er und lächelte, als er sein Geld bekam.

Lars Tobiasson-Svartman schloß die Tür, verriegelte sie und legte sich aufs Bett. Es war, als wäre er wieder zum Geräteschuppen auf Armnö zurückgekehrt. Er schloß die Augen und drückte das Lot an die Brust. Niemand wußte, wo er sich aufhielt, niemand wußte, wohin er unterwegs war, am allerwenigsten er selbst.

Es zog vom Fenster her. Er wickelte sich einen Schal um den Kopf, legte sich dicht an die Wand und wartete, ob es ihm gelingen würde, eine Entscheidung zu treffen.

113

Gegen elf ließ der Schneefall nach. Er stellte sich ans Fenster und schaute auf die Vasagata hinaus. Unter den Fußgängern suchte er jemanden, der er selbst sein könnte.

Er faßte seinen Entschluß. Den Tag und die Nacht über würde er im Hotel bleiben. Dann würde er nach Hause zu Kristina Tacker gehen.

Die Ereignisse auf Halsskär verblaßten langsam. Er betrachtete seine Hände. Da gab es keine Spur von dem, was geschehen war. Die Finger waren glatt und ebenmäßig, seine Hände hatten sich nicht verändert.

Am Abend ging er aus. Es fiel kein Schnee mehr. Aber die Kälte war schneidend und die Stadt lag verlassen; niemand hielt sich freiwillig draußen auf. Am Bahnhof nahm er eine Droschke und ließ sich zum Grand Hotel fahren.

Gerade als er den Speisesaal betrat, drehte sich ein Mann zu ihm um.

Es war sein Schwiegervater, Ludwig Tacker.

Lars Tobiasson-Svartman sah keine Möglichkeit zu entrinnen.

Ludwig Tacker stellte ihn dem Mann in seiner Begleitung vor, Lars Tobiasson-Svartman verstand einen Namen wie Andrén. Ludwig Tacker bat den Mann, draußen im Foyer auf ihn zu warten. »Ich habe gestern mit meiner Tochter gesprochen«, sagte er. »Sie war tief beunruhigt, weil du nichts von dir hast hören lassen.«

»Mein Auftrag ist geheimer Natur.«

»So verdammt geheim kann er nicht sein, daß man seiner Frau keinen Gruß schicken kann. Wann bist du zurückgekommen?«

»Ich bin vor etwa einer Stunde in Stockholm angekommen«, erwiderte er. »Ich bin noch nicht zu Hause gewesen.

Erst muß ich einige meiner Vorgesetzten treffen, um einen Bericht vorzulegen.«

Ludwig Tackers Augen waren schmal und kalt. »Im Grand Hotel? Im Speisesaal vom Grand Hotel? Geheime Verhandlungen?«

»Wir treffen uns in einem Nebenraum. Ich wollte nur sehen, ob ich der erste bin.«

Ludwig Tacker musterte ihn abwartend. »Wann gedenkst du, dein Heim und deine Frau aufzusuchen?«

»Ich will sie nicht zu spät stören. Ich übernachte heute im Hotel. Ich kann nicht wie ein Dieb in der Nacht kommen.«

Ludwig Tacker beugte sich rasch näher zu ihm. »Ich glaube dir nicht«, sagte er. »Ich habe dich nie gemocht, nie verstanden, warum Kristina dich zum Mann genommen hat. Du lügst. Es geht ein Geruch von dir aus, irgend etwas stimmt nicht mit dir.«

Ludwig Tacker wartete die Antwort nicht ab, sondern verließ den Speisesaal. Lars Tobiasson-Svartman begab sich zu Grands Café und fing an zu trinken. Sein Schwiegervater hatte ihn durchschaut. Nun mußte er seine Erklärung wiederholen, wenn er Kristina Tacker am nächsten Tag sah.

Er würde ihr alles erklären, sich dafür entschuldigen, daß er im Hotel übernachtet hatte, und dann ganz ruhig an ihrer Seite sitzen. Sie würde erzählen, was in der Zeit seiner Abwesenheit geschehen war. Er würde zuhören, und über seine Expedition in die fernen Eisweiten am offenen Meer würde er nur sagen, daß er froh war, alles hinter sich zu haben.

114

In dieser Nacht träumte er von einer großen Tiefe.
Er hielt sein Lot in den Händen wie ein Gewicht und sank durch ein Meer, in dem sich der Wasserdruck nicht bemerk-

bar machte, obwohl er sich mehrere Kilometer unter der Oberfläche befand.

Es war nicht der Riß im Stillen Ozean, wo ein britisches Meßschiff angeblich eine Lotleine über zehn Kilometer tief hatte verschwinden sehen, ehe sie den Meeresboden erreichte. Es war eine unbekannte Tiefe, die er entdeckt hatte, und schon während er mit dem Lot in den Händen langsam hinabsank, wußte er, daß sich der Meeresboden auf 15 345 Metern befand. Es war eine schwindelnde Tiefe, und darin verbarg sich ein Geheimnis. Ganz da unten gab es eine Welt und ein Leben, die dem entsprachen, was er selbst lebte.

Er sank der Tiefe entgegen, sacht, ganz ruhig, ohne Eile. Seine einzige Sorge war, daß er den Boden nicht erreichen könnte.

Er hatte diesen Traum schon oft gehabt, war aber früher immer aufgewacht, bevor er den Boden erreichte.

So war es auch jetzt. Als er die Augen aufschlug, war der Boden immer noch weit entfernt.

Er blieb im Bett liegen. Die Enttäuschung darüber, daß er den Boden nicht erreicht hatte, schlug in den intensiven Wunsch um, Ludwig Tacker zu töten.

Irgendwo gibt es auch für ihn ein Loch im Eis, dachte er. Einmal wird auch Ludwig Tacker auf den Meeresboden sinken, mit Eisenstücken, die an seinem Körper befestigt sind.

115

Ein Gepäckträger karrte seine Säcke durch die Stadt. Pferde zogen Pflüge zwischen den Schneewehen. Es war immer noch kalt. Er hielt eine Hand vor den Mund, während er dem Gepäckträger auf den Fersen folgte.

Ich habe Angst, dachte er. Nicht wegen der Dinge, die ich getan habe, sondern weil sie direkt durch mich hindurchschauen wird, genau wie ihr Vater mit seinen schrecklichen Augen.

Er sehnte sich nach der Stille und dem Eis.

Es war, als würde ihm die Stadt den Rücken kehren.

116

Sein Schwiegervater war ihm zuvorgekommen. Kristina Tackers Überraschung, ihn zu sehen, war gespielt. Das Dienstmädchen nahm ihm den Mantel ab und verschwand.

»Ich bin gestern erst spät in die Stadt gekommen. Ich wollte dich nicht erschrecken.«

»Du hättest mich nicht erschreckt.«

Sie nahm seine Hand und zog ihn in das Zimmer, das mitten in der Wohnung lag, das wärmste Zimmer im Winter, das kühlste im Sommer. Auf einem Tisch standen Blumen.

Er war sofort auf der Hut. Sie kaufte nie Blumen.

Sie setzte sich ganz vorn auf einen der roten Plüschsessel und sagte etwas mit so leiser Stimme, daß er ihre Worte zunächst nicht verstand.

»Ich habe dich nicht verstanden.«

»Ich erwarte ein Kind.«

Er bewegte sich nicht. Trotzdem war es, als finge er an zu laufen.

»Ich habe darauf gewartet, es dir sagen zu können.«

Er setzte sich neben ihr auf einen Sessel.

»Freust du dich?«

»Natürlich freue ich mich.«

»Das Kind soll im September zur Welt kommen.«

Er rechnete im Kopf nach und wußte sofort, wann es gezeugt worden war, in der ersten Nacht nach seiner Heimkehr im Dezember.

»Ich hatte Angst. Ich wußte nicht, wie du reagieren würdest.«

»Ich habe mir immer ein Kind gewünscht.«

Sie streckte die Hand aus. Sie war kalt. Sara Fredrikas Hände waren immer warm gewesen.

Er hielt ihre Hand und sehnte sich intensiv zurück nach Halsskär. Als er übers Eis gegangen war, hatte er gedacht, er würde niemals wiederkehren. Sara Fredrika würde dasein und auf ihn warten. Aber das Eis würde aufbrechen, bevor er zurückkam, das Meer würde sich öffnen, doch er würde nicht zu ihrer Insel zurückkehren.

Kristina Tacker sagte etwas, was er nicht verstand. Er dachte an Sara Fredrika und fühlte sein Begehren wachsen. Das, wonach er sich sehnte, war woanders. Nicht hier im wärmsten Zimmer in der Wallingata.

»Das Leben wird sich verändern«, sagte sie.

»Das Leben wird so werden, wie wir es uns vorgestellt haben«, antwortete er.

Er stand auf und ging zum Fenster hin, da er ihr nicht in die Augen sehen konnte.

Er hörte, wie sie das Zimmer verließ. Ihre Schritte waren leicht. Es gab einen Klang, als sie ihre Porzellanfiguren herumschob.

Er machte die Augen zu und dachte: Jetzt sinke ich dem Punkt entgegen, an dem es keinen Boden gibt.

117

Am folgenden Tag verließ er die Wohnung gegen neun. Er zwang sich, schnell zu gehen, um die Müdigkeit abzuschütteln.

In der Nacht hatte er nicht schlafen können. Als Kristina Tacker eingeschlafen war, hatte er den Duft ihrer Haut eingeatmet und dann vorsichtig das Bett verlassen. Er war in der Wohnung herumgegangen und hatte zu verstehen versucht, was gerade geschah. Er war im Begriff, die Kontrolle über sein Dasein zu verlieren. Das war ihm noch nie zuvor passiert. Seine Instrumente wirkten nicht mehr.

Er hatte mit einer ihrer Porzellanfiguren dagestanden, es war kurz vor Morgengrauen, in der längsten Stunde. Er hatte den Gedanken laut gedacht, er hatte ihn der Porzellanfigur mit dem kindlich bemalten Gesicht zugeflüstert: Tatsächlich bin ich es selbst, der nicht mehr funktioniert.

Er durfte es nicht auf die Instrumente schieben.

Als er auf dem Skeppsholmen ankam, war er außer Atem. Er wartete, bis der Puls sich wieder normalisiert hatte, bevor er durch die hohe Tür eintrat.

118

Lars Tobiasson-Svartman ging durch die hallenden Korridore und meldete sich bei einem Leutnant namens Berg.

Leutnant Berg betrachtete ihn erstaunt. »Niemand hat Ihre Ankunft angekündigt. Weder Sie selbst noch jemand anders.«

»Das hole ich jetzt nach. Ich habe nicht damit gerechnet, schon heute vorgelassen zu werden. Ich bin nur gekommen, um meine Ankunft zu melden.«

Der Leutnant bot ihm einen Stuhl an, während er ein eiliges Schreiben beendete. Lars Tobiasson-Svartman setzte sich und wartete. Die Uhr an der Wand ging zwei Minuten nach. Er konnte es nicht lassen, aufzustehen, das Uhrglas zu öffnen und den Minutenzeiger zu korrigieren. Leutnant Berg hob den Kopf, betrachtete ihn und fuhr fort zu schreiben. Die Stahlfeder kratzte. Als der Brief fertig war, klebte er den Umschlag zu und rief einen Adjutanten, indem er mit einer Tischglocke klingelte. Der Adjutant war um die Dreißig, sein Gesicht hatte eine eigentümliche Blässe, fast so, als wäre es geschminkt. Er verließ das Zimmer, nachdem er nachlässig salutiert hatte.

»Sie kennen den Bruder dieses Mannes«, sagte Leutnant Berg und erhob sich vom Schreibtisch.

Lars Tobiasson-Svartman nahm eine Einschätzung vor. Der Mann, der sich vor ihm auftürmte, war zwei Meter groß, mit einem Spielraum von zwei oder drei Zentimetern, je nachdem, was für eine Art von Schuhen oder Stiefeln er trug.

Leutnant Berg stand hinter dem Schreibtisch, als befände er sich in einer Festung. »Genauer gesagt, Sie kannten den Bruder dieses Mannes«, fuhr Leutnant Berg fort. »Er lebt nicht mehr.«

Er machte eine Pause, als wollte er Lars Tobiasson-Svartman seine eigene Sterblichkeit zu bedenken geben.

»Leutnant Jakobsson«, sagte er. »Ihr Befehlshaber im letzten Herbst. Der, der auf seinem Posten starb. Adjutant Eugen Jakobsson ist sein jüngerer Bruder. Unter uns gesagt wird er kaum in höhere Ränge befördert werden. Ihn sich als Kapitän auf einem eigenen Schiff vorzustellen ist undenkbar. Er ist ein hervorragender Adjutant, aber ein sehr begrenzter Mensch, sogar fast ein bißchen dumm.«

»Ich wußte nicht, daß Leutnant Jakobsson einen Bruder hatte.«

»Er hat weitere drei Brüder und zwei Schwestern. Es ist äußerst selten, daß wir etwas über die privaten Verhältnisse unserer Mitoffiziere wissen. Abgesehen von denen natürlich, die persönliche Freunde werden.«

Leutnant Berg setzte sich wieder. »Der Auftrag?« fragte er. »Ich habe Kenntnis von der Sache.«

»Die Fehler sind korrigiert.«

»Aber Sie haben Ihre Karten nicht dabei?«

»Wie ich schon sagte, habe ich nicht damit gerechnet, sofort vorgelassen zu werden.«

Leutnant Berg warf einen Blick auf den großen Ordner, der

vor ihm auf dem Tisch lag. »Am 7. März hat der Ausschuß seine reguläre Sitzung. Da können Sie vorsprechen. Um Viertel nach neun. Bringen Sie die Karten mit. Bereiten Sie Ihren Vortrag sorgfältig vor, die Zeit ist begrenzt, die Admirale sind nervös.«

Leutnant Berg stand auf.

»Ich habe noch ein Anliegen«, sagte Lars Tobiasson-Svartman.

Leutnant Berg blieb stehen. Die Zeit war knapp.

»Ich möchte zwei Monate unbezahlten Urlaub beantragen. Mit sofortiger Wirkung. Der Grund ist Erschöpfung.«

»Jedermann ist in diesen Zeiten erschöpft«, sagte Leutnant Berg. »Die Admirale kauen an ihren Schnurrbärten, die Kommandanten bekommen Schlaganfälle, die Bootsmänner saufen und fallen ins Meer, und die Kanonenbesatzung zielt ungenau. Wer, zum Teufel, ist nicht erschöpft?«

»Ich will die Flotte nicht mit einer Krankschreibung belasten. Lieber beantrage ich unbezahlten Urlaub.«

»Unbezahlter Urlaub wird in diesen Tagen selten bewilligt. Die Kriegsmacht braucht alle ihre Ressourcen. Ihr Antrag wird kaum freundliche Reaktionen hervorrufen.«

»Ich werde trotzdem einen Urlaub beantragen.«

Leutnant Berg zuckte mit den Schultern. »Reichen Sie ein schriftliches Gesuch spätestens bis morgen nachmittag bei mir ein. Ich werde dafür sorgen, daß es noch in dieser Woche behandelt wird.«

Lars Tobiasson-Svartman schlug die Hacken zusammen und salutierte.

Er verließ das Hauptquartier. Die Sonne war durch die Wolkendecke gebrochen, und die Kälte war nicht mehr so stark spürbar.

Er ging geradewegs nach Hause, mit einem Gefühl der Erleichterung über den Beschluß, den er gefaßt hatte.

Es bestand große Gefahr, daß sein Gesuch nicht bewilligt werden würde. Trotzdem war er nicht besonders besorgt, die

Erleichterung überwog. Er machte längere Schritte, er hatte es eilig, nach Hause zu kommen.

Kristina Tacker saß an einem Tisch und las ein Buch. Frauenzimmergedichte, dachte er verächtlich. Sara Fredrika liest bestimmt keine Poesie. Sie weiß wohl kaum, was das ist.

Kristina Tacker legte das Buch weg, als er ins Zimmer trat.

Er setzte ein bekümmertes Lächeln auf. »Ich habe einen neuen Auftrag bekommen«, sagte er. »Das bedeutet, daß ich periodisch wieder auf Reisen sein werde. Mich erwarten jedoch keine wirklichen Strapazen. Keine Eiswanderungen, keine langen Aufenthalte auf Schiffen draußen im Meer.«

»Was sollst du tun?«

»Wie üblich ist der Auftrag geheim. Du weißt, daß ich nichts davon erzählen kann, selbst wenn ich es wollte. Alles, was mit der schwedischen Flotte zu tun hat, ist geheim. Der Krieg ist die ganze Zeit sehr nah.«

»Alles, was ich habe, ist eine Postadresse«, sagte sie. »Das Feldpostamt in Malmö. Aber ich weiß nie, wo du bist.«

Sie saßen in dem warmen Zimmer. Das Dienstmädchen hatte frei, im Haus war es still. Sie hatten die Sessel vor den Kachelofen gestellt. Die Messingluken standen halb offen. Hin und wieder stocherte er in der Glut. Er war ruhig, obwohl alles, was er sagte, keinen Sinn ergab. Seine Schweigepflicht verschmolz mit dem Auftrag, der nicht existierte, den er aber trotzdem ausführen würde. Seine Expedition bewegte sich in einem Vakuum.

Nicht einmal das mit dem Meer stimmte.

»Ich kann nur so viel sagen, daß ich mich auf der anderen Seite von Schweden befinden werde. Ein Teil der Zeit werde ich mich in der Festung von Karlsborg aufhalten, am Vättersee. Dann werde ich unter größter Geheimhaltung nach Marsstrand verlegt werden. Nichts davon darfst du irgend jemand verraten.«

»Ich sage nie etwas weiter.«

»Du darfst nicht einmal andeuten, daß ich mich auf Reisen befinde.«

»Wenn du nicht hier bist, muß ich doch irgend etwas sagen.«

»Du kannst sagen, ich sei unpäßlich und befände mich in einem Sanatorium.«

Sie drückte seine Hand. »Ich will dich hierhaben.«

Ich will nicht hiersein, dachte er und mußte sich zwingen, ihre Hand nicht zurückzustoßen. Ich will nicht hiersein, ich habe Angst vor dem Kind, vor diesen Zimmern, vor allen Porzellanfiguren und ihren toten Augen.

Ich liebe dich, aber ich will nicht hiersein. Ich liebe deinen Duft, aber ich fürchte mich vor dem Tag, an dem der Duft fort ist. Ich habe Angst davor, daß ich aus einem Traum aufwachen werde, ohne zu wissen, was er bedeutet.

Sacht strich er mit den Fingern über ihre Hand. »Ich bin bald zurück, und vor allem wird unser Kind einen Vater haben, der die neun Monate Wartezeit dazu genutzt hat, in den Rängen zu steigen.«

»Es ist ein ehrenvoller Auftrag?«

Er konnte ihre Erwartung spüren. »Selbst das ist ein Geheimnis.«

»Mir mußt du es doch sagen können.«

Er beugte sich näher zu ihrem Gesicht hin und flüsterte: »Ich werde Fregattenkapitän.«

Er kostete das Wort aus und lächelte.

»Das freut mich. Das wird meinem Vater gefallen.«

»Es ist notwendig, daß das, was ich erzähle, unter uns bleibt. Du darfst es nicht einmal ihm sagen.«

Geduldig fuhr er fort, ihr zu erklären, daß er bald zurück wäre. Es gab keine Gefahr, er würde nur seine Pflichten erfüllen. »Nichts ist wichtiger als das Kind«, sagte er. »Die Pflicht muß erfüllt werden. Aber das Kind ist das wichtigste.«

»Ich möchte, daß unser Sohn Ludwig heißt, nach meinem Vater. Wenn es eine Tochter wird, soll sie Laura heißen. Nach meiner Schwester. Ich habe mir immer gewünscht, so zu heißen, als ich ein Kind war.«

Er lächelte immer noch. »Ludwig ist ein schöner Name, und er hat Kraft. Natürlich soll unser Sohn Ludwig heißen.«

»Vielleicht sollte er Hans Ludwig heißen?«

»Den Namen meines Vaters soll er nicht tragen.«

»Wann reist du ab?«

Ich bin schon abgereist, dachte er. Ich bin nicht hier, das ist nur ein Abdruck, den ich hinterlassen habe, wie eine Spur, die langsam verwischt wird.

»Bald«, sagte er. »Ich weiß es nicht genau, aber bald. Ich muß schließlich bei dir sein, wenn du schwanger bist.«

Er saß an ihrer Seite und hielt ihre Hand.

Sie war jetzt wärmer, nicht so kalt wie zuvor.

119

Drei Tage später nahm er auf Skeppsholmen ein Schreiben entgegen.

In einer ausführlichen Begründung stellte der Ausschuß fest, daß Kapitän Lars Svartman seine Aufträge stets mit äußerster Genauigkeit und Kompetenz ausgeführt habe. Der Ausschuß hielt es daher für angebracht, Lars Svartman den gewünschten unbezahlten Urlaub zu bewilligen. Das exakte Datum für seinen Wiedereintritt würde später festgelegt werden.

Nach dem Besuch auf Skeppsholmen machte er einen langen Spaziergang durch Djurgården. Weit draußen auf Blockhusudden wischte er den Schnee von einer der Bänke. Ein Schlepper mühte sich damit ab, die Rinne zum Meer hin offen zu halten.

Er dachte an Kristina Tacker und das Kind, das unterwegs

war. Aber vor allem dachte er an die Frau, die er nach seinem Beschluß nie wiedersehen würde.

Er blieb so lange auf der Bank sitzen, bis er zu frieren begann. Der Schlepper schob sich weiter dem Meer entgegen.

Das Eis war schmutziggrau.

Er vermaß den Abstand zum Heck des Schleppers. Als er sich in einer Entfernung von 100 Metern befand, stand er auf und ging in die Stadt zurück.

120

Vor dem Kontor der Handelsbanken am Kungsträdgården blieb er stehen. Es überraschte ihn, daß es ihm keinerlei Unruhe bereitete, von seinem Kapital zu zehren. Früher hatte er sich immer für sparsam gehalten, an der Grenze zum Geiz. Jetzt verspürte er plötzlich ein Bedürfnis, aus dem vollen zu schöpfen.

Er betrat die Bank. Bankier Håkansson, der sich um seine Geschäfte kümmerte, war gerade beschäftigt. Er wurde von einem Assistenten empfangen und um etwas Geduld gebeten.

Er betrachtete die Menschen, die sich in der Bankhalle bewegten. Es war, als befänden sie sich in einer großen Tiefe, von wo kein Laut zur Oberfläche drang.

Er hielt für zwanzig Sekunden die Luft an und ließ sich zum Boden der Bankhalle sinken.

Ich spiele, dachte er. Ich spiele mit der Tiefe anderer Menschen.

Bankier Håkansson hatte einen unsteten Blick und feuchte Hände. Lars Tobiasson-Svartman folgte ihm die Treppe hinauf in ein Zimmer, dessen Tür lautlos hinter ihnen zuglitt.

»Der Krieg ist natürlich beunruhigend«, sagte Bankier Håkansson. »Aber die Börse hat bisher mit Wohlwollen auf den Kanonendonner reagiert. Nichts scheint so inspirierend für Konjunkturerwartungen zu sein wie ein Kriegsausbruch. Das Risiko besteht jedoch darin, daß der Markt launisch sein und mit heftigen Bewegungen reagieren kann, sowohl aufwärts wie abwärts. In der heutigen Lage sind Ihre Wertpapiere jedoch stabil.«

»Ich muß einen Teil dieser Wertpapiere in Bargeld umwandeln.«

»An wieviel haben Sie gedacht, Kapitän Svartman?«

Auch hier habe ich keinen Doppelnamen, dachte er. Für die Bank bin ich ganz einfach Lars Svartman, ohne den Schutz, den der Nachname meiner Mutter für mich bedeutet.

Gereizt sagte er: »Ich möchte darauf hinweisen, daß mein Nachname Tobiasson-Svartman lautet. Es ist etliche Jahre her, seit ich meinen Namen geändert habe.«

Bankier Håkansson sah ihn fragend an. Dann fing er an, in seinen Papieren zu blättern. »Ich bedaure, daß die Bank und ich Ihre Namensänderung übersehen haben. Ich werde mich sofort darum kümmern.«

»Bargeld«, sagte Lars Tobiasson-Svartman, »zehntausend Kronen.«

Wieder war Bankier Håkansson überrascht. »Das ist eine große Summe. Es bedeutet, daß ein Teil der Wertpapiere veräußert werden muß.«

»Das ist mir klar.«

Bankier Håkansson überlegte. »In diesem Fall schlage ich vor, daß wir Waldaktien verkaufen. Wann müssen Sie die Summe zur Verfügung haben?«

»In einer Woche.«

»In welcher Aufteilung?«

»Hunderter, Fünfziger, Zehner und Fünfkronenscheine. Gleichmäßig verteilt.«

Bankier Håkansson machte sich eine Notiz. »Sollen wir sagen, Mittwoch nächster Woche?«

»Das paßt mir gut.«

Lars Tobiasson-Svartman verließ die Bank. Es ist, wie wenn man sich einen Rausch antrinkt, dachte er. Wenn man sich dazu entschließt, verschwenderisch mit dem Geld umzugehen. Nicht wie mein Vater zu sein, sich nicht ständig mit diesem verdammten Sparen zu befassen.

Er ging zum Kungsträdgården und betrachtete die Schlittschuhläufer. Ein älterer Mann in Lumpen trat auf ihn zu und bettelte. Er wies den Mann brüsk ab. Dann tat es ihm leid, und er ging ihm nach.

Der Mann reagierte, als würde er überfallen.

Lars Tobiasson-Svartman gab ihm eine Krone und erwartete keinen Dank.

121

An diesem Abend sprachen sie über den bevorstehenden Auftrag.

Die Stille stieg und sank im Zimmer. Mit dem Feuerhaken schloß er die Messingluken des Kachelofens. Im Zimmer wurde es dunkler.

»Ich habe immer Angst, wenn du verreist«, sagte sie.

Eine Reise birgt immer eine Gefahr, dachte er. Besonders diesmal, wo die Reise nicht einmal existiert.

»Deine Angst ist unbegründet«, antwortete er. »Vielleicht, wenn wir in den Krieg hineingezogen würden. Aber das sind wir nicht.«

»Die Minen, all diese schrecklichen Sprengungen, Schiffe, die innerhalb von wenigen Sekunden untergehen.«

»Ich werde weit vom Krieg entfernt sein. Bei meiner Arbeit geht es darum, daß so wenig Schiffe wie möglich von der Katastrophe betroffen werden.«

»Was ist das eigentlich, was du machst?«

»Ich bewahre ein Geheimnis. Und schaffe neue Geheimnisse. Ich bewache die Tür.«

»Welche Tür?«

»Die unsichtbare Tür zwischen dem, was einige wissen, und dem, was andere nicht erfahren sollen.«

Sie setzte zu einer weiteren Frage an. Doch er hob die Hand.

»Ich habe schon zuviel gesagt. Jetzt will ich, daß du schlafen gehst. Morgen hast du alles vergessen, was ich dir gesagt habe.«

»Ist das ein Befehl?« fragte sie lächelnd.

»Ja«, antwortete er. »Es ist ein Befehl. Sogar ein Befehl, der geheim ist.«

122

Der März zog sich mit Warten dahin.

Bei mehreren Gelegenheiten suchte er das Hauptquartier der Marine auf, ohne eine Erklärung dafür zu erhalten, warum die schriftliche Bestätigung über die Dauer des ihm zugesagten Urlaubs so lange auf sich warten ließ.

Leutnant Berg hielt sich nie in seinem Zimmer auf. Adjutant Jakobsson war ebenfalls verschwunden. Niemand konnte ihm Auskunft geben. Aber alle versicherten übereinstimmend, daß nichts geschehen sei, was die Situation verändert habe. Es ging nur um bestimmte Abläufe, die wegen des Kriegs ins Stocken geraten waren.

An einem kalten und klaren Abend Ende März verließ er die Wohnung in der Wallingata, nachdem er seiner Frau, der übel war, gute Nacht gesagt hatte. Er ging hinauf zum Observatoriekullen und betrachtete den Sternenhimmel.

Einmal im Jahr, meist in einer klaren Winternacht, unternahm er eine Pilgerreise zu den Sternen. Während seiner Zeit als junger Kadett hatte er die Sternkarten studiert und eine Reihe von astronomischen Lehrbüchern gelesen.

Er stand neben dem dunklen Observatorium und betrachtete den Sternenhimmel.

Er stellte sich vor, daß der Sternenhimmel und das Meer aneinander erinnerten, wie zwei diffuse und nicht ganz zuverlässige Spiegelbilder. Die Milchstraße war ein Archipel, wie ein Küstenstreifen, der sich da draußen im All erhob. Es glitzerte wie von Laternen, er stellte sich vor, daß es dort auch grüne und rote Lichter gab, und er suchte nach Fahrwassern, Strecken zwischen den Sternen, welche die größten Kriegsschiffe befahren konnten, ohne Gefahr, auf Grund zu laufen.

Es war ein Spiel mit Karten, die nicht existierten. Kein Schiff segelte im All, zwischen den Sternen gab es keine Untiefen.

Aber im All gab es die bodenlosen Tiefen. Vielleicht suchte er im Meer eigentlich die Öffnung zu einer anderen Welt, einem All, das sich zutiefst da unter der Oberfläche verbarg, wo unbekannte Fische ihre geheimen Strecken entlangschwammen.

Er blieb eine Stunde dort und war ganz durchgefroren, als er nach Hause kam. Seine Frau schlief. Er öffnete vorsichtig die Tür zum Zimmer des Dienstmädchens. Sie schnarchte mit offenem Mund.

Die Decke war bis zum Kinn hochgezogen.

Er setzte sich in das wärmste Zimmer, stocherte in der Glut im Kachelofen, trank einen Kognak und überlegte, wo Fregattenkapitän Rake sich aufhalten mochte.

Der Winter war hart gewesen, wenige Häfen waren eisfrei. Die Marine hatte ihre Ressourcen auf die südlichen und westlichen Küsten konzentriert. Irgendwo dort befand sich Fregattenkapitän Rake. Bestimmt schlief er. Er war Frühaufsteher.

Lars Tobiasson-Svartman war ungeduldig. Die Warterei zehrte an ihm. Es war schon der 29. März. Er wollte so bald wie möglich Richtung Süden aufbrechen.

Würde Sara Fredrika noch dasein und auf ihn warten?
Oder würde sie schon auf und davon sein?

Er stocherte in der Glut. Das Bild von Sara Fredrika kam und ging.

123

Spätnachts.

Er saß an seinem Schreibtisch, die Lampe mit dem grünen Glasschirm brannte. Er machte sich Notizen. Was maß er eigentlich? Entfernungen, Tiefen, Geschwindigkeiten. Aber auch Licht, Dunkel, Kälte, Wärme. Und Gewichte. All das, was außerhalb seiner selbst war, was das Zimmer ausmachte, in dem er sich befand, die Schiffsdecks, den jährlichen nächtlichen Besuch auf dem Observatoriekullen.

In seinem Innern maß er etwas anderes. Ausdauer, Widerstandskraft. Lüge und Wahrheit. Unruhe, Freude, Eingesperrtsein. Das Sinnvolle und das, was keinen Sinn hatte.

Er hielt inne. Solche Listen hatte er schon oft erstellt. Sie blieben immer unvollendet. Was war es, was er vergaß? Was war es, was er nicht sah? Es gab etwas, was er vermaß, ohne daß es ihm bewußt wurde.

Er blieb lange am Schreibtisch sitzen. Schließlich schloß er die Papiere in seinen Schreibtisch ein, zusammen mit all den anderen Listen.

Er ging ins Schlafzimmer. Kristina Tacker schlief. Vorsichtig berührte er ihren Bauch.

Sara Fredrika, dachte er. Bist du noch da? Oder bist du übers Eis verschwunden?

124

Eines Tages fand Kristina Tacker die große Geldsumme, die er bei der Handelsbanken geholt hatte. Das Geld lag unter einem Kalender auf seinem Arbeitstisch.

»Ich lasse das Mädchen deinen Arbeitstisch nicht anrühren. Den mache ich selbst sauber. Eine Banknote schaute heraus. Ich habe all dieses Geld gesehen.«

»Das stimmt. Es liegt eine große Geldsumme auf dem Tisch.«

»Aber wieso?«

»Wenn der Krieg kommt, kann es sein, daß die Banken zumachen. Ich habe Vorsorge getroffen.«

Sie fragte nicht weiter.

»Ich bin immer davon ausgegangen, daß meine Frau nicht in meinen Papieren schnüffelt.«

Sie zitterte vor Erregung, als sie antwortete. »Ich stöbere nicht in deinen Papieren. Das einzige, was ich anrühre, sind deine Kleider, wenn ich dir die Koffer packe.«

»Ich habe schon früher gemerkt, daß du meine Papiere durchgehst. Ich habe bisher nichts sagen wollen.«

»Ich habe deine Papiere niemals angerührt. Warum wirfst du mir etwas vor, was nicht wahr ist?«

»Dann sprechen wir nicht mehr über die Sache.«

Sie stand auf und lief aus dem Zimmer. Er hörte die Schlafzimmertür zuschlagen. Natürlich waren die Anschuldigungen grundlos. Aber er verspürte keinerlei Reue.

Bald ist die Wartezeit vorbei, dachte er. Irgendwann, in einer fernen Zukunft, werde ich ihr vielleicht erklären können, daß sie mit einem Mann verheiratet war, der nie ganz und gar sichtbar war, nicht einmal für sich selbst.

125

Zwei Tage lang herrschte Schweigen.

Das Dienstmädchen strich an den Wänden entlang. Am dritten Tag kehrte die Normalität wieder ein.

Kristina Tacker lächelte. Lars Tobiasson-Svartman erwiderte ihr Lächeln.

Draußen hatte der Schnee angefangen zu schmelzen.

126

Am 3. April bekam er die Bestätigung für einen unbezahlten Urlaub, der bis zum 15. Juni 1915 galt. Er könnte nur dann widerrufen werden, wenn Schweden direkt in den Krieg hineingezogen würde.

Seine Koffer waren schon gepackt.

Am 5. April nahm er von seiner Frau Abschied. Sie begleitete ihn zum Bahnhof. In der Hand hielt er eine Fahrkarte nach Skövde und Karlsborg.

Sie winkte. Er schaute auf ihre Hand und dachte, daß sie oft so kalt war.

In Katrineholm stieg er aus dem Zug und kaufte eine neue Fahrkarte nach Norrköping. Er leerte seine Koffer und verstaute den Inhalt in seinen beiden Säcken. Nachdem er die Namensschilder entfernt hatte, ließ er die Koffer im Schatten eines Gepäckwagens stehen.

127

Das Eis war weicher geworden.

Aber es lag immer noch bis weit hinaus zu den äußersten Schären.

Ein Dunstschleier hing über dem Himmel. Er ging schnell.

In einer Bucht in der Nähe von Hässelskären fand er einen im Eis festgefrorenen Schuh. Die Sohle zeigte nach oben, als hätte der Träger im Eis auf dem Kopf gestanden. Es war ein Männerschuh, ein derber Stiefel, geflickt, ein Schuh für einen großen Fuß.

Er blieb stehen und blickte rundumher. Da war nur der Schuh. Keine Fußspuren, nichts.

Er setzte die Wanderung fort, ging so schnell, daß er außer Atem geriet. Hin und wieder blieb er stehen und richtete den Feldstecher auf das Gebiet, das er schon hinter sich hatte. Natürlich folgte ihm niemand.

Auch diesmal machte er Rast auf Armnö, es war seine dritte Nacht. Jemand war im Geräteschuppen gewesen. Die Heringsnetze waren weg, eine frisch geflochtene Hechtreuse stand in einer Ecke.

Er aß sein Konservenfleisch und machte Feuer. Er war ungeduldig. Der festgefrorene Schuh gab ihm zu denken.

Am folgenden Tag stand er früh auf und setzte die Wanderung übers Eis fort.

Wind war aufgekommen, ein nordöstlicher, leicht böiger Wind.

Im Uddskärsfjärden, jenseits von Höga Lundsholmen, begegnete er zwei Menschen. Sie tauchten hinter der Schäre auf, wie aus dem Nichts.

Er nahm das Zuggeschirr ab, an dem die Säcke festgemacht waren. Als würde er seine Waffen ablegen.

Es waren ein Mann in seinem Alter und ein Junge, zwölf oder dreizehn Jahre alt. Der Junge war behindert, hatte einen mißgestalteten Kopf. Der Schädel war viel zu groß, die Haut spannte über den hohen Backenknochen. Außerdem war er einäugig, seine linke Augenhöhle war nur ein verschrumpelter Hautsack.

Ihre Kleider waren zerfetzt, das Gesicht des Mannes war mager, seine Augen waren unstet. Sie betrachteten ihn ängstlich. Der Junge hielt den Mann an der Hand.

»Es ist selten, daß man Menschen auf dem Eis trifft«, sagte Lars Tobiasson-Svartman.

»Wir sind unterwegs nach Kalmar«, erwiderte der Mann. »Wir kommen aus dem Norden. Es geht schneller, übers Eis zu laufen, wenn es trägt.«

Der Mann hatte einen Dialekt, den er nicht kannte.

»Von Norden?« sagte er. »Wie weit? Weiter als Söderköping?«

»Wo Söderköping liegt, weiß ich nicht. Wir kommen von Roslagen, bei Öregrund.«

»Dann seid ihr weit gelaufen.«

Der Junge sagte nichts. Er atmete schniefend. Plötzlich fing er an zu lachen und warf den Kopf hin und her. Der Vater nahm ihn in einen festen Griff, hielt ihn fest wie ein Tier, das man eingefangen hat. Der Junge beruhigte sich und sank in sein Schweigen zurück.

»Seine Mutter ist tot«, sagte der Mann. »Für uns gab es da oben keinen Grund zum Bleiben. In Kalmar hat er eine Tante. Vielleicht wird es da besser. Sie ist religiös und sollte wohl Kinder und Kranke bei sich aufnehmen.«

»Wovon lebt ihr?«

»Wir gehen zu den Höfen. Die Menschen sind arm, aber sie geben etwas ab. Besonders wenn sie den Sohn sehen. Es ist wohl vor allem, weil sie uns schnell wieder loswerden wollen.«

Der Vater hob die zottige Mütze, nahm den Sohn an der Hand und wollte wieder losgehen. Er rief ihnen zu, daß sie stehenbleiben sollten. Aus seiner Innentasche nahm er ein paar Banknoten, erst von geringerem Wert, schließlich einen Hunderter. Er gab sie dem Vater, der das Geld verständnislos anstarrte.

»Ich kann es mir leisten«, sagte er. »Es sind nicht nur Arme, die auf dem Eis unterwegs sind.«

Auch er ging weiter. Erst nach 200 Metern drehte er sich um.

Vater und Sohn standen regungslos da und schauten ihm nach.

128

Am Nachmittag des folgenden Tages näherte er sich Halsskär.

Das Eis war immer noch weich. Die Säcke, die er an dem Zuggeschirr schleppte, sogen Feuchtigkeit auf und wurden immer schwerer.

Er vermied es, zu nahe an die seichten Gebiete zu kommen, zu dicht an Schären und Felseninseln. Dreimal blieb er stehen und maß die Dicke des Eises.

Das Meer näherte sich, drängte von unten herauf.

129

Er zitterte, als er die Schärfe am Feldstecher einstellte.

Es stieg Rauch aus dem Kamin. Er hatte sich vorgestellt, daß er Erleichterung empfinden würde. Statt dessen wurde er unschlüssig.

Ich kehre um, dachte er. Ich muß Schluß machen mit diesem Wahnsinn, ich kehre zurück.

Dann ging er weiter auf die Schäre zu. Das Boot war immer noch hochgezogen und umgedreht. Der Schnee auf dem Pfad zum Haus hinauf war geschmolzen, er konnte keine Fußspuren erkennen.

Er setzte sich auf einen der Senksteine und holte eine Flasche Branntwein aus den nassen Säcken. Er nahm zwei tiefe Schlucke und spürte, wie sich die Wärme in seinem Körper ausbreitete.

Er nahm noch einen Schluck und ging hinauf zum Haus.

Ich werde anklopfen, dachte er. Ich werde die Tür öffnen und eintreten. Wenn ich die Tür hinter mir zumache, werde ich sofort nach einem Ausgang zu suchen anfangen.

Bevor er anklopfen konnte, wurde die Türe aufgemacht. Sara Fredrika riß sie auf. Sie hatte andere Kleider an, geflickt, verschlissen, aber sauber. Ihre Haare waren nicht mehr verfilzt, sie hatte sie hochgesteckt. Sie zitterte.

Er hatte noch nie eine solche Freude gesehen.

»Ich wußte, daß du kommen würdest«, sagte sie. »Ich habe gezweifelt, aber ich habe nicht aufgegeben.«

»Ich habe doch gesagt, daß ich kommen werde. Es hat seine Zeit gebraucht. Aber ich bin übers Eis gegangen, und jetzt bin ich hier.«

Sie gingen hinein. Sie hatte aufgeräumt. Vieles war weg, Lumpen, Flickenteppiche, aber das Fell des verrückten Fuchses war noch da. Er legte die Säcke ab.

Sie packte ihn. Es war, als würde sie Haken in ihn schlagen. Sie begann, an seinen Sachen zu ziehen und zu zerren. Sie landeten auf dem Fußboden vor der Feuerstelle. Er verbrannte sich am Rücken, aber die Haken saßen so tief, daß er nicht entkommen konnte.

Danach zogen sie sich schweigend an. Er betrachtete heimlich ihren Rücken.

Als sie sich umdrehte, sah er, daß ihr Blick anders war. Er kannte diesen Blick, er hatte ihn schon einmal gesehen, aber in den Augen eines anderen Menschen.

Er wußte es sofort. Sie hatte den gleichen Ausdruck in den Augen wie seine Frau, als sie ihm erzählt hatte, daß sie schwanger war.

130

Sara Fredrika erzählte es ihm am folgenden Tag, wie etwas Selbstverständliches.

Sie gingen am Strand entlang und sammelten Brennholz.

»Ich bekomme ein Kind«, sagte sie.

»Ich habe es geahnt«, sagte er.

Sie betrachtete ihn abwartend. »Verschwindest du jetzt wieder?«

»Warum sollte ich das tun?«

»Ein Kapitän und ein Weibsbild vom Meer. Was hätte das für eine Zukunft? Wir stehen an einem Abgrund.«

»Ich bin gekommen, um dich zu holen.«

»Du sollst wissen, daß ich mich entschieden habe. Über das Kind bin ich froh, auch wenn du nicht zurückgekommen wärst.«

»Ich bin hier.«

Sie fuhr fort, ihn zu betrachten.

Er hatte das Gefühl, als würde ein Seil um ihn herum festgezurrt.

131

Das Kind war von Schweigen umgeben.

Sara Fredrika sagte nichts Überflüssiges. Lars Tobiasson-Svartman versuchte zu verstehen, was im Begriff war zu geschehen.

Nichts war mehr deutlich. Er konnte einen eigentümlichen Frieden empfinden, doch der war trügerisch und wurde oft von einem Schmerz durchbrochen, der aus allen Richtungen zugleich zu kommen schien.

Er schob alle Gedanken weg, verscheuchte sie. Wenn die

Unruhe allzu groß wurde, kletterte er auf den Klippen herum, als wollte er Verfolger abschütteln.

Zu Sara Fredrika sagte er nur, daß er in Bewegung bleiben müsse.

In den Nächten teilten sie die Pritsche. Ihre Körper stellten keine Fragen, die ihn beunruhigten.

132

Am 19. April kam ein kräftiger südwestlicher Wind und brach die letzten Reste von Eis auf, die noch die Buchten bedeckten.

Sie gingen auf den Berg hinauf und sahen, daß sie vom offenen Meer umgeben waren. Weiter weg in den mittleren Schären sah man noch das aufgebrochene grauweiße Eis.

Am Tag danach ließen sie die Segeljolle zu Wasser. Er war erstaunt darüber, wie stark sie war. Er blieb am Ufer stehen, während sie hinausruderte, um zu kontrollieren, ob der Boden dicht war und das Segel keine Risse hatte.

»Ich segle einmal um die Insel herum«, rief sie.

Er breitete die Arme aus. Er wollte nicht mit, er blieb auf der Schäre.

Vom Gipfel des Berges aus folgte er ihr mit dem Feldstecher. Plötzlich drehte sie ihm ihr Gesicht zu, lächelte und winkte. Sie formte den Mund zu Lauten, die er nicht deuten konnte.

Weiter draußen am Horizont tauchte ein anderes Segel auf. Im Feldstecher sah er, daß es ein Küstensegler war, der von Osten kam, auf dem Weg zur Einmündung bei Barösund.

Er stand unten in der Bucht und wartete, bis sie die Landzunge umrundet hatte. Jetzt ruderte sie wieder, das Segel war mit der Großschot um den Mast geschlagen.

Sie zogen das Boot ein Stück aufs Land, und er schlang ein Tauende um einen der Senksteine.

»Es ist ganz trocken. Kein Wasser, das einsickert. Hast du gesehen, daß ich zu dir gesprochen habe?«

»Ich habe die Worte nicht verstanden.«

»Nächstes Mal wirst du sie verstehen.«

»Der Küstensegler?«

»Er ist hierher unterwegs.«

Sie gingen hinauf zur Hütte. Frühlingsblumen begannen aufzublühen, Leimkraut und Strandweizen.

»Es ist ein Schiffer aus Åland«, sagte sie. »Er kommt immer im Frühling her. Er sagt, daß er weiß, wann das Meer offen ist. Aber ich glaube, er liegt in einer der Senken auf der Lauer, wo das Wasser nie zufriert.«

»Was für Senken?«

»Die Löcher im Eis. Die immer offen sind.«

Er hatte noch nie von solchen Löchern gehört. »Hast du sie gesehen?«

»Wie könnte ich? Aber andere haben sie gesehen. Sie sind wie große Kiemen im Eis. Das Meer muß atmen, wenn es zugefroren ist. Ihn, der mit dem Küstensegler kommt, mußt du fragen, er heißt Olaus, er kommt immer mit dem Beiboot hierhergerudert und erkundigt sich, ob ich etwas vom Land brauche. Oder ob ich Briefe habe, die er mitnehmen und aufgeben soll.«

»Briefe?«

Er sah sie fragend an.

»Olaus ist nett. Er glaubt, ich hätte vielleicht jemanden, dem ich schreiben kann. Er glaubt, er tut ein gutes Werk an mir, wenn er sagt, daß er Briefe mitnehmen kann.«

Sie gingen ins Haus.

»Ich habe einen Brief«, sagte er.

»Ich habe dich keinen schreiben sehen.«

»Es ist noch nicht getan. Jetzt, wo ich weiß, daß jemand ihn mitnehmen kann, werde ich ihn schreiben.«

»An wen mußt du schreiben?«

»An die Seevermesser, die Kapitäne in Stockholm. Ich habe Beobachtungen zu melden.«

»Was hast du gesehen, was ich nicht gesehen habe?«

Er wurde wütend, aber er zeigte es nicht. Als sie hinausgegangen war, nahm er Papier und Umschlag aus einem der Säcke und setzte sich an den Tisch. Die Buchstaben formten sich mit Mühe.

Der Brief war ein einziges langes Ausweichen. Er handelte davon, warum er an der Ostküste abgestempelt war und nicht an der Seite von Schweden, wo er sich befinden sollte. Komplikationen, plötzliche Umstellungen, Aufträge, die rückgängig gemacht worden waren, alles genauso geheim. Eigentlich dürfe er den Brief gar nicht schreiben, aber er tat es trotzdem. Bald würde er wieder zur Festung von Karlsborg zurückkehren, schon wenn sie den Brief in den Händen hielte, hätte er die zerbrechliche Eisdecke in der Ostsee verlassen.

Er fügte hinzu: »Ich bin bald wieder zu Hause. Es ist noch kein Datum festgesetzt, aber es wird vor dem Sommer sein. Ich denke ständig an dich und das Kind.«

Er ging zum Fenster und sah die Frau da draußen.

Für einen kurzen Augenblick glitten die Gesichter zusammen, die eine Hälfte war von Kristina Tacker, die Augen, der Haaransatz, die Stirn gehörten Sara Fredrika.

Sie kam herein und setzte sich aufs Bett.

»Lies ihn mir vor.«

»Warum?«

»Ich habe immer davon geträumt, einmal einen Brief zu bekommen.«

»Er ist geheim.«

»Wem sollte ich davon erzählen?«

Er entfaltete das Papier und las: »Das Eis ist aufgebrochen, die Fahrwasser haben sich geöffnet, metereologische Beobachtungen deuten auf einen sinkenden Wasserstand hin, mit der Gefahr von hereinkommenden Treibminen. Keine Beobachtung von fremden Kriegsschiffen. Kapitän Lars Tobiasson-Svartman.«

»Ist das alles?«

»Ich schreibe nur das, was notwendig ist.«

»Was ist daran so geheim? Eis und Wasserstand? Treibminen, ich weiß nicht, was das ist. Treibholz?«

»Treibholz aus Eisen, das explodieren kann. Sie reißen Schiffe und Menschen in Stücke.«

»Kannst du mir nicht einen Brief schreiben?«

»Ich werde dir einen Brief schreiben. Wenn du hinausgehst. Ich muß allein sein, wenn ich schreibe.«

Sie ging hinaus. Er klebte den Brief an seine Frau zu und schrieb dann ein paar Zeilen an Sara Fredrika.

»Ich freue mich darauf, ein Kind zu bekommen, nachdem ich meine Tochter Laura auf so tragische Weise verloren habe. Ich träume von dem Tag, an dem wir aufbrechen können.«

Er unterzeichnete den Brief, legte ihn in einen Umschlag und klebte ihn zu.

An Sara Fredrika, Halsskär.

133

Der Mann, der Olaus hieß, ging nördlich der Schäre vor Anker und ruderte mit dem Dingi in die Bucht hinein. Es war ein älterer Mann mit steifen Beinen, der keine Überraschung zeigte, als er Lars Tobiasson-Svartman sah. Der Besuch war kurz, ein Seemann ging an Land, um zu sehen, ob die Bewohner der Insel gesund waren.

Er schien die noch vagen Anzeichen von Sara Fredrikas Schwangerschaft nicht zu bemerken.

Lars Tobiasson-Svartman gab ihm die Briefe und Geld für Briefmarken.

»Sie möchte einen Brief bekommen«, sagte er.

»Natürlich soll Sara einen Brief bekommen«, antwortete Olaus. »Ich gebe sie in Valdemarsvik auf.«

Er ruderte hinaus zu seinem Schiff. Am nächsten Tag, als Lars Tobiasson-Svartman aufstand, war das Schiff fort. Er hatte keine Fragen wegen der Eislöcher gestellt, von denen Sara Fredrika gesprochen hatte.

134

Es war der 9. Mai, das Wetter war warm, das Meer ruhig. Sie standen früh auf, um Netze einzuholen, die weiter draußen an den namenlosen kleinen Klippen lagen. Sie ruderten der Morgensonne entgegen, sie hatte die Bluse aufgeknöpft, und er saß in Hemdsärmeln da. Er ruderte, sie saß im Heck. Er genoß den Morgen, vermißte nichts, war für einen Augenblick ganz von Messungen und Entfernungen befreit.

Sie streckte sich nach den Korkschwimmern, stand auf, stemmte sich mit den Füßen ab und begann zu ziehen.

Es gab sofort einen Widerstand.

»Halte dagegen. Wir sitzen in irgend etwas fest.«

Sie zerrte und zog. Langsam kam das Netz herauf. Aber es war schwer.

»Was ist es?« fragte er.

»Wenn es ein Fisch ist, dann ist er groß. Wenn es Krempel vom Boden ist, dann ist er schwer.«

Das Netz war beinahe leer, bis auf einzelne Kaulbarsche und ein paar Dorsche. Er beugte sich über den Rand, um zu sehen.

In diesem Moment ließ sie das Netz los und schrie. Sie sank im Heck zusammen und verbarg das Gesicht in den Händen.

Das Netz hatte sich am Süllbord verfangen. Er stand auf und zog es hoch.

Im Netz hingen Skeletteile eines Menschen und etwas, was vielleicht der Rest eines Lederstiefels war.

Er brauchte nicht zu fragen. Er wußte es auch so.

Sie hatte ihren toten Mann ins Netz bekommen.

Teil 8

DAS LICHT
DER LEUCHTTÜRME
MESSEN

135

Es klang, als ob sie wimmerte, ein Tier in Not.

Das Netz mit den Knochenresten hatte sich am Süllbord verfangen. Sie stand jetzt im Heck und riß am Netz, als kämpfte sie mit einem großen Fisch. Aber sie wollte es nicht an Bord haben, sie wollte, daß das Netz wieder zum Meeresboden hinabsinken sollte.

Er saß regungslos da und hielt das Boot im Gleichgewicht. Das, was sich abspielte, entzog sich völlig seiner Kontrolle.

Das Netz löst sich und begann, zu Boden zu sinken.

»Rudere«, schrie sie. »Weg von hier!«

Dann warf sie sich gegen ihn und fing selbst an zu rudern. Er sah ihre Angst, spürte die Kraft in den Ruderschlägen.

Sie waren weit von dem Fangplatz entfernt, als sie wieder zusammensank.

»Kehr um«, sagte sie.

»Wohin?«

»Ich habe einen Fehler gemacht. Ich muß ihn herausholen. Ich muß meinen Mann begraben.«

Die Angst war jetzt in Verzweiflung umgeschlagen.

»Vom Netz ist nichts zu sehen«, sagte er. »Aber ich weiß, wo die Stelle ist.«

»Wie kannst du das wissen, wenn nichts zu sehen ist?«

»Ich weiß es«, sagte er. »Das gehört zu meinem Beruf. Ich kann das Meer lesen, sehen, was man nicht sieht.«

Er wendete das Boot und machte 19 Ruderschläge, änderte dann die Richtung etwas mehr nach Backbord, und dann weitere 22 Ruderschläge.

Sie hatten einen kleinen Draggen an Bord. Er wußte, daß die Bodentiefe zwischen 55 und 60 Meter betrug. Der Tampen des Ankers maß nur 30 Meter.

»Es ist hier«, sagte er. »Aber das Ankerseil ist zu kurz. Ich erreiche nicht den Boden.«

»Ich muß ihn heraufholen.«

»Ich weiß, wo es ist. Wir können hierher zurückkehren. Du hast eine Seilwinde unten in der Bucht, die mit dem Draggen verbunden werden kann. Sie mißt 40 Meter. Das reicht.«

Er wartete nicht auf Antwort, sondern ruderte zurück nach Halsskär. Sie saß schweigend im Heck, zusammengesunken wie nach einer viel zu großen Anstrengung.

In der Bucht holte er das Seil ins Boot. »Laß mich es tun«, sagte er. »Laß mich das Netz herausziehen. Du mußt nicht mitkommen.«

Sie antwortete nicht. Als er hinausruderte, stand sie regungslos da und sah ihm nach.

136

Er ließ den mehrarmigen Anker in die Tiefe sinken.

Beim vierten Versuch spürte er einen Widerstand. Er stand im Boot auf und zog. Das Netz kehrte zurück, und darin befanden sich noch die Knochenreste und der Lederflicken. Es war ein Stück von einem Stiefel, das hängengeblieben war, ein rostiger Nagel steckte im Leder. Er zog das Netz an Bord. Es waren zappelnde Fische darin, eine unbegreifliche Lebenskraft mitten in all dem Tod. Er nahm die Gebeine, die Kaulbarsche und das Seegras heraus und warf das Netz wieder aus.

Er erinnerte sich an das Treibnetz, das er an einem frühen Morgen von der Blenda aus gesehen hatte. Die tote Tauchente, die geräuschlose Bewegung, Freiheit, die ständig auf der Flucht war. Jetzt hatte ein weiteres Netz die Freiheit wiedererlangt.

Er betrachtete die Gebeine. Ein Teil eines Unterarms, eine abgebrochene Rippe und die Reste des linken Fußes.

Der Fuß regte ihn auf. Es war etwas Schamloses an diesem wohlbehaltenen Skeletteil, dem einzigen, das in tiefstem Ernst daran erinnerte, daß ein Mensch in unbegreiflicher Angst und Einsamkeit ertrunken war.

Er ruderte zurück nach Halsskär. Einmal ließ er die Ruder ruhen und fühlte an seiner Stirn, ob er Fieber hatte.

Die Stirn war kühl.

Als er zurück zur Hütte kam, war sie leer. Er legte die Gebeine ab und begann, Sara Fredrika zu suchen.

Irgendwo mußte sie sein. Trotzdem hatte er plötzlich das Gefühl, allein auf der Schäre zu sein.

137

Er fand sie weit im Norden. Sie hatte sich in einer Felskluft zusammengekrümmt, sich ins Heidekraut gepreßt, lag mit offenen Augen da, ohne zu sehen. Er setzte sich neben sie.

Nichts ist so einfach, wie Kontrolle über leidende Menschen zu bekommen, dachte er. Menschen, denen jede Widerstandskraft fehlt.

Er erinnerte sich an seine Mutter, weinend, allein in einem der dunklen Zimmer, die in der Kindheit sein Zuhause waren.

Ein Krähenschwarm lärmte in der Ferne. Das Geräusch zog davon. Er wartete.

Es vergingen 32 Minuten. Dann stand sie auf und verließ rasch die Felskluft. Sie ging ins Haus. Er wollte gerade die Tür aufmachen, als sie wieder herauskam und hinunter zur Bucht eilte.

Er blieb ganz still stehen. Sollte er sie allein lassen? Sie konnte nicht verschwinden, der Berg hatte keine unbekannten Geheimtüren, die sich öffnen würden.

Plötzlich sah er Rauch und nahm den Geruch von Teer wahr. Als er hinkam, hatte sie eine Teertonne angezündet und steckte Netze und Reusen ins Feuer.

»Du kannst dich verbrennen«, schrie er. »Du kannst brennenden Teer abbekommen!«

Er zerrte an ihr, doch sie weigerte sich, sich zu bewegen. Da schlug er sie, hart, ins Gesicht. Als sie sich aufrichtete, schlug er sie noch einmal. Da blieb sie sitzen. Er kippte die Tonne um und beförderte sie mit Fußtritten ins Wasser. Die Tonne zischte, der Rauch stank. Sie lag am Boden, schwarz von Teer und Blut, der Rock bis zum Bauch hochgezogen. Er dachte daran, daß dort ein Kind war, ein Kind, das existierte, ohne sichtbar zu sein.

Der Teer erlosch langsam. Eine dünne Schicht von rauchendem Fett breitete sich auf der Wasserfläche aus. Er half ihr auf.

»Ich muß weg«, sagte sie. »Ich kann hier nicht länger bleiben.«

»Wir werden die Insel bald verlassen«, sagt er. »Bald. Aber noch nicht sofort.«

»Warum müssen wir noch bleiben? Warum nicht jetzt?«

»Mein Auftrag ist noch nicht beendet.«

Sie betrachtete ihre teerbefleckten Hände.

»Ich habe die Gebeine geborgen und die Schwimmer abgeschnitten«, sagte er. »Das Netz ist fort.«

»Es wird wieder an die Oberfläche kommen.«

»Es treibt mit den Strömen, die in der Tiefe sind. Es kommt nie wieder zur Oberfläche. Jedenfalls nicht hier.«

Sie sah sich um.

»Die Gebeine liegen im Haus.«

»Ich muß ihn begraben.«

Sie begann zu gehen.

Vor der Tür hielt er sie auf. »Ich habe noch etwas gefunden.«

Sie sah ihn mit Entsetzen an. »Seinen Kopf! Mein Gott, das halte ich nicht aus.«

»Nicht seinen Kopf. Einen Fuß.«

»Sie waren groß und schmutzig, seine Füße waren nur für ihn wichtig, nicht für mich.«

Sie reihte die Knochen am Boden auf und hockte sich daneben. Sie murmelte, führte ein flüsterndes Gespräch mit den Gebeinen und sich selbst. Er beugte sich vor, um zu hören, was sie sagte, fing aber kein Wort auf.

Dann stand sie auf und nahm das Fell des verrückten Fuchses. Sie wickelte die Gebeine und den Lederflicken darin ein und bat ihn, einen Spaten mitzunehmen.

Das Grab entstand in einem nicht zu tiefen Spalt in den Klippenabsätzen im Westen. Sie schaufelte selbst, sie wollte es ihn nicht machen lassen. Als der Spaten auf Stein stieß, legte sie das Fell hinein und bedeckte es mit der herausgeschaufelten Erde.

Am selben Abend nahm sie die Pfeife und warf sie ins Feuer. Lars Tobiasson-Svartman dachte, daß sie es ihm zuliebe tat, die letzten Spuren ihres Mannes zu beseitigen.

An diesem Abend griff sie heftig nach seinem Körper. Mit den Händen gab sie ihm zu verstehen, daß sie ihn nicht mehr loslassen würde.

138

Am Abend des folgenden Tages sagte er, Halsskär sei ein Zufluchtsort. Ein äußerster Außenposten im Meer für jene, die nirgendwohin gehörten.

»Es ist wie eine Kirche«, sagte er.

Sie verstand überhaupt nicht, was er meinte. »Diese Höllenschäre? Eine Kirche?«

»In einer Kirche begeht niemand ein Verbrechen. Niemand rammt seinem Feind in der Kirche eine Axt in den Kopf. Es ist ein Zufluchtsort. Früher konnten die Vogelfreien in den Kirchensälen Schutz finden. Vielleicht ist Halsskär auch so ein Ort für dich und deinen Mann gewesen. Ohne daß ihr es gewußt habt.«

Sie sah ihn mit einem Blick an, den er nicht kannte. Es war, als würden ihre Augen sich entziehen. »Woher weißt du von ihr?«

»Von wem?«

»Von ihr, die hier auf der Insel Schutz gesucht hat. Sie, die eine Göttin war. Ich habe durch Helge von ihr gehört. Ein Sturm war aufgekommen, er mußte hier übernachten. Da erzählte er von der Winternacht 1843. Nicht alles, was Helge sagt, muß man glauben. Aber er spricht schön, hat viele Worte, genausoviele wie du. Der Winter war streng in diesem Jahr, das Eis lag so dick, daß man sagte, es brüllt wie ein wildes Tier, wenn es sich zu Wällen türmt. Aber es gab eine offene Rinne vom Meer bis weit hinaus nach Gotska Sandön, und in dieser Rinne kam eine Frau angetrieben. Sie muß eine Göttin gewesen sein, da ein Glanz um ihren Körper war. Sie war von einem betrunkenen Seemann über Bord geworfen worden, er hatte sie mißhandelt. Sie war durchscheinend und unterkühlt, und die Rinne fror hinter ihr wieder zusammen. So blieb sie hier und versteckte sich auf der Schäre. Im folgenden Jahr trieb ein toter Seemann an Land, er hatte sich die Kehle durchgeschnitten. Es war der Seemann, der sie über Bord geworfen hatte, und jetzt war er an der Reihe, hier zu stranden. Helge hat die Geschichte von seinem Vater gehört. Manchmal denke ich, daß sie und ich dieselbe Person sind. Oder, daß sie Sehnsucht nach mir hat.«

Sie kroch unter die Bettdecke. Er setzte sich daneben auf den Boden, sie strich ihm über die Haare.

Da begann er, von einer anderen Göttin zu erzählen, von ihr, die vor der großen Stadt im Westen Wache hielt, weit überm Meer, und alle willkommen hieß, die eine Freistatt suchten.

»Ich werde dich hinbringen«, sagte er. »Auch für mich ist es an der Zeit aufzubrechen. Du hast deinen toten Mann, ich habe meine tote Familie.«

»Ich will irgendwohin, wo es weit zum Meer ist. Ich will es nicht sehen, nicht hören, nicht riechen.«

»Es gibt Städte, die von Wüsten umgeben sind. Da ist das Meer weit weg.«

Sie setzte sich auf. »Was würdest du da tun? Mitten in einer Wüste? Mit deinen Loten und deinen Seekarten und deinen Fahrwassern?«

»Man kann auch in Wüsten messen. Ich kann die Tiefe des Sandes untersuchen, ich kann aufzeichnen, wie er sich bewegt.«

»Aber das Wasser?«

»Wenn mich die Sehnsucht packt, sollte es mir wohl auch da drüben möglich sein, ein Meer zu finden, das ich ausloten kann.«

Sie schlief ein. Er legte sich dicht neben sie, spürte ihre Wärme.

In dieser Nacht träumte er von einem Schiff, das draußen am Horizont rückwärts entlangfuhr. Es war, als ob jemand zu seiner Hinrichtung gebracht würde.

139

In einer Nacht Mitte Mai weckte sie ihn und legte seine Hand auf ihren Bauch. Das Kind strampelte.

Draußen in der Dunkelheit schrie ein Nachtvogel.

Sie sagten nichts, da waren nur die Hand, das Kind, das strampelte, der schreiende Vogel.

Er versuchte, sich die Kinder vorzustellen. Sara Fredrikas Kind, Kristina Tackers Kind.

Das von Kristina Tacker hatte ein Gesicht, das seine.

Das von Sara Fredrika glich den Skeletteilen eines Fußes.

Als sie eingeschlafen war, stand er vorsichtig auf und ging hinaus. Der Frühlingsabend war hell, feucht, ein schwacher Wind zog über die Klippen. Er stieg auf den höchsten Gipfel und sah aufs Meer hinaus.

Plötzlich wurde er von Kraftlosigkeit übermannt. Das Begehren und die Lust waren vergangen. Wieder sah er nur den Schmutz und das Elend.

Ich muß weg, dachte er, ich muß die Schäre ohne sie verlassen. Irgendwie werde ich ihr aus der Entfernung folgen, sie sehen, ohne daß sie mich sieht.

Aus der Entfernung kann ich mein Kind erleben. Aber hier kann ich nicht bleiben.

140

Die Tage waren immer noch kühl, obwohl es Ende Mai war. Ein kräftiger, aber kurzer Sturm riß Steine und Mörtel aus dem Kamin. Er kletterte aufs Dach und reparierte den Riß. Aus dem Innern der Hütte konnte er hören, wie Sara Fredrika mit sich selbst sprach.

Als er hinunterklettern wollte, sah er ein Segelboot sich durch die längliche Lindöbucht nähern. Es machte gute Fahrt, das Segel war in einem deutlichen Bogen gespannt.

Er sprang vom Dach hinunter, Sara Fredrika kam heraus, und er berichtete von dem Segelboot.

»Das ist Helge«, sagte sie. »Du erinnerst dich an ihn und seinen Sohn.«

Er machte sich bereit, hinunterzugehen und das Segelboot zu empfangen.

»Ich will allein mit ihm reden«, sagte sie. »Aber vom Fuß meines Mannes in dem Netz sage ich nichts.«

Er ging in die Hütte, legte sich auf die Pritsche, wartete und schlief ein. Als er die Augen aufschlug, war es schon Abend. Er ging hinunter zur Bucht. Ihre Segeljolle lag da. Aber das fremde Boot war verschwunden.

Auch Sara Fredrika war verschwunden.

Er suchte die ganze Schäre ab, rief, ohne Antwort zu erhalten. Erst als er an der steilen Nordseite angelangt war, wo die Dünung tief zwischen den zersprengten Klippen heranrollte, fand er sie.

Sie schlief. Neben ihr lag eine zerschlagene Flasche unter den Steinen.

141

Sie erwachte mit einem Ruck und setzte sich auf.

Sie fing an zu husten, der Schnapsgeruch schlug ihm entgegen. Als sie versuchte aufzustehen, fiel sie hin und schrammte mit einer Wange gegen die Klippe. Er streckte die Hand aus, aber sie schlug sie lachend weg.

»Ich bin betrunken. Helge hat verstanden, daß ich etwas zu trinken brauche. Er hat immer Branntwein im Boot. Es kommt nicht oft vor. Morgen ist alles wieder wie gewöhnlich.«

»Du kannst nicht über Nacht hier liegenbleiben.«

»Ich erfriere nicht. Keine Vögel werden kommen und auf mir herumhacken. Ich muß hier liegen, damit ich mich wieder aufrichten kann.«

Sie streckte sich aus, zog den Rock hoch und machte die Beine lang. »Du bekommst mich heute nacht nicht ins Haus. Aber du kannst hier liegen, wenn du willst.«

Sie griff nach seinem Bein, und es gelang ihr beinahe, ihn zu sich zu ziehen. Sie war stark, ihre Hände waren wie mechanische Greifhaken. Als er sich loszureißen versuchte, lachte sie und hielt ihn noch fester.

»Hast du nicht verstanden? Ich werde den nicht loslassen, der mich von hier wegbringen soll.«

»Ich habe es verstanden.«

Sie ließ ihn los und kauerte sich in der Kluft zusammen.

Ich muß weg, dachte er. Eines Tages rammt sie mir die Axt in den Kopf, wenn sie erkennt, daß ich nicht derjenige bin, der sie retten wird.

Er entdeckte, daß er Angst vor ihr hatte. Er konnte sie nicht kontrollieren, ob sie betrunken war oder nüchtern.

Sie riß Moos von der Klippe und bedeckte damit ihr Gesicht. »Laß mich jetzt«, sagte sie. »Morgen ist alles wie gewöhnlich.«

Es gibt nichts Gewöhnliches, dachte er. Ich muß hier weg, bevor sie mich durchschaut. Sie wird den Abgrund in mir entdecken, wenn ich nicht verschwinde. Ihr Abgrund gehört ihr, meiner gehört mir. Ich befinde mich zu nah bei ihr.

Spätnachts kehrte er zu der Felskluft zurück.

Er merkte am Geruch, daß sie sich übergeben hatte. Er ließ sie liegen.

142

Am nächsten Tag wehte ein steifer Ostwind, es fiel ein leichter Nieselregen.

Als er aufwachte, saß sie vor der Tür wie ein nasser zitternder Hund.

»Ich nehme keine tote Frau als Reisegesellschaft mit nach Amerika«, sagte er. »Geh hinein, zieh die nassen Kleider aus und wärm dich auf. Sonst wirst du krank. Und das Kind stirbt.«

Sie folgte ihm. Er selbst ging hinunter zur Bucht und setzte sich auf einen beschädigten Fischkasten.

Warum hatte er nicht den Mut, ihr zu sagen, wie es war, daß er nicht zurückkommen und sie holen konnte?

Er kannte die Antwort. Er hatte seine Frau getötet, seine Tochter getötet. Er hatte ein Netz ausgelegt, in dem er sich selbst verfangen hatte. Er war im Begriff, hinuntergezogen zu werden und genau wie ihr Mann umzukommen, in ein Heringsnetz verstrickt.

Er kehrte zur Hütte zurück und spähte vorsichtig durchs Fenster. Sie saß vor dem Feuer, in eine Decke gehüllt, den Kopf abgewendet.

Wie Kristina Tacker, dachte er. Zwei Frauen, die ihre Gesichter von mir abwenden.

Später an diesem Tag fing er an, seinen Aufbruch vorzubereiten. Er sprach mit ihr, überzeugte sie davon, daß ihr Warten kurz sein würde. Er würde bald fortgehen, aber auch bald wieder dasein.

Sie fischten weiterhin zusammen, schliefen miteinander, und er versuchte die ganze Zeit, ihr in die Augen zu sehen.

Nach einer Woche war er überzeugt. Sie glaubte, daß er zurückkommen würde.

Er konnte von hier wegfahren.

143

Es war der 7. Juni in der Morgendämmerung.

Sie segelten nach Norden, hatten Harstena und die Robbenklippen an Steuerbord und liefen mit gerefftem Segel sehr schnell auf die Schären zu, wo sie nach Westen zur Einmündung von Slätbaken gelangen würden. Er saß am Mast und bediente das Segel. Sie sagten nicht viel, trafen auch keine anderen Boote.

Spätnachmittags flaute der Wind ab, sie blieben liegen, ohne die Einmündung von Slätbaken erreicht zu haben.

Am Horizont sahen sie ein Kriegsschiff und gleich darauf noch eins. Er sah im Feldstecher, daß es Kanonenboote waren, aber die Entfernung war zu groß, als daß er sie hätte identifizieren können.

Sie legten an einer Schäre an, zogen das Boot an Land, machten Feuer und aßen und tranken, was sie in einem Korb mitgenommen hatte. Kartoffeln, kalten Fisch, eine Kanne mit Wasser.

Außerhalb des Feuerkreises war die Sommernacht hell. Einzelne Sterne waren zu sehen. Trotz allem empfand er eine Nähe zu ihr, die er bald verlassen würde. Sie war dicht bei ihm, obwohl er versuchte, sich mit einer hohen Mauer von Unerreichbarkeit zu umgeben.

Sie hatte sich ausgestreckt, den Deckel des Korbs unter dem Kopf. »Ist das wahr?« fragte sie plötzlich. »Die Sterne, die Winterdunkelheit und die hellen Sommernächte, daß das alles niemals endet? Oder endet es? Du mußt es wissen, du, der Tiefen messen und Abstände sehen kann, die kein anderer sieht.«

»Man kann nicht wissen«, sagte er. »Man kann nur glauben.«

»Was glaubst du?«

»Daß man verrückt werden kann, wenn man zu tief ins All schaut.«

Sie überdachte seine Antwort. »Mein Mann«, sagte sie schließlich. »Er hat davon geträumt. Er wurde unruhig, wenn die Herbstdunkelheit kam. Sonderbar ängstlich. Er mußte nachts aufstehen, ich mußte mitkommen und ihn halten. Er konnte es nicht erklären, er fing zu stottern an, wenn die Augustdunkelheit kam. Er stotterte sonst nicht, nur dann, wenn es schwarz wurde und der Aal zu wandern begann, dann starrte er die Sterne an und fing an zu stottern. Er könne es nicht verstehen, sagte er. Es war zu groß. Es war ein Schiffer von Håskö, der betrunken gewesen war und gesagt hatte, es gäbe kein Ende von irgendwas, nicht vom Himmel, nicht von den Sternen. Von nichts. Alles ginge ins Unendliche weiter.«

»Man kann es nicht wissen«, wiederholte er. »Man ist

allein mit den Sternen, auch wenn man sie zusammen mit jemand anderem anschaut.«

»Kannst du deine Tochter da oben sehen? Und deine Frau?«

»Ich sehe sie. Aber ich will nicht von ihnen reden.«

Sie verstummte. Er dachte, bald würde alles vorbei sein.

Das Feuer verglomm.

In der Morgendämmerung ging es weiter in Richtung Slätbaken, auf die Einmündung in den Götakanal zu. Sie segelten mit dem Wind durch den Sund von Stegeborg, und vom Slätbaken her bekamen sie Wind aus anderen Richtungen.

An der Einmündung des Kanals warteten Segelfrachter an der ersten Schleuse. Sie lavierten sich zur Flußmündung durch und ruderten zu den Kais von Söderköping.

Der Abschied sollte kurz sein. Ihr letzter Eindruck mußte sein, daß er die Wahrheit sprach, daß er wirklich nur seinen Auftrag zu Ende führen und seinen Vorgesetzten in Stockholm die Ergebnisse überreichen würde. Danach würde er sie von Halsskär wegholen.

Sie legten an einem Kai beim Brunnshotel an. Der Wasserstand war niedrig. Er kletterte hinauf auf den Kai. Sie blieb unten im Boot.

»Segle heim«, sagte er, »segle vorsichtig. Bald bin ich wieder da.«

Er winkte ihr zu. Sie lächelte und winkte zurück.

Er hoffte, daß sie ihm glaubte. Sicherheitshalber drehte er sich nicht um.

144

Zwei Tage später war Lars Tobiasson-Svartman zurück in Stockholm. Vom Bahnhof aus fuhr er direkt nach Hause.

Kristina Tacker empfing ihn überrascht und glücklich. Auf

dem Tisch im Flur lag eine Mitteilung von Skeppsholmen, er möge sich schleunigst dort einfinden.

Am nächsten Morgen fiel ein dünner Nieselregen. Am Widerlager der Brücke zum Skeppsholmen erblickte er ein bekanntes Gesicht. Er ging rasch auf den Mann zu und reichte ihm die Hand. Fregattenkapitän Rake war abgemagert, sein Gesicht war sehr bleich. Lars Tobiasson-Svartman ahnte, daß ihn etwas quälte, vielleicht war ihm etwas zuwidergelaufen.

»Ich habe die neue Karte mit den Fahrwassern bei Sandsänkan gesehen«, sagte Rake. »Nach dem, was ich gehört habe, sollen unsere Schiffe in Bälde die neue Strecke befahren.«

»Die Zeitersparnis ist nicht ganz so groß, wie ich es erhofft habe«, antwortete Lars Tobiasson-Svartman. »Ein Schiff, das mit voller Kraft fährt, vielleicht mit 20 Knoten, spart auf der neuen Strecke 50 Minuten. Ich hatte ein höheres Ziel. Aber der Meeresboden hat sich nicht so benommen, wie ich es wollte.«

»Der Meeresboden erinnert also an Menschen.«

»Die Gefahr von Torpedierungen und treibenden Minen wird natürlich geringer. Die neue Strecke soll außerdem eine bedeutende Zunahme des Tiefgangs bei unseren Kriegsschiffen ermöglichen.«

Das Gespräch brach ab. Rake hielt immer noch seine Hand fest, als Lars Tobiasson-Svartman versuchte weiterzugehen.

»Ich höre nie auf, mich darüber zu wundern, wie mein Gedächtnis funktioniert«, sagte Rake. »Eine endlose Anzahl von Bootsmännern und Offizieren sind durch mein Leben gegangen. Trotzdem ist unter all diesen Erinnerungsbildern das Gesicht des Bootsmannes Rudin am deutlichsten bewahrt.«

»Der bei der Blinddarmoperation starb?«

»Eine unbedeutende Spinne in dem großen Netz. Irgend
etwas bewirkt, daß er mich nicht verläßt. Ich frage mich,
warum?«

Rake ließ seine Hand los und salutierte rasch. »Ich rede
zuviel«, sagte er. »Aber ich frage wenigstens nicht, was Sie
machen, da ich davon ausgehe, daß Ihre Angelegenheiten
geheim sind.«

Lars Tobiasson-Svartman sah ihn über die Brücke verschwinden. Rake bewegte sich gebückt, der lange Mantel
flatterte ihm um die Beine.

145

Er wurde sofort vorgelassen.

Zu seiner Überraschung erwarteten ihn nur zwei Männer.
Der eine war der Vizeadmiral H:son-Lydenfeldt, der andere
ein Beamter mit blasser Haut und tiefen Schatten unter den
Augen.

Als er sich auf den bereitgestellten Stuhl setzte, überkam
ihn ein unangenehmes Gefühl in der Magengrube.

Der Vizeadmiral betrachtete ihn mit forschendem Blick.
»Sind Sie sich dessen bewußt, Kapitän Svartman, warum Sie
hier sind?«

»Nein, aber ich weiß, daß ich eine Verlängerung des Urlaubs beantragen muß.«

»Warum das?«

Die Worte waren wie ein harter Schlag mitten in sein Gesicht. Sein Mund wurde trocken. »Ich bin noch nicht wiederhergestellt.«

Der Vizeadmiral deutete ungeduldig auf einen Ordner, der
auf dem Tisch lag. »Wovon wiederhergestellt? Der einzige
Grund, den Sie angegeben haben, ist Erschöpfung. Wer zum
Teufel ist nicht erschöpft? Alle sind erschöpft. *Die Welt* ist
erschöpft. Unser hochgeschätzter Marineminister Boström

schläft zuweilen bei unseren Vorträgen ein. Nicht aus Desinteresse, sondern aus Erschöpfung, behauptet er.«

Lars Tobiasson-Svartman machte sich bereit, die Umstände seiner Erschöpfung zu erläutern, als der Vizeadmiral die Hand hob.

»Sie sind aus einem ganz anderen Grund herbestellt worden. Es hat sich gezeigt, daß Sie während Ihres Urlaubs Reisen gemacht haben, Sie sind im Schärengebiet von Östergötland gesehen worden. Es sind Berichte eingetroffen, verschiedene Leute haben sich gefragt, ob Sie möglicherweise als Spion für Deutschland oder Rußland arbeiten. Es gibt weitere Umstände in dieser Angelegenheit anzumerken. Nicht zuletzt die Tatsache, daß Sie behauptet haben, sie hätten Fehler auf den Karten gefunden, die Sie selbst gezeichnet haben. Das hat sich als Lüge erwiesen. Eine völlige Klarheit war darüber nicht zu bekommen. Aber daß Sie mit eigentümlich vagen Behauptungen und Handlungen zugange waren, ist offenbar. Was haben Sie dazu zu sagen?«

Lars Tobiasson-Svartman blieb stumm. Es gab keine Worte. Er fühlte, daß er errötete.

Der Vizeadmiral fuhr fort: »Ich glaube nicht, daß Sie so verdammt blöd sind, ein Spion zu sein. Aber Sie haben unser Vertrauen mißbraucht und Unordnung geschaffen. Sie haben sich als nicht zuverlässig erwiesen. Da nichts Unangebrachtes geschehen ist, da Sie im Grunde ein tüchtiger Seevermesser sind, einer der besten, die wir gehabt haben, verlangen wir nur, daß Sie Ihre Kündigung einreichen. Wenn Sie sich weigern, müssen Sie trotzdem gehen, aber mit schlechten Zeugnissen. Wenn Sie um Ihre Entlassung ersuchen, bekommen Sie die besten Beurteilungen, die wir unter diesen Umständen geben können. Ist das klar?«

Der Beamte mit den tiefen Schatten unter den Augen beugte sich über den Tisch vor. Seine Zähne waren gelb, sein Schnurrbart war ungepflegt. »Ich vertrete in dieser Angelegenheit den Marineminister«, sagte er mit einer Stimme, die ahnen ließ, daß er Vergnügen daran fand, andere Menschen zu quälen. »Es herrscht volle Übereinstimmung über die Alternativen, die der Herr Vizeadmiral angeboten hat.«

H:son-Lydenfeldt ließ die Hand auf den Tisch fallen. »Sie haben 24 Stunden Zeit, um Ihren Entschluß zu fassen. Es mag so scheinen, als wäre das eine unnötig dramatische Maßnahme von seiten der Kriegsmacht. Doch bei der Unordnung, die in der Welt herrscht, ist der kleinste Fleck auf dem Banner der Marine eine Unmöglichkeit. Ich denke, Sie verstehen das.«

Er zog eine Uhr aus der Tasche. »Morgen um zehn Uhr finden Sie sich hier ein.«

Das Treffen war beendet.

Als Lars Tobiasson-Svartman das Zimmer verließ, mußte er sich im Korridor mit einer Hand an der Wand abstützen, um nicht zu fallen.

146

Auf der Treppe außerhalb des Marinestabs blieb er stehen. Er betrachtete ein paar Spatzen, die auf einem Kiesweg pickten. Er ging weiter. Am Widerlager der Brücke blieb er erneut stehen.

Der Schock war nicht gewichen. Aber Lars Tobiasson-Svartman dachte jetzt klar.

Er war überzeugt. Es gab nur eine einzige Erklärung. Marineingenieur Welander war von den Toten auferstanden. Oder zumindest aus der Halbwelt, in der er das schrittweise Erwachen aus der Lähmung durch den Alkohol durchlitten hatte.

Er konnte das Geschehen vor sich sehen.

Marineingenieur Welander war nicht entlassen worden, sondern hatte seinen Dienst wieder antreten dürfen. Aber zuerst hatte er einen schweren Verweis wegen der schludrigen

Messungen bekommen, die er im Gebiet des Leuchtturms von Sandsänkan durchgeführt hatte.

Natürlich war Welander völlig verständnislos gewesen und hatte darauf bestanden, seine Arbeit tadellos gemacht zu haben, bis der große Zusammenbruch kam. Er hatte verlangt, die Meßresultate vorgelegt zu bekommen, die Lars Tobiasson-Svartman abgeliefert hatte.

Die Wahrheit war ans Licht gekommen. Marineingenieur Welander hatte keine Fehler begangen.

Lars Tobiasson-Svartman begann, über die Brücke zu gehen. Mit jedem Schritt wurde er sicherer, daß die Brücke wie dünnes Eis war, das jederzeit brechen konnte.

147

Am Abend saß er in dem warmen Zimmer und erzählte Kristina Tacker von seinem künftigen Auftrag. Es dämpfte seine Unruhe, eine Reise zu beschreiben, die nie stattfinden würde, mit der die Vorgesetzten ihn angeblich beauftragt hatten.

Es war nicht die Lüge, die ihn betäubte. Es war die ruhige Art, mit der seine Frau die Worte aufnahm. Durch sie wurde alles wirklich.

Ihre Fragen waren immer die gleichen. Wohin sollte er fahren? Wie lange würde er abwesend sein? War etwas Gefährliches dabei?

»Nur weil es geheim ist, muß es nicht riskant sein«, antwortete er.

Ohne jede Vorbereitung fing er an, vom Licht der Leuchttürme zu reden. Licht, das von einsam gelegenen Klippen oder Feuerschiffen ausgesandt wurde, um den Schiffen den richtigen Weg zu zeigen. Er sprach von der Schönheit der Richtfeuer, vom Zusammenspiel des roten, grünen und weißen Lichts. Er erschuf einen Auftrag, den er nie hatte und nie haben würde.

»Ich soll messen, wie weit man die verschiedenen Lichter der Leuchttürme bei wechselndem Wetter sehen kann. Ich soll untersuchen, ob man eine besondere Verteidigungslinie um unser Land ziehen kann, indem wir die Feinde mit verschiedenen Stärken der Lichter, die von den Leuchttürmen ausgehen, in die Irre führen.«

Dann verstummt er. »Ich habe schon zuviel gesagt.«

»Ich habe es schon wieder vergessen«, antwortete sie.

Er nahm eine Andeutung von Besorgnis in ihrer Stimme wahr, kaum merkbar, aber doch vorhanden.

Das Licht der Leuchttürme messen.

Vielleicht war er zu weit gegangen? Glaubte sie ihm nicht? Gab es da einen ersten vagen Verdacht?

Sie schlug die Augen nieder und strich mit den Händen über ihren Bauch. »Wann fährst du ab?« fragte sie.

»Es ist noch nicht entschieden. Aber der Beschluß kann kurzfristig fallen.«

»Ich will, daß du zu Hause bist, wenn das Kind kommt.«

»Natürlich hoffe ich, daß der Auftrag dann beendet ist. Oder daß er noch nicht angefangen hat. Aber ich werde nachdrücklich protestieren, falls man mich auf die Reise schicken will, wenn die Geburt kurz bevorsteht.«

Er stand auf und ging hinaus auf den Balkon.

Er überlegte, wo Marineingenieur Welander seine Wohnung hatte.

148

Zwei Tage später hatte er herausgefunden, daß Marineingenieur Welander auf Kungsholmen wohnte.

Als er sein Rücktrittsgesuch auf Skeppsholmen abgeliefert hatte, nahm er die Gelegenheit wahr, die Personalabteilung zu besuchen. Dort gab man ihm die Auskunft, daß Welander sich derzeit nicht an Bord eines Schiffes befand.

Es wurde zu seinem neuen Auftrag, die Tage vor dem Haus zu verbringen, in dem Welander wohnte.

Es dauerte vier Tage, bis Welander sich zeigte. Zusammen mit einer Frau und einem etwa vierzehnjährigen Mädchen trat er aus dem Haus. Lars Tobiasson-Svartman erinnerte sich vage, daß es eine Tochter und drei Söhne in der Familie gab. Er folgte ihnen die Hantverkargata entlang. Auf Kungsholms Torg betraten sie ein Modegeschäft, und als sie wieder herauskamen, trugen die Frau und die Tochter Päckchen.

Früher oder später würde Welander allein sein, dachte er. Dann würde er sich ihm gegenüberstellen. Aus der Entfernung betrachtete er Welanders Gesicht. Blässe und Aufgedunsenheit waren verschwunden. Welander hatte es tatsächlich geschafft, von seinem Alkoholmißbrauch loszukommen.

Die Frau war klein und dünn. Sie blickte ihren Mann oft mit inniger Zuneigung an.

149

Die Tage vergingen.

Er wartete, stellte sich die Geduld eines Raubtiers vor. Die Gelegenheit kam eines Abends, nachdem er Welander eine Woche lang beobachtet hatte. Der Marineingenieur trat allein aus dem Haus, es regnete, er begann in Richtung Zentrum zu gehen. Er ging schnell, den Blick hielt er fest auf die Pflastersteine gerichtet. Dann bog er auf einen kleinen Pfad ab, der sich dicht neben dem schwarzen Wasser des Riddarfjärden dahinschlängelte. Der Pfad schien verlassen.

Lars Tobiasson-Svartman schlang einen Schal um den unteren Teil des Gesichts. In der Tasche hatte er einen Hammer, dessen Kopf mit einer alten Socke überzogen war. Er holte den Hammer heraus und folgte Welander auf dem Pfad.

Doch er traute sich nicht zuzuschlagen, sondern machte kehrt und lief davon. Er fürchtete, daß Welander ihm folgen würde, aber hinter ihm auf dem Pfad war es still. Er stopfte den Schal und den Hammer in die Manteltaschen und zwang sich, langsam zu gehen.

Als er in der Wallingata ankam, fühlte er seinen Puls. Erst als er auf 65 abgesunken war, ging er hinauf in die Wohnung.

150

Er verließ weiterhin morgens die Wohnung.

Zu Kristina Tacker sagte er, er gehe zu seiner geheimen Behörde. Die Tage verbrachte er in Museen und Cafés. Langsam versöhnte er sich damit, daß er sich nicht an Welander herangetraut hatte. Die Wut war noch da, aber er wußte nicht, auf welches Ziel er sie richten sollte.

So vergingen einige Wochen. Kristina Tackers Bauch wurde immer dicker.

Erst wurde er es leid, die Museen zu besuchen, dann die Cafés. Statt dessen machte er endlose Spaziergänge. Wenn die sommerliche Abenddämmerung anbrach, stellte er sich die Leuchttürme vor, die noch nicht wegen des Kriegs abgeschaltet waren. Er sah vor sich das Licht, das aufs Meer geworfen wurde. Bald würde er anfangen müssen, es zu messen. Es war an der Zeit, sich selbst den Befehl zum Aufbruch zu geben.

Er dachte an Sara Fredrika und an die Schäre draußen am offenen Meer.

Das Meer ist still, dachte er. Ausnahmsweise ist das Meer um mich herum ganz still.

Eines Abends entdeckte er, daß er sich vor dem Haus befand, in dem Ludwig Tacker wohnte, dem Haus, in dem die verhaßten Weihnachtsessen stattfanden.

Ihm kam der Gedanke, daß der Schwiegervater regelmäßig einen Abendspaziergang machte.

Ludwig Tacker hatte einmal an einer Reise ins britische Generalprotektorat im Innern Afrikas teilgenommen, das von dem Alleinherrscher Cecil Rhodes regiert wurde. Er hatte seiner Familie unermüdlich von der langen Reise erzählt, die ihn via Göteborg, Hull und Kapstadt in das ferne Lusaka geführt hatte und dann mit Eisenbahn und Pferd weiter nach Norden zu den Kupfervorkommen bei Broken Hill. Er hatte noch nie etwas dergleichen gesehen, die Kupferadern lagen offen an der Erdoberfläche, man mußte sich nur bücken, um das kostbare Erz zu gewinnen. Der Grund für diese Reise war, daß Ludwig Tacker in die Mineralwirtschaft investieren wollte. Aber Rhodes hatte Geld genug gehabt, er wollte keine anderen in seinen Bergbau einbeziehen. Alles war im Sande verlaufen. Doch Ludwig Tackers Interesse am Bergbau hatte Bestand. Deshalb traf er sich einmal in der Woche mit einigen gleichaltrigen Männern, die sein Interesse für Mineralien teilten.

Sie versammelten sich bei einem Bergrat vom Handelskollegium, der am Järntorget in der Gamla Stan wohnte.

Als Lars Tobiasson-Svartman an diesem Abend heimging, erkannte er, daß er seinem Zorn vielleicht doch noch freien Lauf lassen könnte.

152

Eine Woche später folgte er seinem Schwiegervater durch die Straßen zur Wohnung des Bergrats. Er hatte keine bestimmte Absicht, er wollte nur kartieren, welche Strecken Ludwig Tacker benutzte.

Er versteckte sich in den Schatten, es war ein warmer Abend, er wartete vier Stunden in der Dunkelheit, bis Ludwig Tacker in Gesellschaft von zwei Männern nach Hause ging. Der eine strauchelte hin und wieder, sie lachten, blieben manchmal stehen und gingen dann unter lebhaften Gesprächen weiter.

In dieser Nacht, nachdem seine Frau sich hingelegt hatte, saß er in seinem Arbeitszimmer und machte einen Plan. Auf dem Tisch lagen der Hammer und der dunkle Schal. Er war ganz ruhig.

Es war, als würde er eine seiner Expeditionen vorbereiten.

Er merkte nicht, daß seine Frau zweimal in der halboffenen Tür stand und ihn betrachtete.

153

Der Abend war windig, vereinzelte Regenschauer zogen vorüber.

Er hatte den Schal und den Hammer mit dem Sockenkopf in seinen Mantel gesteckt. Als Ludwig Tacker aus der Haustür trat, eilte Lars Tobiasson-Svartman los, um ihm an einer Stelle den Weg abzuschneiden, wo es sehr dunkel und meist ganz menschenleer war. Er versteckte sich in den Schatten an der Hauswand. Sein Schwiegervater ging so nah an ihm vorbei, daß er den Geruch seiner Zigarre wahrnahm. Sein Spazierstock schlug gegen die Pflastersteine. Lars Tobiasson-Svartman band sich den Schal vors Gesicht und griff nach dem Hammer. Sieben, acht Schritte, nicht mehr, dann hätte er ihn eingeholt.

Ludwig Tacker drehte sich rasch um und hob zugleich seinen Stock. »Wer sind Sie?« schrie er. »Was wollen Sie?«

Der Schreck überwältigte Lars Tobiasson-Svartman. Er war im Begriff zu versinken. Um sich zu schlagen war die einzige Möglichkeit, wieder an die Oberfläche zu kommen. Ludwig Tacker wehrte sich mit einem Brüllen, schlug mit dem Stock, während er versuchte, den Schal abzureißen, der Lars Tobiasson-Svartmans Gesicht verhüllte. Ludwig Tacker war stark. Er zog und zerrte, und der Schal war halb heruntergerissen, als der Hammer ihn an der Nase traf. Es knirschte. Ludwig Tacker sackte zusammen.

Lars Tobiasson-Svartman lief weg. Er warf den Hammer in den Nybroviken, nachdem er den Schal am Schaft festgebunden hatte.

Die ganze Zeit fürchtete er, daß jemand ihn fassen würde.

Aber niemand kam. Er war mit seiner Angst allein.

Lange stand er vor dem Haus in der Wallingata. Noch nie in seinem Leben hatte er einen solchen Schrecken erlebt.

Ludwig Tacker hätte ihn um ein Haar entlarvt. Alles wäre zu Scherben zerfallen.

Schließlich öffnete er die Haustür und ging die Treppen zur Wohnung hinauf.

Kristina Tacker schlief. Er horchte an ihrer Tür.

Er setzte sich in das warme Zimmer und hoffte, daß Ludwig Tacker tot sein möge.

154

Der Überfall auf Ludwig Tacker hatte Aufsehen erregt. Die Neuigkeit wurde in den Zeitungen groß herausgebracht. Alle waren sich einig, daß es sich bei dem Täter um einen Verrückten handelte.

Aber sein Schwiegervater starb nicht. Er hatte einen Bruch des Kiefers erlitten, die Nase war ebenfalls gebrochen, und er hatte sich ein tiefes Loch in die Zunge gebissen. Die behandelnden Ärzte stellten auch eine Gehirnerschütterung fest.

Es war Abend. Kristina Tacker hatte ihren Vater besucht. Lars Tobiasson-Svartman saß in seinem Arbeitszimmer und studierte eine meteorologische Zeitschrift, als sie ins Zimmer trat.

»Ich will dich nicht stören«, sagte sie.

Er legte die Zeitschrift weg und deutete auf das Sofa vor einem der hohen Fenster. Sie ließ sich schwer darauf sinken.

»Du störst mich nicht«, antwortete er. »Wie könntest du mich stören?«

»Ich habe über das nachgedacht, was geschehen ist.«

»Wir müssen dankbar sein, daß er nicht schwerer verletzt wurde.«

Sie schüttelte den Kopf. »Was ist das für eine Person, die versucht, einen Menschen zu töten, den sie nicht kennt?«

»Es ist wie im Krieg.«

»Wie meinst du das?«

»Man tötet keine Menschen, man tötet Feinde. Und der Feind ist fast immer gesichtslos. Dieser Mann hier führt seinen eigenen, geheimen Krieg. Alle sind seine Feinde, keiner ist sein Freund.«

Sie fragte nichts weiter, sondern verließ das Zimmer.

Er griff nach einer Zeitung und las über sich selbst. Über den Verrückten, nach dem gefahndet wurde.

Ich bin ganz ruhig, dachte er. Niemand faßt mich, niemand weiß etwas. Der Mann, der aus der Dunkelheit auftauchte, ist wieder fort. Er wird nicht wiederkehren, er wird ein Rätsel bleiben.

Einen kurzen Augenblick lang war die Versuchung groß, Ludwig Tacker zu erzählen, wer sich hinter dem Schal verborgen hatte.

»Es tut mir sehr leid, was geschehen ist«, sagte er. »Es ist die Pflicht der Polizei, den Verrückten aufzuspüren. Wir können nur hoffen, daß es ihr gelingt. Ich bin froh, daß es trotz allem nicht mit einer Katastrophe geendet hat.«

Ludwig Tacker betrachtete ihn, ohne etwas zu sagen. Dann winkte er abwehrend mit der Hand. Er wollte in Ruhe gelassen werden.

Lars Tobiasson-Svartman setzte sich auf eine Bank im Humlegården-Park.

Das bin ich nicht, dachte er. In kurzen Momenten bin ich jemand anders, vielleicht mein Vater, vielleicht jemand, den ich mir nicht einmal vorstellen kann. Ich suche nach etwas, nach einem Boden, den es nicht gibt, weder im Meer noch in mir selbst.

Die Gedanken glitten davon. Kinder spielten im Park. Sein Kopf war ganz leer. Plötzlich überkam ihn eine große Müdigkeit, wie ein schleichender Nebelgürtel.

Als er erwachte, war es schon spät am Nachmittag. Er ging nach Hause.

In der Wohnung wartete das Dienstmädchen mit rotgeweinten Augen. Die Wehen hatten eingesetzt, obwohl es noch lange vor der Zeit war.

Die Aufregung, dachte er.

Ihre Aufregung und Angst, die ich jetzt teile. Ich hatte gehofft, daß Ludwig Tacker sterben würde.

Es endet vielleicht statt dessen damit, daß ich mein eigenes Kind töte.

156

Am Abend gebar Kristina Tacker eine Tochter.

Die Ärzte waren sehr unsicher, ob das Kind überleben würde. In den folgenden Tagen verließ Lars Tobiasson-Svartman die Wohnung nicht. Er ließ das Dienstmädchen mit Auskünften vom Serafimerlazarett kommen und gehen.

Die Tage waren schwül. In den Nächten, wenn das Dienstmädchen erschöpft eingeschlafen war, ging er oft nackt in den Zimmern umher. Er saß häufig an seinem Arbeitstisch, um aufzuschreiben, was er dachte. Aber er entdeckte ein ums andere Mal, daß er keine Gedanken hatte, in ihm war nichts als eine große Leere.

Eines Nachts, als er nicht schlafen konnte, packte er einen Koffer. Er versuchte, die Sachen so zu falten, als wäre es seine Frau, die das Gepäck vorbereitete.

Die Porzellanfiguren standen stumm in ihren Regalen. Er wartete.

157

Am 2. August erhielt er eine telephonische Nachricht von einem Oberarzt namens Edman.

Er solle sich unverzüglich im Krankenhaus einfinden. Seine Panik wuchs so stark, daß er Magenkrämpfe bekam. Zusammengekrümmt vor Schmerz verließ er die Wohnung.

Wenn das Kind gestorben wäre, würden ihn die Anklagen seiner Frau treffen. Er war zu lange abwesend gewesen, er hatte keine Verantwortung übernommen. Oder war etwas mit ihr geschehen? Hatte eine Infektion sie befallen? Er hatte keine Ahnung, saß nur in der Droschke und zitterte.

Ludwig Tacker, dachte er plötzlich. Hat er begriffen, daß ich es war, der ihn angegriffen hat? Hat er es ihr erzählt?

Als er zum Krankenhaus kam, mußte er zuerst eine Toilette aufsuchen. Dann klopfte er beim Oberarzt, hörte ein kraftvolles »Herein« und trat ein.

Doktor Edman war groß und kahl. Er deutete auf einen Stuhl. »Sie scheinen große Angst zu haben.«

»Es hat mich natürlich sehr beunruhigt, daß ich hergerufen wurde.«

»Alle fürchten immer das Schlimmste, wenn sie ins Krankenhaus bestellt werden. Ich habe versucht, das Personal dazu zu bringen, am Telephon nicht so schrecklich dramatisch zu klingen. Aber Krankenhäuser sind erschreckend, ob man will oder nicht. Sie können jedenfalls ganz beruhigt sein. Ihre Tochter wird überleben. Sie ist stark, hat einen großen Lebenswillen.«

Die Erleichterung war unbeschreiblich. Einmal hatte er sich bei einem Sturz von einer Treppe einen Arm verletzt. Die Schmerzen waren sehr stark gewesen, und er hatte vom Schiffsarzt eine Morphiumspritze bekommen. Er hatte nie das Gefühl von Befreiung vergessen, als die Injektion zu wirken begann. Jetzt war es wieder so, als hätte ihm jemand eine Droge in die Blutbahn gepumpt. Der Magenkrampf verschwand, Doktor Edman stand wie ein lächelnder weißgekleideter Erlöser vor ihm.

»Die beiden müssen noch eine Weile im Krankenhaus bleiben«, fuhr der Oberarzt fort. »Wir lernen viel bei jeder Gelegenheit, wenn wir ein zu früh geborenes Kind beobachten können.«

Er verließ Doktor Edman und ging hinaus auf den Korridor.

Ich verdiene es nicht, dachte er. Aber meine Tochter will leben, sie hat vielleicht eine größere Lebenskraft als ich.

Er ging hin, um das Wunder zu schauen.

158

Er fand, sie gleiche einem getrockneten Pilz.

Aber sie ist mein, dachte er. Sie ist mein, und sie lebt.

Kristina Tacker lag in einem Einzelzimmer. Sie war bleich und müde.

Er setzte sich auf die Bettkante und nahm ihre Hand. »Es ist ein schönes Kind«, sagte er. »Ich will, daß sie Laura heißt.«

»Wie wir es beschlossen haben«, antwortete sie mit einem schwachen Lächeln.

Er blieb nicht lange. Kurz bevor er ging, sagte er, daß er jetzt seinen Auftrag antreten müsse. Er hätte eigentlich schon auf dem Weg sein sollen, konnte aber einen Aufschub erwirken, da er wissen wollte, ob das Kind überlebte.

»Ich bin dir dankbar, daß du geblieben bist«, sagte sie.

»Alles wird gut«, erwiderte er. »Ich bin bald wieder zurück.«

Er verließ das Krankenhaus.

Er empfand eine Erleichterung, als würde er sich langsam in warmes Wasser gleiten lassen.

159

Nachts lief er nackt in der Wohnung herum.

Kurz vor der Morgendämmerung öffnete er leise die Tür zum Zimmer des Dienstmädchens. Sie hatte die Decke abgeworfen und lag ganz nackt im Bett. Er blieb lange stehen und betrachtete sie, ehe er das Zimmer verließ.

Am Morgen, als sie wach wurde, hatte er sich schon aufgemacht.

Teil 9

DER ABDRUCK
DES DEUTSCHEN
DESERTEURS

160

Er ging am Fluß entlang, einen gewundenen Weg zwischen dürren Brennesseln und hohen Farnwedeln.

Es war der dritte Tag nach der Flucht aus Stockholm, fort von Kristina Tacker und dem Kind. Auf dem Marktplatz von Söderköping hatte er bei den Fischständen nach jemandem gesucht, der durch Slätbaken fahren und dann in Richtung Finnö abbiegen würde. Zwei Knechte von Kettilö waren bereit, ihn mitzunehmen, gegen ein Entgelt in Branntwein. Sie würden sich in zwei Tagen an der Einmündung des Flusses treffen, da sie hofften, bis dahin all ihren Fisch verkauft zu haben.

An dem Pfad gab es eine Öffnung, eine Lichtung hinunter zum braunen Fluß. Er setzte sich auf einen Stein und schloß die Augen. Obwohl er sich langsam bewegt hatte, ohne sich anzustrengen, atmete er heftig, als wäre er gerannt. Auch wenn er saß oder schlief, raste sein Puls. Er lief und lief.

Schon bevor er im Zug nach Süden gefahren war, hatte er einen Brief an Kristina Tacker geschrieben. Er hatte seinen plötzlichen Aufbruch damit begründet, daß der große Krieg in eine unerwartete und beunruhigende Phase eingetreten war. Alles war natürlich streng geheim, jeder Brief, den er an sie schrieb und der die kleinste Andeutung über die Art seines Auftrags enthielt, bedeutete, daß er sich selbst, sie und das Kind in Gefahr brachte.

Er saß an einem Tisch im Bahnhofsrestaurant erster Klasse. Seine Hand zitterte, als er den Namen Laura schrieb. Ohne daß er sich beherrschen konnte, fing er an zu weinen. Eine Kellnerin schaute ihn fragend an, sagte aber nichts. Er sammelte sich und begann, seinen neuen eiligen Auftrag zu erschaffen.

Der Krieg, schrieb er. Er nähert sich unseren Grenzen, vorläufig kann man dem Volk in diesem Land nichts weiter darüber sagen. Aber Militärs wie ich, die wissen Bescheid. Die Überwachung unserer Grenzen muß verstärkt werden. Ich werde mich an Bord verschiedener Schiffe befinden. Die Positionen werden wechseln, von der Ostsee nordwärts und südwärts oder entlang den Küsten von Halland und Bohuslän. Meine Briefe werden nicht über die Militärpost in Malmö gehen, sondern von speziellen Stationen der Marine entlang der Ostküste befördert werden. Nichts von dem, was ich schreibe, darfst du verraten, das würde mich in Gefahr bringen, mir würden Repressalien drohen und die Gefahr der Entlassung. Ich werde bald wieder schreiben.

Er warf den Brief am Bahnhof ein, kaufte eine Fahrkarte nach Norrköping und verließ die Stadt. Kurz vor Södertälje kam der Zug an einem lokalen Waldbrand vorbei. Der Rauch legte sich wie ein Nebel über das Abteilfenster.

Das ist der, den ich suche, dachte er. Der Nebel, in den ich hineinrudern kann, auf die gleiche Weise, wie ich mich einer einsamen Schäre genähert habe und Sara Fredrika fand.

Er fuhr weiter nach Söderköping und verbrachte die Nacht in dem Hotel an der Kanalböschung. Ohne daß er verstand, warum, trug er sich unter falschem Namen ein. Er nannte sich Ludwig Tacker, gab keinen Titel an und nannte als Adresse die Humlegårdsgata.

Die Nacht war schwül. Er lag wach auf den Laken.

Hier weiß niemand, wo ich bin, dachte er. Im Moment bin ich sicher. Wenn alle meine Position bestimmen können, habe ich mich verirrt.

In der Morgendämmerung machte er einen Spaziergang am Kanal entlang, ging hinauf zur Kuppe des Ramunderbergs, kehrte ins Hotel zurück, trank Kaffee und verfaßte einen weiteren Brief an seine Frau. Er beschrieb sich als hochgestimmt und glücklich über die Geburt des Kindes, sei sich dabei aber seiner Pflichten sehr bewußt.

Der Brief war kurz. Er klebte den Umschlag zu und verließ das Hotel.

Der Tag war heiß. Erst als er auf den Pfad kam, der sich am Fluß entlangschlängelte, empfand er so etwas wie Abkühlung.

161

Als er auf dem Stein in der Lichtung saß, begann er zu überlegen. Sollte er seinen Auftrag länger ausdehnen als ursprünglich beabsichtigt? Der Pfad neben dem Fluß, der warme und feuchte Geruch nach Lehm und Schlamm, lenkte seine Gedanken zu anderen Kontinenten, vielleicht nach Afrika, Asien. Ein Kurier würde seine Briefe über die Grenze bringen und in Schweden aufgeben. Kristina Tacker würde sich vor fernen Gefahren ängstigen, vor Krankheiten, Insekten und Schlangen, die stachen oder bissen. Zugleich würde der Abstand sein Geheimnis vergrößern, sie würde es niemandem erzählen, nicht einmal ihrem eigenen Vater. Sie verstand auch nichts von Kriegsschiffen. Wenn er behauptete, es gebe ein Schiff, das sich in der atemberaubenden Geschwindigkeit von 80 Knoten fortbewegen könne, würde sie seine Angabe nicht in Frage stellen.

Kristina Tacker stellte keine Geheimnisse in Frage.

Er blieb auf dem Stein sitzen und spielte mit dem Gedanken an Expeditionen in ferne Länder.

Er nahm eine Vermessung vor, an der er sich noch nie versucht hatte. Wie weit von der Wahrheit entfernt würde er eine Phantasie hegen können, ohne daß sie zerbrach?

Es gab natürlich keine Antwort. Er stellte sich auch vor, daß er das Lot in eine Taucherglocke verwandelte und selbst mit hinunter in die Tiefe sank. Wieviel Druck würde er aushalten? Würde die Schale standhalten oder würde sie zerbrechen und er selbst zurück an die Oberfläche und zur Wahrheit emporgeschleudert werden?

Es war bereits Nachmittag, als er sich von dem Stein erhob und seinen Weg zur Flußmündung fortsetzte.

Er stellte sich vor, daß er auf einem Pfad irgendwo in einem dampfenden Regenwald in einem namenlosen tropischen Land entlangstapfte.

162

Das Boot war vom selben Typ wie das von Sara Fredrika, aber das Segel war geflickt, und die Knechte waren betrunken. Sie schliefen zusammengedrängt zwischen leeren Wannen und Körben im Boot. Als er sie weckte, war es bereits sechs. Der ältere von beiden, Elis, fragte, ob er den Branntwein dabeihabe. Er zeigte ihnen die Flaschen, sagte aber, daß er sie nicht übergeben werde, bevor sie sich nicht südlich vom Finntarmen befänden, und am liebsten erst dann, wenn sie am Ziel wären.

Aber was war das Ziel? Es war der jüngere von beiden, Gösta, der fragte.

»Das ist geheim. Ein militärischer Auftrag«, erwiderte er. »Ich muß an einer Schäre an Land gehen und werde von dort von einem Schiff der Flotte abgeholt.«

»Welche Insel?« fragte Gösta.

»Ich werde sie euch zeigen, wenn wir uns nähern.«

Die Knechte waren verkatert und mißgelaunt und wollten bis zum nächsten Morgen warten, ehe sie die Flußmündung verließen. Aber er drängte sie, er hatte keine Zeit. Es blies eine steife Brise, so daß sie von Slätbaken wegsegeln konnten, statt über Nacht dort zu liegen. Gösta saß an der Pinne, während Elis das Segel bediente. Jedesmal, wenn er die Schoten dichtholte oder fierte, stieß er einen Fluch aus.

Lars Tobiasson-Svartman kauerte sich im Vorschiff zusammen. Den Sack mit dem Lot hatte er zwischen den Beinen. Es roch herb vom Meer, so wie er sich von seiner Zeit auf der Blenda erinnerte.

Sie legten in einer Bucht kurz vor der Einmündung von Slätbaken an.

Auf der gegenüberliegenden Seite der engen Bucht hatte er mit Sara Fredrika übernachtet.

Plötzlich befiel ihn ein furchtbares Gefühl von Angst. Es war, als führe er nicht mehr südwärts durch das innere Schärenmeer von Östergötland, sondern würde an dem Lotseil in seinem eigenen Innern hinabgelassen.

Ihm stockte der Atem.

Erst als das Feuer heruntergebrannt war und die Knechte schliefen, spürte er, daß die Panik langsam nachließ.

Er schaute auf die schnarchenden Knechte. Ich beneide sie, dachte er.

Aber zwischen ihrem Leben und meinem eigenen gibt es einen Abstand, der nicht zu überbrücken ist.

163

Sie befanden sich zwischen Rökholmen und Lilla Getskär, als Gösta abermals fragte, wo er an Land gesetzt werden wolle.

Der Wind hatte über Nacht aufgefrischt, und sie segelten schnell nach der Nachtruhe.

»Halsskär«, antwortete Lars Tobiasson-Svartman.

Die Knechte sahen ihn fragend an.

»Das Felsinselchen draußen im Meer? In Richtung der Leuchttürme und der Robbenfelsen?«

»Es gibt ein Halsskär südlich von Västervik und ein anderes in der Nähe von Härnösand. Aber dahin sollt ihr mich nicht bringen.«

»Was hast du auf der verdammten Schäre zu suchen? Da wohnt ein verrücktes Weib, ist sie es, die du treffen willst?«

»Ich kenne keinen Einheimischen auf dieser Insel. Ich habe meine Anweisungen. Ich soll dort abgeholt werden.«

Die Knechte schienen belustigt. »Es heißt, daß finnische Wilderer, die in den äußeren Schären herumziehen, bei ihr einkehren und sich abstreifen, auf dem Weg hinaus und auf dem Heimweg«, sagte Elis.

Lars Tobiasson-Svartman wurde es ganz kalt. Aber auch wenn er sie hätte töten können, wollte er wissen, welche Gerüchte umgingen. »Gibt es eine Hure auf der Schäre? Wie ist sie da gelandet?«

»Ihr Mann ist ertrunken«, sagte Gösta. »Wovon sollte sie sonst leben? Ich habe sie gesehen. Ein richtiges verdammtes Drecksweib. Man muß schon sehr geil sein, wenn man mit ihr ins Bett will.«

»Hat sie einen Namen?«

»Sara. Obwohl andere Fredrika sagen.«

Die Knechte verstummten. Das Segelboot machte gute Fahrt. Allmählich erkannte er jetzt die Inseln, die Buchten breiteten sich aus, das Eis, das hier gelegen hatte, war eine ferne Erinnerung.

Er stellte sich die Knechte tot vor, tief unten am Boden des Meeres.

Spätnachmittags lief das Segelboot in die Bucht ein, in der Sara Fredrikas Boot vertäut lag.

Er übergab zwei Literflaschen und sprang an Land. »Wenn jemand fragt, hattet ihr niemand aus Söderköping dabei«, sagte er.

»Wer sollte uns fragen?« sagte Gösta. »Wen kümmert es, wen ein paar verdammte Knechte mit im Boot haben?«

»Es darf nicht herauskommen. Es herrscht Krieg, und was ich tue, ist geheim. Ein einziges Wort darüber, wo ich an Land gegangen bin, kann euch lebenslänglich ins Gefängnis bringen.«

Sie steuerten nach Süden. Er sah ihnen nach. Sie saßen in eifrigem Gespräch miteinander. Aber er dachte, daß sie nichts von ihm erzählen würden. Er hatte sie ausreichend eingeschüchtert.

Er betrachtete die Netze, den Fischkasten, die Geräte, die Senksteine. Das Boot war vertäut, es mußte nicht hochgezogen werden, wenn das Wasser stieg. Er sah hinüber zum Pfad und all dem Grün, das in den Felsspalten und an den Hängen wucherte.

Er versuchte, um sich her einen Raum zu schaffen. Aber keine Wände wollten sich erheben.

164

Das erste, was er vor dem Häuschen sah, war eine Katze, die ihn mit wachsamen Augen betrachtete. Er hatte das Gefühl, es sei dieselbe Katze, die er in seiner Raserei totgeschlagen hatte.

Er verachtete das Übernatürliche. Der Mensch arbeitete ständig daran, seine Götter überflüssig zu machen. Er war ein messendes Geschöpf. Eines Tages würden die Zeit und vielleicht auch der Raum mit bisher unbekannten Maßstäben zu messen und zu kontrollieren sein. Das Übernatürliche waren Schatten, die in den Resten der kindlichen Angst vor der Dunkelheit herumtanzten. Normalerweise gelang es ihm, ihnen zu widerstehen. Aber die Katze erschreckte ihn.

Sie verschwand, als er zum Fenster ging.

Sara Fredrika lag auf der Pritsche und schlief. Er starrte auf ihren enormen Bauch.

Sie mußte ihn gehört oder vielleicht eine Bewegung am Fenster geahnt haben. Sie wandte ihm ihr Gesicht zu und schrie vor Freude auf. Er öffnete die Tür und nahm sie in die Arme. Sie war warm und verschwitzt, es dampfte um ihren

Körper. Sogleich verdrängte er alle Gedanken an Kristina Tacker und Laura.

Jetzt gelang es ihm, die Wände zu errichten. Es gab nichts außerhalb von Halsskär, nichts, was er nicht mehr kontrollieren konnte. Er hielt alle Abstände in seinen Händen.

»Wie bist du gekommen?« fragte sie. »Ich habe nichts gehört. Und hatte auch keine Vorahnung.«

»Ich bin mit ein paar Fischern aus dem Süden gekommen. Von Loftahammar, sagten sie.«

»Die diesen Weg gesegelt sind? Von wo aus?«

»Norrköping.«

»Wie hast du sie gefunden?«

»Im Hafen. Sie hatten ein Segelboot gekauft oder eingetauscht, ich habe es nicht richtig verstanden. Ich hatte Glück. Sonst wäre ich bis Söderköping weitergefahren.«

Nicht einmal die Knechte gehören zu meiner Geschichte, dachte er. Ich gehe auf dem Wasser, ohne Spuren zu hinterlassen.

»Du hast eine neue Katze«, sagte er.

»Ich habe sie von Helge. Nicht daß ich um genau die gleiche gebeten hätte und nicht daß Helge gesehen hätte, was für eine Art von Katze ich früher hatte. Sie ist eine gute Gesellschaft. Aber ihr fehlen die Mäuse, es gibt keine hier auf der Schäre. Und vor Schlangen fürchtet sie sich.«

Sie gingen hinein. Alles war so, wie er es in Erinnerung hatte, niemand schien im Haus gewesen zu sein, seit er abgereist war. Trotzdem stieg eine seltsame Unruhe in ihm auf, ein Verdacht, daß doch etwas während seiner Abwesenheit anders geworden sei.

Es brauchte eine Weile, bis er es erkannte.

Ihre Augen hatten sich verändert. Sie sah ihn auf eine andere Art an.

Irgend etwas war doch geschehen.

165

Er fragte sie am Abend.

Ein Unwetter war von Westen heraufgezogen, die Donnerschläge waren so stark, daß die Wände wackelten. Sie hatte Schmerzen im Rücken und lag ausgestreckt auf der Pritsche.

»Nichts ist geschehen«, antwortete sie. »Die Katze hat Helge an Land geworfen. Ich habe auf dich gewartet, sonst nichts.«

Er hörte intensiv hin und nahm eine Veränderung in der Stimme wahr. Etwas war vorgefallen, aber was? Er sollte nicht weiterfragen, jedenfalls nicht jetzt.

In der Nacht spürte er, daß sie Abstand von ihm hielt. Es war kaum merkbar, aber es war so. Sie war mißtrauisch, vielleicht unsicher. Aber was konnte passiert sein?

Er bekam Angst. Irgendwie wußte sie jetzt, daß er verheiratet war, daß keine Ehefrau und keine Tochter einen Abhang hinuntergefallen waren.

Vorsichtig erhob er sich von der Pritsche, aber sie wachte auf.

»Wohin willst du?«

»Ich muß nur hinaus.«

»Der Rücken tut mir weh.«

»Schlaf. Es dämmert erst.«

»Wie soll ich das Kind hier gebären?«

»Ich hole mit dem Boot Hilfe, wenn es soweit ist.«

Das Unwetter war vorbeigezogen. Das spärliche Gras war naß, Wasser floß von den Klippen hinab. Die Katze kam aus einem Felsspalt unter dem Haus hervor. Sie folgte ihm hinunter in die Bucht, wo er eine kleine Flunder aus dem Fischkasten zog und ihr zuwarf.

Konnte sie trotz allem etwas über ihn erfahren haben? Er

versuchte, den Weg bis zu ihrem ersten Treffen zurückzugehen, ohne etwas zu finden.

Plötzlich stellte er sich vor, der Deserteur sei an die Oberfläche getrieben oder in eins ihrer Netze geraten. Aber das konnte nicht sein. Der Körper konnte nicht wiedergekehrt sein, er hatte den Senkstein ordentlich befestigt. Auch hatte sie keine Netze, die so tief zum Meeresboden reichten.

Er ging auf der Insel herum, mit der Katze als einsamer Nachhut. Die Gewitterwolken waren weitergezogen. Er ging hinauf zur höchsten Spitze, erinnerte sich plötzlich an Leutnant Jakobsson, wie er an seiner Reling gepinkelt hatte.

Ferne Erinnerungen, dachte er. Wie Träume.

Er fragte sich, ob es möglich wäre, sein Lot in der Dunkelheit unter der Oberfläche aller Träume zu versenken.

Weit draußen am Horizont sah er ein Schiff auf dem Weg nach Norden. Er hatte den Feldstecher nicht dabei und konnte nicht ausmachen, ob es ein Kriegsschiff war.

Die Katze war plötzlich verschwunden.

Noch immer verstand er nicht, was geschehen war.

166

Die Wärme hielt an.

Sara Fredrika fiel es schwer, sich zu bewegen, der Rücken schmerzte, und sie klagte darüber, daß sie nirgends Abkühlung finden konnte. Er fischte und kümmerte sich um das, was getan werden mußte. Wenn er mit den Netzen beschäftigt war, die Fische ausnahm oder Wassereimer trug, konnte er eine große Ruhe empfinden, die Wände rings um ihn her waren immer noch stabil. Hin und wieder erblickte er Kristina Tacker und das neugeborene Kind. Wußte sie, was er getan hatte, daß er ihre Existenz einer anderen Frau gegenüber verleugnet hatte? Aber woher sollte sie das wissen?

An einem frühen Morgen Mitte August, als er unterwegs zum Jungfrugrunden war, um ein Netz einzuholen, blieb er an den Rudern sitzen. Es war windstill, das Meer bewegte sich in langsamer Dünung.

Plötzlich merkte er, daß er sich in der Nähe der Stelle befand, an der die beiden deutschen Matrosen am Boden lagen. Er könnte dorthin rudern, das Seil vom Heck an einem Senkstein festzurren, sich selbst mit diesem über Bord heben, und alles wäre endlich zu Ende.

Vielleicht war das die einzige bodenlose Tiefe, die er zu finden hoffen konnte? Dem Tod entgegenzusinken, nicht wissend, was mit ihm geschah, nachdem sich die Lungen mit Meerwasser gefüllt hatten?

Mit festem Griff ruderte er weiter.

Das Netz, das er einholte, enthielt viel Fisch. Die Gedanken an den Tod waren sofort vergangen.

Sara Fredrika kam hinunter zum Strand und half ihm beim Ausnehmen. Wegen des Rückens bewegte sie sich mühsam, und ihr Gesicht war verzerrt.

Sie sprachen nicht viel miteinander.

167

Am nächsten Tag säuberte er sein Lot und begann, die Tiefen rings um Halsskär zu messen. Er las die Tiefe ab, trug die Ergebnisse in ein Notizbuch ein und ließ das Lot von neuem sinken.

Es war, als würde er zwei Stimmen lauschen, einem Gespräch zwischen Meer und Land, das nie abgeschlossen wurde. Jede Welle oder Dünung brachte Fragmente von Erzählungen mit, jede Felsplatte stimmte ein.

Er ließ das Lot auf dem Süllbord ruhen. Früher hatte er immer gedacht, daß sich ein ewiger Kampf zwischen dem Meer und den Klippen abspielte.

Jetzt erkannte er, daß er sich getäuscht hatte.

Es war eine Umarmung, die niemals ihr Begehren verlor.

Ein langsam wachsendes Vertrauen, dachte er. Die Landhebung geschieht unsichtbar, die Klippe und das Meer verlassen sich aufeinander.

Er kehrte Halsskär den Rücken und schaute aufs Meer hinaus.

Der Horizont war leer.

Er dachte vage, daß irgend etwas fehlte, etwas, das da hätte sein sollen, war verschwunden.

168

Als er nach Hause kam, saß sie vor dem Haus und erwartete ihn.

Ihre Augen waren blank.

Er blieb stehen, um ihr nicht zu nahe zu kommen.

Sie warf ihm zwei kleine Holzpflöcke vor die Stiefel. Er begriff nicht sofort, was es war. Dann sah er das getrocknete und geglättete Seilstück, das die Pflöcke verband.

Seine Eissporen. Die er dem Deserteur in die Augen gebohrt hatte.

Ihm wurde ganz kalt. Er war sicher, daß er sie in die Kleidung des Toten gesteckt hatte, bevor er ihn mit dem Senkstein in das Eisloch gestoßen und die Leiche rasch hatte verschwinden sehen.

Er sah sie an. Kam noch mehr? War dies nur der Anfang?

»Was ist da an den Stöcken dran?« fragte sie.

»Ich verstehe nicht, was du meinst.«

»Sie gehören dir, oder?«

»Freilich gehören sie mir. Aber sie waren verschwunden, ich wußte nicht, wo sie hingekommen sind.«

»Heb sie auf!«

Er bückte sich. Auf dem hellbraunen Holz befand sich eingetrocknete Farbe. Es sah aus wie dunkelroter Rost. Blut, dachte er. Das Blut des Deserteurs.

»Ich verstehe immer noch nicht, was du meinst.«

»Es klebt Blut daran.«

»Es kann alles mögliche sein. Warum gerade Blut?«

»Weil ich es erkenne. Einmal hat sich mein Mann an einem Messer geschnitten. Es war ein tiefer Schnitt, ich dachte, es würde nie aufhören zu bluten. Diese Farbe vergesse ich nie. Getrocknetes Blut auf hellem Holz, die Farbe, als ich dachte, mein Mann würde sterben.«

Sie fing an zu weinen, aber hielt schnell inne. »Ich habe sie am Uferrand gefunden. Beim letzten Mal, als ich um die Schäre herumging, bevor ich so dick wurde, daß ich mich nicht mehr auf den Klippen bewegen konnte. Ich hätte niemals dorthin gehen sollen.«

»Ich muß sie verlegt haben.«

Sie sah ihn an. Ihm wurde jetzt klar, daß es eigentlich nicht die Eissporen waren, die er in ihren Augen und ihrer Stimme geahnt hatte, sondern ihre Angst vor einer Lüge, vor etwas, was er ihr nicht erzählt hatte.

»Du hattest sie immer dabei, wenn du aufs Eis gegangen bist. Eines Tages waren sie dann verschwunden. Jetzt finde ich sie blutgetränkt.«

Der Deckel über dem Abgrund war sehr dünn. Er versuchte, sich nicht zu bewegen.

»Was ist geschehen?« fragte sie. »An dem Tag, als er starb. Ich habe nie verstanden, nie glauben können, daß er direkt in den Eismatsch und den Tod hineinstieg. Weder das, noch, daß er die Katze getötet hat.«

»Warum sollte ich etwas anderes gesagt haben als das, was wirklich geschehen ist?«

»Ich sage doch, daß ich das nicht weiß.«

»Ich sollte ihn getötet haben? Ist es das, was du meinst?«

Sie erhob sich mühsam von der Bank. »Ich sage nicht, daß du etwas verheimlichst oder die Unwahrheit sagst. Ich habe nur die Eissporen gefunden und sah das Blut daran kleben.«

»Ich wollte dir einen Teil der Wahrheit ersparen. Er hat die Katze mit den Eissporen umgebracht. Ich habe sie auf dem Eis gefunden.«

Sie sagte nichts.

»Du glaubst also, daß ich dir etwas erzählt habe, was nicht wahr ist? Glaubst du, ich würde so etwas wagen? Verstehst du nicht, daß ich eine Todesangst habe, dich zu verlieren?«

Zu seinem Erstaunen spürte er, daß es genau das war, wovor er Angst hatte.

Sie sah ihn lange an. Dann beschloß sie, ihm zu glauben.

Um Haaresbreite wäre der Deckel über dem Abgrund zerbrochen.

169

An diesem Abend und in der Nacht war er ganz ruhig. Alle Entfernungen hatten ihren Sinn verloren. Er hatte Kontrolle über sich selbst und über Sara Fredrika. Die Eissporen hatten eine glaubhafte Erklärung gefunden, ihre Unruhe war verflogen.

In dieser Nacht sprachen sie über das Kind und was danach geschehen würde.

»Wenn es soweit ist«, fragte er, »wer hilft dir?«

»Es gibt eine Hebamme auf Kråkmarö, Frau Wester. Sie weiß, daß ich in Erwartung bin. Aber du mußt nach Kråkmarö segeln und sie holen.«

Vor allem wollte sie über die Zukunft sprechen, über die Zeit nach der Schäre. Sie konnte sich nicht vorstellen, daß es für das Kind eine andere Verbindung zu Halsskär geben sollte als die: Es war der Ort, an dem es geboren wurde und den es danach verließ.

In seiner Phantasie hatte er sich einen Plan für ihre Abreise nach Amerika zurechtgelegt. Er erzählte von der Gefahr durch die Kriegsschiffe, die entlang der europäischen Fahrwasser Richtung Westen jagten. Aber dank seiner Beziehungen würden sie in aller Verschwiegenheit mit einem schwedischen Schiff in einem geheimen Fahrwasser nördlich von Island fahren. Alles war geplant, das einzige, was nicht festgelegt werden konnte, war der exakte Zeitpunkt der Abreise. Sie mußten warten und dann kurzfristig aufbrechen.

»Sollen wir hier warten? Wer wird uns abholen?«

»Dasselbe Schiff, mit dem ich zum ersten Mal hergekommen bin.«

Seine Antworten beruhigten sie. Ich schaffe Zeit, dachte er. Ich vergrößere den Abstand zu dem Punkt, an dem ich einen endgültigen Entschluß fassen muß.

Er legte die Hand auf ihren Bauch und spürte, wie das Kind sich bewegte. Es war, als wölbte er seine Hand über eine Flunder auf einem Sandboden. Das Kind bewegte sich unruhig unter seiner Handfläche, als versuchte es zu entkommen.

War es mit Kindern auch so? Daß sie dem Unausweichlichen entkommen wollten?

Er wölbte seine Hand.

Die Flunder bewegte sich unter seiner Handfläche.

170

Eines Nachts weckte sie ihn.

»Ich höre jemanden schreien«, sagte sie.

Er lauschte. Es war windstill. »Ich höre nichts.«

»Es ist ein Mensch, der schreit.«

Er zog seine Hose an und ging hinaus. Die Erde war kühl unter seinen Füßen.

Da hörte er es, ein ferner Schrei. Es kam vom Meer her.

Sie hatte sich mühsam von der Pritsche erhoben und stand in der Türöffnung. Ihr Gesicht war weiß im Nachtlicht. »Hörst du?«

»Ich höre.«

Sie lauschten. Der Schrei kehrte wieder. Er war immer noch unsicher, ob er von einem Vogel kam oder von einem Menschen. Auch ein Vogel konnte sich in Not befinden, er erinnerte sich an den eingefrorenen Vogel im letzten Winter. Gefrorene Flügel, dachte er, wir müssen ständig unsere Flügel auftauen, um abheben zu können. Und irgendwann geht es nicht mehr.

Wieder ertönte der Schrei. Er ging auf den Berg hinauf, folgte der Richtung des Schreis. Er kam von Südwesten. Schließlich war er sicher, daß es ein Mensch war. Er war auf dem Weg zur Bucht, um mit dem Boot abzulegen, als es aufhörte. Er wartete. Das Meer war still.

Er kehrte in die Hütte zurück. Sie fror, drückte sich an ihn, er legte ihr den Arm um die Schultern. Sie lagen bis in die Morgendämmerung hinein wach und fragten sich, was es gewesen war, ein Mensch oder ein Vogel.

Früh ging er mit seinem Feldstecher auf die höchste Spitze und spähte aufs Meer hinaus.

Da war nichts. Die Dünung rollte langsam gegen die Inseln.

Er stellte sich vor, das Meer sei wie eine alte Frau in einem Schaukelstuhl.

171

Ein Sturm aus Nordost mit niedrigen Temperaturen zog über das Schärenmeer.

Dann kehrte die Flaute zurück. Sara Fredrika fiel es immer schwerer, sich zu bewegen, ihr Rücken plagte sie.

Er fischte und stellte sich vor, der Verwalter von Halsskär

zu sein. Selten dachte er an Kristina Tacker und das neugeborene Kind. Die Erinnerung war wie eine große Leere.

Manchmal zuckte er zusammen, Kristina Tacker und Ludwig Tacker befanden sich dicht hinter ihm.

Eines Morgens, als er zur Bucht hinunterging, hörte er plötzlich Stimmen. Er folgte dem Geräusch, beugte sich über die Klippen und entdeckte ein braunes Mahagoniboot, das vor einer schmalen Landzunge im Südwesten vor Anker lag. Zwei kleine Jollen waren zum Land unterwegs. In den Booten befanden sich weißgekleidete Frauen mit großen Hüten und Männer in blauen Jacken. Die Männer ruderten. Er sah Flaschen im Boot. Die Frauen lachten. Ganz hinten in einer der Jollen saß ein Mann mit nach hinten gedrehter Sportmütze, der ein Instrument vors Gesicht hielt, vielleicht eine Art Kamera.

Er eilte zurück und berichtete es Sara Fredrika. »Es scheinen Sommergäste zu sein«, sagte er. »Aber gibt es die hier? Ich dachte, sie hielten sich in Stockholm und an den Badestränden längs der Westküste auf. Und so spät, fast im Herbst?«

»Ich habe einmal von einem Mann gehört, der mit einem Piano an Bord des Dampfschiffs Tjust aus Söderköping kam«, antwortete sie. »Es war immer Anfang Mai. Aus Stockholm hatte er das Piano mitgenommen und im Vorschiff festgezurrt. Die Männer hatten große Mühe, es an Bord einer Kuhfähre zu schaffen. Dann saß er draußen auf einer Insel und spielte und soff, bis in den September hinein. Dann fuhr er wieder nach Hause.«

»Sie haben kein Piano dabei.«

»Was haben sie hier zu suchen? Auf meiner Insel?«

»Es ist nicht deine Insel. Und sie werden sich vermutlich nicht darum scheren, wenn jemand ihnen verbietet, an Land zu gehen.«

Sie wollte protestieren, aber er unterbrach sie. »Sie werden wissen wollen, wer ich bin«, sagte er. »Ich darf nicht gesehen werden. Laut meinen Anweisungen darf meine Identität nicht enthüllt werden.«

»Wie sollten sie wissen können, daß du ein anderer bist als der, der hier mit mir auf der Insel wohnt? Die Leute beurteilen einen danach, wie man angezogen ist. Nimm die Kleider meines Mannes.«

Er hatte selbst schon daran gedacht. Sie nahm die Kleider aus einer Truhe, sie rochen muffig, nach altem Meer.

»Du siehst aus, als hättest du sie geerbt. Du bist größer als er, aber nicht so breit.«

»Ich leihe sie mir nur«, sagte er. »Wenn wir Halsskär verlassen, werde ich sie verbrennen.«

»Ich will diese Menschen sehen«, sagte sie.

»Du kannst nicht die Klippen hinaufsteigen.«

»Wenn sie dort sind, wo du gesagt hast, gibt es ebene Felsplatten, auf denen ich gehen kann. Ich will diese Hüte sehen.«

Als sie auf die Landzunge hinauskamen, war die Gesellschaft an Land gegangen. Sie hockten sich hinter einen Felsblock. Es brauchte einige Augenblicke, ehe er verstand, daß es um Filmaufnahmen ging, dieses Neue, das gekommen war, Menschen, die in flimmernden beweglichen Bildern herumstolperten, auf eine weiße Leinwand geworfen. Er versuchte, es Sara Fredrika flüsternd zu erklären, aber sie hörte ihm nicht zu.

Der Mann hatte seine Kamera auf ein Stativ gestellt. Die weißgekleideten Damen sprangen auf den Klippen herum, als plötzlich ein Mann mit aufsehenerregendem Schnurrbart und weißgeschminktem Gesicht hinter einem Felsblock auftauchte und auf die Frauen zulief.

Sara Fredrika bohrte die Nägel in seinen Arm. »Er hat einen Schwanz«, fauchte sie. »Aus der Hose kommt ein Schwanz hervor.«

Lars Tobiasson-Svartman sah, daß sie recht hatte. Der

Mann mit schwarzer Schminke um die Augen hatte einen künstlichen Schwanz. Die schreienden Frauen hoben ihre gefalteten Hände zu ihm empor und baten mit aufgewühlten Gesichtern um Gnade. Der Mann hinter der Kamera kurbelte fieberhaft, die Frauen schrien, aber ganz lautlos. Sara Fredrika erhob sich. Ihr Schrei klang wie ein Nebelhorn. Sie kreischte und fing an, Steine nach dem Mann mit dem Schwanz zu werfen.

Lars Tobiasson-Svartman versuchte, sie zurückzuhalten. »Das ist keine Wirklichkeit«, sagte er. »Es ist nicht wahr, es geschieht nicht.«

Er riß ihr einen Stein aus der Hand und schüttelte sie. »Das ist Theater«, sagte er. »Keiner hat etwas Böses im Sinn.«

Sara Fredrika beruhigte sich. Der Mann hinter der Kamera hatte die Kurbel losgelassen und die Sportmütze wieder umgedreht. Die Damen betrachteten verwundert die beiden Gestalten, die hinter den Klippen hervorgekommen waren. Der Mann hatte den Schwanz abgenommen und hielt ihn wie einen Strick in der Hand. Von dem Lustschiff, das auf den Dünungen schaukelte, blitzte ein Lichtreflex auf, jemand betrachtete die Vorgänge durch ein Fernglas.

Lars Tobiasson-Svartman sagte zu Sara Fredrika, sie solle warten, und ging zu der Filmgesellschaft hinunter. Die Frauen waren jung und auffallend schön. Der Mann mit dem Schwanz hatte ein Gesicht, das er zu kennen meinte. Als er die Hand ausstreckte, um zu grüßen, erinnerte er sich, daß er ihn einmal auf der Bühne des Dramatischen Theaters gesehen hatte. Der Schauspieler hieß Valfrid Mertsgren, das Stück war »Die Hochzeit auf Ulfåsa«.

Mertsgren nahm seine Hand nicht, sondern betrachtete ihn irritiert. »Wer sind Sie?« fragte er. »Die Leute haben uns gesagt, diese Schäre sei unbewohnt. Es soll eine verfallene Hütte geben, die wir nutzen könnten.«

»Ich wohne hier, zusammen mit meiner Frau.«

»Aber man kann doch zum Teufel hier nicht wohnen? Wovon leben Sie?«

»Vom Fischfang.«

»Wrackplünderungen?«

»Wenn jemand in Not ist, helfen wir. Wir plündern nicht.«

»Das tun alle«, sagte Mertsgren. »Der Mensch ist gierig. Wenn es ihm gelingt, stiehlt er seinem Nächsten das Herz.«

Der Kameramann und die beiden weißgekleideten Frauen hatten sich zu ihm gesellt.

»Kann man hier wirklich wohnen?« fragte eine der Frauen. »Was macht man im Winter?«

»Wenn man das Meer hat, hat man zu essen.«

»Können wir nicht ihn und die dicke Frau mit in den Film nehmen«, sagte die andere Frau mit einem schrillen Lachen.

»Sie ist nicht dick«, sagte Lars Tobiasson-Svartman.

Die Frau, die den Vorschlag gemacht hatte, sah ihn verwundert an.

Er haßte sie besinnungslos. »Sie ist nicht dick«, wiederholte er. »Sie ist schwanger.«

»Sie können auf keinen Fall mitmachen«, sagte Mertsgren. »Man kann keine schwangere Frau dabeihaben. Dies ist ein romantisches Abenteuer, schöne Tableaus im Wechsel mit erschreckenden. Aber keine Frauenzimmer, die zur Gärung angesetzt sind.«

Lars Tobiasson-Svartman war kurz davor, ihn zu schlagen.

Aber er beherrschte sich, sprach langsam, um nicht preiszugeben, was er fühlte. »Warum einen Film hier auf Halsskär drehen?« fragte er in einem freundlichen Ton. »Warum gerade hier?«

»Das ist eine gute Frage«, erwiderte Mertsgren. »Ich weiß tatsächlich nicht, warum wir gerade hier drehen sollen.«

Er kehrte den anderen den Rücken zu. »Auf dem Boot gibt es einen Bluthund namens Hultman«, zischte er. »Er ist Großhändler, und jetzt investiert er sein Geld in diesen unwahrscheinlichen Wust von einem Manuskript, das wir verfilmen sollen. Vielleicht hat er nichts anderes, um sein Geld zu verschleudern. Er verdient unwahrscheinlich an dem Krieg, spuckt Nägel und Sprengstoff aus. Sehen Sie, wie das Boot heißt?«

Zu seiner Überraschung sah Lars Tobiasson-Svartman, daß am Bug der Lustjacht der Name Goeben geschrieben stand. Derselbe Name wie der des deutschen Schlachtschiffs, dessen Bild auf seinem Schreibtisch stand und das er bewunderte, obwohl er es noch nie in Wirklichkeit gesehen hatte.

Eine Lustjacht und ein Schlachtschiff, dachte er, mit demselben Namen. Weißgekleidete Frauen mit großen Hüten, sterbende Menschen, eingesperrt in einem brennenden Schiff, ein Krieg und ein Mann, der einen Haufen Geld verdient.

»Ich verstehe«, sagte er.

»Was verstehen Sie?« fragte Mertsgren.

»Daß Großhändler Hultman den Krieg und den Tod liebt.«

»Ob er den Tod liebt, weiß ich nicht. Er liebt es, badende Frauen durchs Fernglas zu beobachten. Er hält sich in einer passenden Entfernung, um nicht sichtbar zu sein, niemand denkt daran, daß er da ist, und dann stellt er das Fernglas auf die Frau oder den Körperteil ein, für den er sich entschieden hat.«

»Aber er liebt den Krieg und den Tod wegen der Nägel.«

»Jedenfalls liebt er die Deutschen. Sie sind wie seine Nägel«, sagt er. »Gerade, stramm, alle gleich. Er liebt die deutsche Ordnung, hofft, daß der Krieg vom Kaiser gewonnen wird, verflucht Schweden, das den Schnabel hält und sich hinter abgeschalteten Leuchttürmen verbirgt. Aber er bezahlt gut dafür, daß wir diesen Ramsch drehen. Er sitzt im Boot und betrachtet die Damen durch sein Fernglas.«

Mertsgren beugte sich vor und zischte Lars Tobiasson-Svartman ins Ohr. »Außerdem hat er eine Vorliebe für alles, was nach erotischem Scherz riecht. Schweinereien, mit anderen Worten. Zu Ihnen, als Fischer, würde er sagen, daß er nur in der Lendenbucht angelt.«

Er betrachtete den Schwanz, den er in der Hand hielt. »In allen entsetzlichen und erniedrigenden Rollen, die ich in meinem Leben habe spielen müssen, ist es mir immerhin erspart geblieben, einen Schwanz zu tragen. Bis jetzt. Hamlet hat keinen Schwanz, ebensowenig wie Lear oder der Eingebildete Kranke. Aber was tut man nicht für tausend Kronen? Das bezahlt er für die Arbeit einer Woche, und außerdem spendiert er opulente Essen und viel zu saufen.«

Er winkte Sara Fredrika zu. »Ich verstehe, warum sie sich aufgeregt hat«, sagte er. »Richten Sie ihr einen Gruß aus und bitten sie um Entschuldigung. Wir werden euch in Frieden lassen. Ich werde Hultman ausrichten, daß die Schäre besetzt ist.«

Mertsgren hakte die beiden Frauen unter und kehrte zu den Jollen zurück. Der Mann mit der Kamera war im Begriff, Lederriemen um sein Stativ zu wickeln. Lars Tobiasson-Svartman betrachtete die Kamera.

Der Mann nickte. »Ein Wunderwerk«, sagte er. »Etwas, worum uns die Priester beneiden können.«

Er hob das Stativ auf die Schulter. »Wollen Sie nicht wissen, was ich damit meine?«

»Natürlich will ich das wissen.«

»Ich halte das ganze Mysterium des Lebens in der Hand. Ich kurbele und bestimme das Tempo der menschlichen Bewegungen. Mit der Kamera enthüllen wir Geheimnisse, die nicht einmal das Auge wahrnehmen kann. Ein galoppierendes Pferd hat nachweislich alle vier Hufe gleichzeitig in der Luft, das hat die Kamera enthüllen können. Wir sehen mehr als das Auge. Aber wir bestimmen auch, was wir andere sehen lassen.«

Er hob die Kamera und ließ den Blick zwischen Sara Fredrika und Lars Tobiasson-Svartman hin- und herwandern.

Er lächelte. »Ich weiß eigentlich nicht, wie ich dazu gekommen bin«, sagte er. »Zunächst war ich Photograph, mit einem sehr einfachen Atelier. Dann hörte Hultman von mir, und jetzt stehe ich hier auf einer Klippe mit einer Filmkamera und einer wahnsinnigen Idee von einem Tableau, das auf Wunsch des Nagelkerls ›Der Teufel auf Badeurlaub‹ heißen soll. Aber es hat meinen Blick geschärft, das muß ich immerhin zugeben.«

»In welcher Weise?«

Der Mann legte den Kopf schief, ein Schatten zog über sein Lächeln. »Ich kann zum Beispiel sehen, daß Sie kein Fischer sind. Wer Sie sind und was Sie hier machen, weiß ich nicht. Aber ein Fischer? Das sind Sie nicht.«

Vorsichtig begann er mit seiner Last hinunter zum Wasser zu gehen. Lars Tobiasson-Svartman kam es so vor, als wäre das Stativ ein Stück von einem abgebauten Kreuz, das der Kameramann schleppen mußte.

Dieser blieb stehen und drehte sich um. »Vielleicht sind Sie ein guter Stoff für einen Film. Ein entlaufener Verbrecher, jemand, der vor seinen Schulden geflohen ist. Was weiß ich?«

Er wartete nicht auf eine Antwort. Die erste Jolle war schon auf dem Weg zur Lustjacht. Die weißgekleideten Frauen lachten, es klirrte von Flaschen.

Lars Tobiasson-Svartman kehrte zu Sara Fredrika zurück.

»Was waren das für Menschen? Diese Frauen, die ihre Augen unter Hüten verbargen. Ich mochte sie nicht. Und Schwänze sind für Tiere da, nicht für Menschen.«

»Es ist nur Theater. Ein Teufel, der herumspringt, sonst nichts.«

»Was haben sie hier gemacht?«

Sie gingen wieder auf die Hütte zu.

Er stützte sie mit einer Hand, damit sie nicht ausrutschte. »Denk an sie wie an Strandgut«, sagte er. »Das zufällig hier an Land getrieben ist. Dann hat der Wind gedreht und sie wie-

der fortgetrieben. Strandgut, das nicht einmal zum Feuer-
machen taugt.«

»Schwänze sind für Tiere«, wiederholte sie. »Schwänze
sind nicht für Menschen.«

172

Am Nachmittag stieg er wieder auf den Berg, mit dem Feldstecher in der Hand. Die Lustjacht Goeben war verschwunden. Er suchte den ganzen Horizont ab, ohne sie zu entdecken.

Der Kameramann hatte direkt durch ihn hindurchge-
sehen. Er versuchte abzuschätzen, ob das eine Gefahr bedeutete.

Er fand keine.

173

Eines Nachts weckte sie ihn aus einem Traum. Kristina
Tacker hatte vor ihm gestanden, sie hatte geredet, ohne daß
er verstehen konnte, was sie sagte.

Er zuckte zusammen und setzte sich auf.

»Ich glaube, das Kind ist schon unterwegs. Es bewegt sich,
es spannt im Körper.«

»Es ist doch noch lange hin.«

»Ich kann es nicht steuern.«

»Was soll ich tun?«

»Wach bleiben. Ich bin in meinem Leben lange genug
allein gewesen.«

»Ich bin hier, auch wenn ich schlafe.«

»Was weiß ich, wovon du träumst.«

Wie der Mann mit der Kamera, dachte er. Sie schaut direkt
in mich hinein. Aber sie weiß es nicht.

»Ich träume selten«, sagte er. »Mein Schlaf ist leer, er ist schwarz, er hat nicht einmal Farben. Manchmal habe ich von Blumen geträumt, aber sie sind immer grau. Ich habe nur von toten Blumen geträumt, nicht von lebenden.«

Sie blieben bis zur Morgendämmerung wach. Strandelstern schrien einander zu, Möwen, Seeschwalben.

Gegen sechs Uhr morgens beschlossen sie, daß er nach Kråmarö segeln und die Hebamme holen sollte. Auch wenn das Kind noch nicht kam, mußten sie sichergehen, daß alles in Ordnung war.

Er setzte die Segel, es blies ein östlicher Wind, drei, vier Meter pro Sekunde.

Ihm kam ein Gedanke. Er könnte die Gelegenheit zur Flucht ergreifen, die Segeljolle nach Norden oder Süden steuern, vielleicht auch nach Osten, nach Gotland oder weiter in die Bucht von Riga.

Er wendete nach Westen, zur Hebamme hin, und holte die Schoten dicht. Das Boot nahm Fahrt auf, hinter ihm verschmolz Halsskär mit dem Horizont.

Der Augusttag ist wie ein Seezeichen, dachte er. Sauber gescheuert, weiß im Sonnenlicht.

Das Meer trug.

174

Engla hieß sie, die Hebamme.

Das war natürlich nicht ihr Taufname, in den Büchern und in der Hebammen-Urkunde stand Eugenia Wester. Aber alle sagten Engla, ihre Mutter hatte gewünscht, daß sie so heißen sollte, sie hatte es in der Nacht geträumt, bevor ihr Kind geboren wurde. Aber der Pastor sagte nein. Er deutete auf das Kirchenbuch und sagte, kein Mensch könne Engla heißen, das grenze schon an Lästerung. Ihr Vater, der Schiffer Fredrik Wester, der nicht an Götter glaubte, sondern an Kompasse, hatte mürrisch vorgeschlagen, das Mädchen trotzdem Engla zu nennen. Was sich auf den Inseln abspielte, konnte der Pastor kaum kontrollieren. So wurde sie zu Engla, sie bekam keine Geschwister und auch keinen Mann, da sie schielte und alles andere als schön war. Als die Eltern tot waren, verkaufte sie den Hof im Dorf und den alten Kutter, der halb versunken unten in der Bucht lag, und zog in eine Kate. Sie war in Norrköping zur Hebamme ausgebildet worden, die Kinder anderer Leute würden ihre Aufgabe im Leben sein. Sie lächelte gern, hatte eine schöne Stimme und scheute sich nicht, selbst das Dach zu flicken, wenn es nötig war. Manchmal verdüsterte sich ihr Gemüt, und sie begab sich auf einsame herbstliche Segeltouren, und alle im Dorf machten sich Sorgen, ob sie zurückkommen würde. Aber sie kam immer wieder nach Hause, im Schutz der Dunkelheit glitt sie mit ihrem Boot in die Bucht, wenn alle Düsterkeit verflogen war.

Vor allem war Engla eine gute Hebamme. Sie holte Kinder heraus, die hängengeblieben waren, sie hatte magische Hände.

Es gab viele Hebammen oder alte Frauen, die wußten, wie man es machte. Sie waren gewiß tüchtig, aber Engla war *behende*. Wie die Schneiderin oder der Jäger oder derjenige, der die Felsspalten, wo es fast keine Erde gab, fruchtbar machte. Sie hatte viele hoffnungslose Fälle gemeistert, ein Arzt aus Stockholm hatte einmal Kråkmarö besucht, um sie zu interviewen, und obwohl sie auf die Siebzig zuging, fragten die meisten nach ihr.

Er legte in der Bucht an und ging den Hang zum Dorf hinauf. Die Dorfbewohner schienen draußen auf den Wiesen zu sein. Er klopfte bei Engla an, und sie machte ihm sofort die Tür auf. Er hatte sie noch nie gesehen, aber es war trotzdem, als würde er sie kennen. In ihrer niedrigen Küche sagte er, woher er kam.

Sie lächelte. »Saras Kind«, sagte sie. »Ich nehme an, es ist auch deins?«

Er schaffte es nicht zu antworten, aber es kümmerte sie nicht.

»Die Kinder würden sich wohl gern ihre Eltern auswählen«, sagte sie. »Vielleicht tun sie es, ohne daß wir es wissen. Aber Sara Fredrika ist noch längst nicht soweit. Was ist mit ihr?«

Er versuchte es zu erklären, wie Sara es ihm aufgetragen hatte. Spannungen, heftige Bewegungen, Schmerzen im Becken.

Sie stellte ein paar Fragen. »Ist sie hingefallen?«

»Nein.«

»Und du hast sie nicht geschlagen?«

»Warum hätte ich das tun sollen?«

»Weil Männer ihre Frauen schlagen, wenn ihnen etwas gegen den Strich geht. Hat sie Fieber, trägt sie schwer?«

»Sie ruht sich meistens aus.«

»Und als du losgefahren bist, hatte es sich beruhigt?«

»Ja.«

»Dann mußt du zu ihr zurückfahren. Sara Fredrika war nicht viel Freude in ihrem Leben vergönnt. Ich bin auch nicht sicher, ob du ihr welche gebracht hast. Aber du mußt gut auf sie achtgeben. Dann wirst du vielleicht der Mann, den sie braucht.«

»Sie will, daß ich sie von Halsskär wegbringe.«

»Warum sollte sie auch auf der Klippe bleiben wollen, nach all dem Schrecklichen, das sie durchgemacht hat? Es frißt sie auf, diese Außenschäre nagt sie bis auf die Knochen ab.«

Sie folgte ihm zum Segelboot. »Du hast noch nicht einmal gesagt, wie du heißt. Hast du keinen Namen?«

»Ich bin Lars.«

»Es ist mir egal, woher du kommst. Es gibt zwar Gerüchte, daß du ein Militär bist. Aber etwas anderes ist wichtiger.

Daß du nämlich Nils Perssons Sachen trägst. Du hast dich damit versöhnt, daß vor dir jemand da war.«

»Was soll ich ihr sagen?«

»Daß es noch nicht soweit ist. Und daß ich komme, sobald du mich holst.«

Er stieg hinunter ins Boot, sie löste den Festmacher. In der Bucht herrschte Windstille, er setzte sich an die Ruder.

»Warte, bis das Kind geboren ist. Danach solltest du sie wegbringen. Ein Kind überlebt nicht da draußen. Wie viele Kinder im Lauf der Jahre dort gestorben sind, kann man nicht zählen.«

Er begann zu rudern.

»Grüße sie, sag ihr, daß ich komme«, rief sie. »Wir werden das Kind herausholen, und es wird ihm gutgehen, wenn ihr nur von da verschwindet.«

Er ruderte aus der Bucht heraus, bis er Wind bekam. Dann hißte er das Segel und steuerte hinaus.

Er schämte sich, wenn er an die Flucht dachte, wie nahe sie gewesen war. Wie ein Pirat hätte er ihr Boot gestohlen und sie verlassen. Jetzt segelte er, so schnell er konnte, damit sie nicht anfangen sollte zu glauben, er hätte sich tatsächlich aufs Meer hinausbegeben.

Er hatte es eilig. Und das Meer trug immer noch.

175

Der August ging seinem Ende entgegen, es blies ungewöhnlich viel, hartnäckige Westwinde, ein herbstliches Gewitter zog vorüber, ein Blitz schlug auf Armnö in eine Kiefer.

Er dachte, das Vergessen und die Erinnerung hätten vielleicht gemeinsame Schlüssel. Oder waren sie Angeln an derselben Tür? Kristina Tacker und das Kind glitten fort. Aber wo befand er sich selbst?

Der größte Abstand, nach dem ich mich richten muß, ist

der zu mir selbst. Wo ich auch stehe, zieht der Kompaß in mir in verschiedene Richtungen.

In meinem ganzen Leben bin ich herumgeschlichen und habe versucht, nicht mit mir selbst zusammenzustoßen.

Ich weiß nicht einmal, wer ich bin, und ich will es auch nicht wissen.

176

Sara Fredrika spürte, daß ihr Körper ruhig war. Sie sprach ständig von der Reise, wenn das Kind erst da wäre.

Die Gespräche wurden manchmal unerträglich.

Die Schäre wurde allmählich eine Last, ein Ballast in den Taschen, der es ihm immer schwerer machte, sich zu bewegen.

Er dachte an das, was Engla gesagt hatte, über die Klippen, die einen bis auf die Knochen abnagten.

177

Jeden dritten oder vierten Tag setzte er sich hin, um einen Brief an Kristina Tacker zu schreiben.

An der Südseite hatte er eine Klippenformation gefunden, die ihm eine Bank zum Sitzen und eine rauhe Tischplatte bot.

Er beschrieb die Reise mit dem Schiffskonvoi Richtung Bornholm und zur polnischen Küste. Es sei eine gefahrvolle, aber notwendige Expedition gewesen. Jetzt sei er wieder in schwedischen Fahrwassern, zufällig sei er in Östergötland gelandet, zwischen den Schären, in denen er schon so viel Zeit verbracht habe. Bald würde er nach Stockholm zurückkehren, der Auftrag ziehe sich zwar in die Länge, aber ein Ende sei abzusehen, schrieb er. Ein Ende, und dann komme ich zurück. Er fragte nach Laura, danach, wie es ihr selbst gehe, und nicht zuletzt nach ihrem Vater. War er wieder bei Kräften? Hatte man den Täter geschnappt?

Aber er schrieb auch über sich selbst, versuchte, etwas von seiner eigenen Verzweiflung zu vermitteln, ohne die Wahrheit zu enthüllen. *Wenn ich allein bin, komme ich mir manchmal so nahe, daß ich verstehe, wer ich bin. Aber dann bist du nicht da, kein anderer kann es sehen, nur ich selbst, und das ist nicht genug.*

Er zögerte, ob er die letzten Zeilen weglassen sollte. Aber er ließ sie stehen, er fühlte, daß er den Mut dazu hatte. Er vergrub die Briefe unter einem Grasbüschel, verpackt in einem wasserdichten Futteral. Gegen Ende August beschloß er, wenigstens einen von den vielen Briefen abzuschicken. Er hatte vorgehabt, die Briefe einem Fischer oder Jäger zu übergeben, wenn sie die Schäre passierten. Aber niemand ging an Land, die Segelboote waren manchmal in den Buchten zu sehen, aber sie legten nie an. Eines Tages beschloß er, nicht länger zu warten. Er sagte zu Sara Fredrika, daß er sich vorgenommen habe, am letzten Sonntag im August in die Kirche von Gryt zu gehen.

»Ich bin nicht besonders gläubig«, sagte er. »Aber schließlich entsteht so etwas wie eine große Leere.«

»Wenn du Glück hast, kannst du segeln«, sagte sie. »Wenn Flaute ist, hast du weit zu rudern.«

Sie standen in der Dämmerung auf, sie folgte ihm hinunter zur Bucht. In den Ölmantel hatte er seine Uniform gewickelt.

»Du hast einen guten Wind zur Kirche und auch wieder zurück«, sagte sie. »Einen östlichen, der nach Norden zieht. Sing einen Choral für mich, hör dich auf dem Kirchplatz ein bißchen um. Ich weiß nicht mehr, welche noch leben und welche schon tot sind. Bring auch Neuigkeiten über die Alten mit.«

Er unterbrach die Fahrt einmal und ging auf einer der Inseln im Bussund an Land. Dort zog er die Uniform an und rieb einen Fleck von einer Schulter. Jetzt, da er auf Gryt zusegelte und zu den Booten von anderen Kirchenbesuchern stieß, hatte er die Kapitänsmütze auf dem Kopf. Er konnte sehen, daß man sich wunderte in den Booten, die er einholte. Aber einige mußten es natürlich wissen, er konnte nicht ganz unbekannt sein.

Es gab einen Mann auf Sara Fredrikas Insel, das Kind, das auf die Welt kommen sollte, hatte einen Vater.

Merkwürdigerweise empfand er fast etwas wie Stolz angesichts aller Blicke.

178

Früher war es möglich gewesen, von Süden und Norden zum Kirchberg zu segeln.

Aber in der Bucht hatten sich Untiefen gebildet, jetzt mußte man zu Fuß gehen. Auf dem Kirchplatz waren viele Leute versammelt, im Winter kamen selten Leute aus den äußeren Schären.

Plötzlich standen die Knechte aus Kattilö vor ihm, nicht ganz nüchtern. »Wir haben den Mund gehalten«, sagte Gösta. »Nichts ist aus Versehen entschlüpft.«

»Dann nur weiter so«, sagte Lars Tobiasson-Svartman. »Und wir sollten uns nicht allzu offensichtlich kennen.«

Er kehrte ihnen den Rücken zu und ging weiter. Der Kirchenälteste machte ihn darauf aufmerksam, daß der Mann, der sich in Gryt um die Post kümmerte, an der Kirchenmauer stand und Pfeife rauchte.

Lars Tobiasson-Svartman gab ihm zwei Briefe. Er bat darum, den einen Brief sofort aufzugeben, den anderen in zehn Tagen.

Während des Hauptgottesdienstes lauschte er zerstreut

der Predigt von Probst Gustafsson über den Teufel im Fleisch und die Barmherzigkeit des Gottessohns.

Anschließend ging er herum und versuchte, etwas von den Gesprächen aufzuschnappen. Ein Lauscher war er schon immer gewesen, er hatte ein Talent dafür, heimlich mitzuhören, worüber andere redeten. Auf dem Kirchplatz handelte es sich hauptsächlich um Krankheiten und den schlechten Fischfang.

Als er sich auf den Weg zum Boot machte, holte ihn ein Mann in Uniform ein. Der Mann streckte die Hand aus, es war der Gendarm Karl Albert Lund. »Hier sieht man selten jemand in Uniform«, sagte der Gendarm. »Daher möchte ich Sie begrüßen.«

»Hans Jakobsson, nur auf der Durchreise«, antwortete er.

»Darf man fragen, worum es geht?«

»Das kann ich nicht beantworten. Der Krieg verhindert das.«

»Ich verstehe. Dann will ich nicht weiter stören.«

Lars Tobiasson-Svartman schlug die Hacken zusammen und salutierte. Er kehrte zum Boot zurück und segelte nach Hause. Es wunderte ihn, daß er den Namen Hans Jakobsson gewählt hatte.

War das ein Gruß an den Mann, der an Deck der Blenda gestorben war? Warum hatte er nicht das gesagt, was er eigentlich wollte, nämlich daß er Sara Fredrikas neuer Mann war?

Er legte die Uniform ab und zog sich um. Der Wind gab ihm immer noch gute Fahrt.

Auf dem Heimweg dachte er sich Neuigkeiten und Gerüchte über unbekannte Menschen aus, die er Sara Fredrika abends erzählen wollte, wenn er wieder zu Hause war.

179

Sara Fredrika gebar ihr Kind am 9. September 1915.

Er hatte es geschafft, Engla rechtzeitig von Kråkmarö zu holen. Auf dem Heimweg war der Wind launisch gewesen, das Segel war von keinem großen Nutzen, er hatte so kräftig gerudert, daß seine Handflächen danach von offenen Blasen bedeckt waren. Sie waren in der Jolle zu dritt gewesen, Engla hatte noch eine Frau zur Hilfe mitgenommen, eine Magd von einem der Schiffer. Als sie angekommen waren, hatte Engla ihm empfohlen, sich abseits zu halten, zu den Klippen hinauszugehen, wo es vielleicht ein wenig Wind gab, so daß er nicht die Schreie hören mußte, wenn es für Sara Fredrika schwer wurde.

Es war ein kühler Tag. Er begab sich zu einer Kluft an der Südseite, wo er halb liegen konnte, gut abgeschirmt. Er versuchte, Sara Fredrika vor sich zu sehen, ihren Kampf, um ein Kind herauszupressen. Aber er sah nichts, nur das Meer.

Meine innerste Sehnsucht ist ein Traum von Horizonten, dachte er. Horizonte und Tiefen, das ist es, was ich suche.

Es war, als trüge er ein unsichtbares Siegel, das ihn für alle außer ihm selbst unzugänglich machte. Die Oberfläche war ruhig, wie ein Meer bei Windstille, aber darunter lauerten alle Kräfte, mit denen er kämpfen mußte. Der Ehrgeiz, die Unsicherheit, die Erinnerung an den zornigen Vater und die lautlos weinende Mutter. Er lebte in einem ständigen Kampf zwischen Kontrolle, Berechnungen und gewaltiger Risikofreude. Er machte es nicht wie andere Menschen, paßte sich den verschiedenen Situationen nicht an, sondern wechselte die Persönlichkeit, wurde ein anderer, oft ohne daß er selbst davon wußte.

Plötzlich begann er zu weinen, verzweifelt, hemmungslos. Und hörte auf, genauso plötzlich, wie er angefangen hatte.

Spät am Nachmittag hörte er, wie sie nach ihm riefen. Er kehrte zurück, in der Überzeugung, einen Sohn bekommen zu haben. Aber Engla Wester hielt ihm eine Tochter hin. Diesmal fand er nicht, daß der Säugling einem Pilz gliche, möglicherweise aber der farblosen Heide im Frühling.

»Sie ist gesund und kräftig. Sie wird leben, wenn Gott es will und wenn ihr euch gut um sie kümmert. Wenn ich es richtig schätze, wiegt sie ein bißchen über drei Kilo.«

»Wie geht es Sara Fredrika?«

»Wie es einer Frau nach der Geburt geht. Große Erleichterung, Freude darüber, daß alles gutgegangen ist, eine unendliche Lust zu schlafen. Aber zuerst soll sie ihren Mann sehen.«

Sie gingen hinein. Die Magd und Engla ließen sie allein.

Ihr Gesicht war bleich und verschwitzt. »Wie soll sie heißen?«

Ohne zu zögern, erwiderte er: »Laura. Ein schöner Name. Laura.«

»Jetzt ist sie geboren, jetzt können wir diese höllische Schäre verlassen und niemals wiederkommen.«

»Wir fahren los, sobald ich meine letzten Berichte fertiggestellt habe.«

»Freust du dich über dein Kind?«

»Ja«, antwortete er. »Ich bin unsagbar froh über mein Kind.«

»Du hast eine Tochter statt der bekommen, die den Abhang hinuntergestürzt ist.«

Er antwortete nicht, nickte nur. Dann ging er hinaus und kredenzte Engla und der Magd einen Trunk zur Feier der Geburt. Da es schon spät war, blieben sie bis zum folgenden Tag.

In dieser Nacht schlief er unter dem Ölmantel in einer Kluft.

Er dachte an seine beiden Töchter, die beide Laura hießen.

Laura Tobiasson-Svartman.

Die jüngere Schwester von Laura Tobiasson-Svartman.

Sie werden ihr Leben ohne Wissen voneinander leben. Genau wie sich ihre Mütter niemals begegnen werden.

180

Ein paar Tage nachdem Sara Fredrika niedergekommen war, machte Lars Tobiasson-Svartman bei den Klippen an der östlichen und äußersten Landzunge von Halsskär einen eigentümlichen Fund.

Er bemerkte, daß genau am Klippenrand etwas im Wasser schaukelte. Als er sich hinunter zum Wasser begeben hatte, sah er, daß es mehrere Soldatenstiefel waren, zu einem Bündel verknotet. Sie waren getragen und hatten lange im Wasser gelegen. Er versuchte eine Inschrift zu finden, die ihm sagen könnte, ob er deutsche oder russische Stiefel vor sich hatte, fand aber nichts, was ihre Identität verriet.

Es waren neun Stiefel, vier linke Schuhe, fünf rechte. Jemand hatte sie zusammengeknotet und auf dem Meer forttreiben lassen.

Er warf die Stiefel hinaus auf die Klippen.

Es war, als wäre er erneut von den Toten überrascht und herausgefordert worden.

181

Ihre Tochter schrie viel und hielt sie nachts wach.

Für Lars Tobiasson-Svartman war es, als wäre er einem brennenden Schmerz ausgesetzt. Er schnitzte Korken zurecht, die er sich in die Ohren steckte, wenn Laura am schlimmsten schrie, aber nichts schien zu helfen. Sara Fredrika war immun gegen das Schreien, mit Neid sah er ihre Liebe. Ihm selbst fiel es schwer, mit dem Kind eine Zusammengehörigkeit zu empfinden.

Aber mit Sara Fredrika war es, als würde er endlich verstehen, was Liebe ist. Zum ersten Mal in seinem Leben verspürte er Angst davor, verlassen zu werden. Ihn schreckte der Gedanke daran, was geschehen würde, wenn Sara Fredrika erkannte, daß es keinen Reiseplan gab. Daß nichts anderes existierte als die Schäre und ständig neue Berichte, die an eine geheime Behörde geschickt werden mußten.

182

Sara Fredrika nahm jede Gelegenheit wahr, um vom Aufbruch zu reden.

Mittlerweile lösten ihre Fragen in ihm eine tiefe Verzweiflung aus. Er wollte seine Ruhe haben, er wollte nicht an die Zukunft denken.

»Ich habe Angst«, sagte sie. »Ich träume vom Wasser, von den Tiefen, die du auslotest. Aber ich will nicht dahin. Ich will Laura aufwachsen sehen, ich will fort von dieser Höllenschäre.«

»Wir werden weggehen. Bald. Aber nicht sofort.«

Es war Vormittag, die Tochter schlief. Es regnete.

Sie sah ihn lange an. »Ich sehe dich nie dein Kind berühren. Nicht einmal mit den Fingerspitzen.«

»Ich traue mich nicht«, sagte er schlicht. »Ich habe Angst, daß meine Finger Male hinterlassen.«

Darauf sagte sie nichts mehr. Er balancierte weiter auf der unsichtbaren Grenzlinie zwischen ihrer Unruhe und Zuversicht.

183

Anfang Oktober merkte Lars Tobiasson-Svartman, daß Sara Fredrika allmählich die Geduld verlor. Sie glaubte ihm nicht, wenn er sagte, bald, nicht sofort, er müsse erst mit seinen Berichten fertig sein.

»Warum können wir nicht aufbrechen? Warum wirst du nicht fertig?«

»Ich bin bald fertig. Es ist nicht mehr viel zu tun. Dann fahren wir los.«

Er stand auf und ging hinaus. Es war Herbst.

184

Ein paar Tage später: Nieselregen, Windstille.

Er ging um die Schäre herum. Plötzlich hatte er die Eingebung, all diese Klippen seien wie in einem Archiv gesammelt. Wie Bücher in einer unendlichen Bibliothek. Oder wie Gesichter, die einst von kommenden Generationen hervorgeholt und betrachtet werden könnten.

Ein Archiv oder ein Museum, er konnte seine Eingebung nicht richtig deuten. Aber der Herbst näherte sich, bald würde dieses Archiv oder Museum seine Türen für die Saison schließen.

185

Die Nächte kamen mit Frost. In der Morgendämmerung des 9. Oktober begann das Kind zu schreien.

Am selben Tag kam Engla Wester zu den Außenschären gesegelt, um nach Sara Fredrika und dem Kind zu sehen. Sie war zufrieden, das Kind wuchs und entwickelte sich, wie es sollte.

Er begleitete sie hinunter zur Bucht, als der Besuch beendet war.

»Sara Fredrika ist eine gute Mutter«, sagte sie. »Sie ist stark, sie hat Milch im Überfluß. Außerdem wirkt sie froh. Ich sehe, daß du dich gut um sie kümmerst. Ich glaube, sie hat ihren Mann vergessen, den, der ertrunken ist.«

»Den vergißt sie nie.«

»Es kommt ein Tag, an dem die Toten uns den Rücken kehren«, sagte sie. »Das geschieht, wenn ein neues Geschöpf ins Leben eintritt. Nimm die Gelegenheit wahr. Laß keinen Abstand zwischen dir und dem Kind zu.«

Er schob das Boot hinaus, während sie das Segel hißte.

»Wollt ihr den Winter über hierbleiben?« fragte sie.

»Ja«, sagte er. »Vielleicht aber auch nicht.«

»Was ist das für eine Antwort? Sowohl ja als auch nein und dazwischen ein Vielleicht?«

»Wir haben uns noch nicht entschieden.«

»Der Herbst kommt heuer früh über uns, das lesen die Alten an den Wolken und Winden ab. Früher Herbst, langer Winter, später Frühling. Wartet nicht zu lange mit dem Aufbruch.«

Er sah der Jolle nach, sah sie um die Landzunge herum verschwinden. In der Ferne hörte er seine Tochter schreien.

Englas Worte hatten bei ihm mit voller Kraft eingeschlagen. In seinem ganzen Leben hatte er die Abstände gesucht. Aber die Abstände zählten nicht, es war die Nähe, die etwas bedeutete.

Er sah ein, daß er Sara Fredrika über die Tatsachen aufklären mußte, daß er zu einer anderen gehört hatte, daß er von der schwedischen Seekriegsmacht gefeuert worden war und eines Tages vielleicht ganz ohne Geld dastehen würde. Erst dann würden sie von vorn anfangen, erst dann würden sie einen richtigen Reiseplan machen können.

Mit großer Mühe hatte er auf Halsskär seine Wände errichtet. Jetzt würde er sie einreißen, um zu entkommen.

Ein starkes Gefühl ergriff von ihm Besitz. Verwundert und verwirrt dachte er: Ich glaube, das Lot ist auf dem Boden angekommen.

Er hatte die Angewohnheit, die Tage damit zu beenden, daß er den Feldstecher nahm und auf die höchste Spitze kletterte. Es herrschte ein nordöstlicher Wind, frisch und böig. Er zog die Jacke dichter um sich und spähte zum Land hin.

Es kam eine Jolle da draußen über die Bucht gesegelt. Das Boot lag hoch am Wind, machte aber gute Fahrt. Es war ein fremdes Boot, das konnte er erkennen, ohne den Feldstecher zu benutzen. Es war länger als die Jollen, die von den Fischern im Schärenmeer benutzt wurden, und es hatte eine Kajüte.

Er hob den Feldstecher an die Augen und stellte die Schärfe ein.

In der Plicht saß eine Frau an der Pinne und lenkte das Boot geradewegs auf Halsskär zu.

Die Frau war Kristina Tacker, seine Ehefrau.

Teil 10

DIE BOTSCHAFT ENGLAS

186

Er dachte, es wäre eine Sinnestäuschung.

Aber das Boot war wirklich. Kristina Tacker segelte energisch, die Segel waren dichtgeholt. Sie war unterwegs nach Halsskär, weil sie wußte, daß er sich dort versteckte.

Er suchte nach einem Ausweg. Aber es gab keinen. Er konnte nirgendwohin fliehen.

Er stürzte zur Bucht hinunter, als sie nur noch zwei Schläge zu kreuzen hatte. Die ganze Zeit suchte er nach einer Erklärung. Konnte er durch seine Karten Spuren hinterlassen haben? Nie hätte er sich vorstellen können, daß sie anfangen würde, sie zu deuten. Oder gab es jemanden, der ihm auf die Schliche gekommen war, der wußte, wo er sich befand?

Er hatte keine Antwort. Es gab keine.

Als er zum Ufer hinunterkam, war das Segelboot in der Bucht angelangt. Kristina Tacker hatte bereits den Anker geworfen, als sie ihn entdeckte. Sie stand auf und begann, ihn anzuschreien. Um sie zum Schweigen zu bringen, watete er in das kalte Wasser hinaus, bis es ihm bis zur Brust reichte.

»Hör auf zu schreien«, sagte er. »Ich kann alles erklären.«

»Da gibt es gar nichts zu erklären«, schrie sie. »Warum lügst du mich an, warum versteckst du dich hier? Wie willst du das erklären?«

Sie war zum Bug gegangen und fing an, ihn mit einem Tampen auf den Kopf zu schlagen. Er versuchte sich zu wehren, aber sie schlug immer weiter, er hätte sich nie vorstellen können, daß sie einer solchen Raserei fähig wäre. Das war nicht seine Frau, es war eine andere, eine, die jedesmal Porzellanfiguren zerbrach, wenn sie sie in ihren Regalen umstellte.

Die einzige Art, sie zum Schweigen zu bringen, war, sie vom Boot herunterzuziehen. Er packte sie, riß sie vom Segelboot herunter. Sie wehrte sich, aber er hielt sie fest, drückte sie unter Wasser. Immer wenn sie zur Oberfläche kam, fuhr sie fort, ihn anzuschreien. Er schlug sie ins Gesicht, erst einmal, dann noch einmal, immer härter. Schließlich verstummte sie. Ihre nassen Haare klebten ihr am Gesicht. Er konnte ihren Duft nicht mehr spüren, nichts vom Wein oder dem milden Parfum.

»Ich werde es erklären«, sagte er. »Wenn du nur nicht schreist.«

Er hatte noch nie eine solche Furcht empfunden wie jetzt. Wenn Sara Fredrika jetzt käme, würden alle Wände rings um ihn her einstürzen. Nichts würde überleben.

Sie betrachtete ihn mit Abscheu.

»Hinter einem Geheimnis kann es ein anderes Geheimnis geben«, sagte er.

Sie ging zum Angriff über und zerkratzte ihm das Gesicht. Sie tat das ganz ruhig, ohne den Blick von ihm zu nehmen.

Das Blut lief ihm über die Wange.

»Ich will keine Lügen mehr darüber hören, was du tust und warum du dich hier befindest«, sagte sie. »Ich will nur, daß du mir das einzige erklärst, was wichtig ist. Warum mußte Laura sterben? Das ist das einzige, was ich wissen will.«

Er trat einen Schritt zurück, stolperte über eine Unebenheit und fiel hin.

Sie packte ihn an einem Arm. »Versuch nicht, wieder zu verschwinden. Das wirst du nie mehr tun. Ich werde dich finden, wo du dich auch versteckst. Alle deine Lügen hinterlassen tiefe Spuren, denen ich folgen werde, wohin sie auch führen.«

Er war wie benebelt. Es fühlte sich so an, als würde das kalte Wasser durch seine Haut dringen und den Körper zum Schwellen bringen.

»Wir können nicht hier im Wasser bleiben«, sagte er. »Es ist zu kalt.«

»Das hier ist nur Wasser. Der Tod ist kalt. Laura ist kalt, nicht das da.«

»Was ist geschehen?«

Sie griff nach seinem Kopf und zog ihn zu sich. Sie hatte Tränen in den Augen, jetzt erkannte er sie. Die Frau, mit der er verheiratet war, kam hinter den nassen Haaren zum Vorschein.

»Nachdem du weggegangen bist, blieb ich ein paar Wochen im Krankenhaus. Laura wuchs, wie sie sollte. Sie wurde größer und kräftiger. Aber dann wachte ich eines Nachts davon auf, daß sie schrie. Es war nicht wie üblich, es war etwas anderes. Doktor Edman kam. Er meinte, es sei eine Kolik, die von selbst verschwinden würde. Aber es wurde nicht besser, es war keine Kolik, es war eine Darmverschlingung. Laura starb unter entsetzlichen Qualen. Ich konnte nichts tun. Und wo warst du? Ich glaubte, du wärst in einem wichtigen Auftrag unterwegs, ich dachte, du wärst doch in Gedanken bei mir, ich dachte an all die Trauer, die wir zusammen durchmachen sollten. Aber der Tod des Kindes enthüllte deine Lügen, so hoch war der Preis dafür, daß ich verstand, wer du bist.«

Sie beugte sich noch näher zu seinem Gesicht hin. »Warst du es, der auf meinen Vater losgegangen ist?«

»Natürlich nicht. Aber schrei nicht, ich ertrage keine so lauten Geräusche.«

Sie schlug mit der Hand aufs Wasser, so daß es ihm ins Gesicht spritzte. »Was weißt du von Geräuschen? Du hast keine Ahnung, wie ein sterbender Säugling klingt. Willst du es hören? Ich kann wiedergeben, wie sie klang, bevor sie starb.«

Er schüttelte den Kopf. »Ich bin verzweifelt«, sagte er. »Ich verstehe nicht, was du sagst. Ist Laura tot?«

»Am 22. August nachmittags um 4 Uhr 35 sagte Doktor

Edman, daß er nur sein herzliches Beileid aussprechen könne. Sie ist tot. Aber du lebst. Was ist es, was du nicht verstehen kannst?«

Er antwortete nicht. Er versuchte, das tote Kind vor sich zu sehen, aber es war nur wie ein schwarzes Loch.

»Wir können nicht im Wasser stehenbleiben. Es ist zu kalt.«

Wieder begann sie auf sein Gesicht einzuschlagen. »Hörst du nicht, was ich sage? Meine Tochter ist tot.«

»Sie war auch meine Tochter.«

»Sie war nicht deine Tochter. Du warst nie da, du hast sie damit empfangen, daß du dich von ihr fortgelogen hast. Und von mir und dir selbst und allem, woran ich glaubte.«

Ihr gingen die Worte aus, sie stand da, im Wasser, und kreischte.

Er sah vor sich, wie die Regale mit den Porzellanfiguren langsam eins ums andere umstürzten und wie die Figuren zu Staub zerfielen.

187

Vorsichtig führte er sie aus dem Wasser herauf.
Ihre Verbitterung erschreckte ihn, aber mehr noch der unermeßliche Schmerz, den er ihr zugefügt hatte. Zum ersten Mal fühlte er sich völlig wehrlos ihr gegenüber. Diesmal würde er sich nicht retten können. Und Sara Fredrika würde ihm nicht zu Hilfe kommen, ihre Anwesenheit würde die Katastrophe auf die Spitze treiben.

»Erinnerst du dich an unsere Reise nach Oslo?« fragte sie. »An diesen Tag draußen auf Bygdøy, der Uferrand, die Jungen, die nackt draußen im Wasser badeten, ein Bündel Luftballons, das sich losgerissen hatte und zum Himmel aufstieg?«

Er erinnerte sich, entschied sich aber dafür, es zu leugnen.

»Natürlich erinnerst du dich«, sagte sie. »Aber vielleicht sind auch deine Erinnerungen erlogen, vielleicht gibt es im Hirn eines verlogenen Mannes keinen Platz für echte Erinnerungen.«

»Ich erinnere mich vielleicht an die Ballons, aber vage.«

»Ich glaube, du erinnerst dich an alles. Vor allem mußt du dich daran erinnern, daß wir ein Kreuz in den Sand gemalt und gesagt haben, daß die Wahrheit immer das Wichtigste in unserem Leben sein sollte. Herrgott, ich habe es geglaubt, ich habe geglaubt, daß ich einen Mann gefunden hatte, der für sein Wort einstand.«

Eine Windbö zog vorbei, kühl, scharf. Beide froren so, daß sie zitterten.

»Wer bist du eigentlich?« fuhr sie fort. »Ich versuche zu verstehen, aber es gelingt mir nicht. Ich kann dich einfach nicht zusammenfügen, das Bild bekommt Risse, du bist nur ein ungreifbares Wesen, das sich vom Betrug ernährt.«

»Ich werde es erklären.«

Ihre Antwort kam ohne Zögern. »Wenn du etwas nicht kannst, dann ist es zu erklären. Ich bin deinen Fußspuren gefolgt, und es war, wie in einen Brunnen hinunterzuklettern, wo der Gestank vom Boden immer beißender wird. Ich habe erkannt, daß ich mit einem Mann verheiratet bin, den es nicht gibt, einem Schatten, der einen Blutkreislauf und ein Gehirn hat, der eigentlich nur eine Erfindung ist, eine Einbildung. Es ist ein ganz unerträglicher Gedanke, daß mein Kind ein erfundenes Wesen zum Vater hatte. Kannst du mir helfen zu verstehen? Ich bin dabei, den Verstand zu verlieren.«

»Ich muß erfahren, wie du mich finden konntest.«

»Ich komme her und sage, daß Laura tot ist. Du reagierst nicht, du sagst, daß du trauerst, aber das einzige, was du suchst, ist eine Erklärung dafür, wie ich dich gefunden habe.«

»Du kannst glauben, was du willst, aber ich trauere um mein Kind.«

»Du solltest darüber trauern, daß du der bist, der du bist. Es war mein Vater, der mir half. Nach Lauras Tod nahm er Kontakt mit dem Marinestab auf und erzählte, was geschehen war. Er durchbrach alle Barrieren, ich kann seine Stimme hören: *Ein Kind ist gestorben, mein Enkelkind. Sein Vater ist in einem geheimen Auftrag unterwegs, aber er muß natürlich von dem Trauerfall benachrichtigt werden, der ihn betroffen hat.* Es wurde ganz still. Mein Vater erzählte, daß es war, als würden alle nur staunen. Das gesamte schwedische Oberkommando der Flotte war fassungslos. Schließlich klärte ein Vizeadmiral meinen Vater darüber auf, daß du nicht mehr in der Marine tätig warst. Aber dann taten sie geheimnisvoll, man könne die Ursachen nicht offenlegen, nur daß du aus den Gehaltslisten gestrichen warst. Mein Vater drängte darauf, daß ich persönlich eine Erklärung bekommen sollte. Am nächsten Tag begleitete ich ihn zum Skeppsholmen. Der Vizeadmiral war da und andere Personen, von denen ich nicht mehr weiß, wer sie waren. Sie boten mir einen Stuhl an, sie sprachen mir ihr Beileid aus. Aber als ich verlangte, deine Adresse zu bekommen, damit ich dir einen Brief schreiben könnte, sagten sie, daß sie keine hätten. Die Adresse war nicht geheim, es gab sie einfach nicht. Dich gab es nicht. Mein Vater war bei mir, er stand hinter dem Stuhl und legte mir die Hand auf die Schulter, als er begriff, daß du der Marine nicht mehr angehörtest. Es gab keinen Auftrag, sie wußten ebensowenig wie ich selbst oder mein Vater, wo du dich aufhieltest. Was meinst du, wie sich das anfühlte? Erst verlor ich mein Kind, und dann erfuhr ich, daß ich mit einem Mann verheiratet war, der nicht existierte. Was meinst du, wie sich das anfühlte?«

Er antwortete nicht. Fieberhaft suchte er nach einem Ausweg. Es muß Welander gewesen sein, dachte er. Es gibt keine andere Möglichkeit. Er ahnte vielleicht, daß ich mich hierherbegeben hatte.

»Ich ging nach Hause, mein Vater begleitete mich. Ich war

wie gelähmt, aber seine Wut hielt mich aufrecht. Besonders als ich verstand, daß er argwöhnte, du seist es gewesen, der versucht hatte, ihn totzuschlagen.«

»Das ist nicht wahr.«

»Ich traue dir alles Erdenkliche zu, Lars.«

Sie benutzte seinen Vornamen, es war, als schlüge sie damit zu.

Ich kann zurückschlagen, dachte er. Es ist der äußerste Ausweg, daß ich sie umbringe.

Er stellte eine Frage, um sich Luft zu verschaffen. »Wem gehört das Boot?«

»Ist das wichtig? Es gehört einem Freund meines Vaters.«

»Ich wußte nicht, daß du segeln kannst.«

»Ich habe es als Kind gelernt. Als ich verstand, wo du dich vielleicht versteckt hattest, entschloß ich mich hierherzusegeln. Mein Vater protestierte, aber ich kümmerte mich nicht darum.«

»War es Welander, der dir gesagt hat, wo du mich vielleicht finden könntest?«

»Er kam zu mir nach Hause, einige Tage nachdem ich mit dem Marinestab geredet hatte. Ich wollte ihn erst nicht hereinlassen, aber er sagte, er habe das Gerücht über dein Verschwinden gehört und du habest ihn bei den Admiralen angeschwärzt. Außerdem sagte er, daß er vielleicht wisse, wo du dich aufhieltest, daß du öfter zu einer Schäre gerudert seist, als ihr zusammen gearbeitet habt.

Erst wollte ich nichts davon wissen, ich wollte dich nie wieder sehen. In der ersten Nacht, als ich begriffen hatte, wer du warst, sammelte ich all deine Kleider ein, deine Mäntel, Uniformen, Schuhe, und legte sie in einem Haufen auf den Boden. Am nächsten Tag holte Anna einen Lumpensammler, der alles mitnahm. Ich habe es mir nicht einmal bezahlen lassen. Ich wollte, daß du aufhörst zu existieren.

Aber mein Vater redete mir zu, er sagte, du solltest nicht in Sünde sterben dürfen. Er nahm Kontakt mit Welander auf, der nach einigen Tagen wiederkam. Da hatte er mit einem Gendarmen oder vielleicht Landpolizeikommissar hier in der Gegend gesprochen, der glaubte, daß du dich weit draußen am offenen Meer befändest.

Ich segelte aus den Schären heraus und nahm Kurs gen Süden. Bei Landsort wurde es windstill, ich hatte viel Zeit zum Nachdenken. Und ich frage mich immer noch: Warum hast du mich überhaupt geheiratet, wenn du einzig den Wunsch hattest, mich zu verletzen, mich zu belügen? Warum haßt du mich?«

Er schrak zusammen, ein Schatten hatte sich oben auf dem Klippenabsatz bewegt. Aber es war nicht Sara Fredrika, es war ein Vogel, eine Krähe, die aufflog und nach Norden über die Schäre verschwand. Die Zeit war knapp, er mußte anfangen, Kristina Tacker vor sich herzutreiben, statt sich unter ihren Anschuldigungen zu ducken.

»Daß ich von der Marine entlassen wurde, liegt ganz und gar an einem Mißverständnis, bei dem es darum ging, daß ich von Welander schmählich verleumdet wurde. Ich versuchte, ihn zu schützen, als er im Suff verkam, alles andere ist unwahres Geschwätz. Jetzt rächt er sich, weil er mir seine Schwäche gezeigt hat, weil ich Zeuge seiner Erniedrigung war. Er lag voller Erbrochenem auf dem Deck und mußte weggetragen werden. Aber ich konnte dir nicht sagen, daß ich entlassen wurde, es war eine solche Schande, eine solche Schmach. Ich fuhr hierher, um mir eine Art auszudenken, wie ich es dir beibringen könnte. Alles, was ich gesagt habe, war vielleicht nicht ganz korrekt, aber es hatte einen innersten Kern von Wahrheit.«

»Was sollte das sein?«

»Meine Liebe. Ich habe mich hierher in die Einsamkeit begeben, um mich selbst dafür zu bestrafen, daß ich nicht zu sagen vermochte, wie es eigentlich stand. Ich brauchte Zeit, Bedenkzeit, Zeit, um Mut zu schöpfen.«

»Aber die Briefe? Die Erfindungen, Phantasien.«

»Dasselbe, die Scham, die Schmach.«

»Wie soll ich dir glauben können?«

»Sieh mir direkt in die Augen.«

Sie tat es, wie er sie geheißen hatte. Er merkte, daß er allmählich wieder die Kontrolle gewann, die Abstände regulierte.

»Was siehst du?«

»Einen Menschen, den ich nicht kenne.«

»Du kennst mich. Wir sind seit bald zehn Jahren verheiratet, wir haben nahe beieinandergelegen.«

»Wenn ich dir zu nahe komme, fürchte ich, mich zu verbrennen. Du sonderst eine ätzende Säure ab. All diese Unwahrheiten …«

Sie unterbrach sich, ohne den Satz zu beenden.

»Das, was ich am wenigsten verstehe, ist, daß du versucht hast, meinen Vater totzuschlagen.«

Er verspürte ein gewaltiges Bedürfnis zu sagen, wie es war, daß es die verdammten Weihnachtsessen waren, die Verachtung seines Schwiegervaters für den Kapitän, der seine Tochter geheiratet hatte. Aber noch gab es keinen Raum für Wahrheiten. »Ich habe deinen Vater nicht angegriffen. Ich würde niemals Gewalt anwenden.«

»Du hast mich geschlagen, gerade eben.«

»Das war nur, damit du dich beruhigst.«

»Kannst du nicht ausnahmsweise mal die Wahrheit sagen? Kannst du es nicht versuchen? Deine Lügen legen sich wie Gewichte um meine Beine.«

»Ich habe gesagt, wie es war. Ich habe mich hier versteckt, um mich zu besinnen.«

Die Angst wanderte zwischen ihnen hin und her, wie Wellen ohne Ende. Ab und an warf er einen Blick auf den Pfad. Er wußte, daß die Zeit begrenzt war. Früher oder später würde Sara Fredrika sich fragen, wo er geblieben war.

»Ich will, daß du wieder heimfährst«, sagte er. »Ich habe den Befehl, meinen Auftrag zu Ende zu führen.«

»Es gibt doch keinen Auftrag! Ich habe es selbst vom Admiral gehört: Du bist kein Mitglied der schwedischen Marine mehr, du hast keine unabgeschlossenen Aufträge. Ich habe die Worte gehört. Kannst du nicht die Wahrheit sagen?«

»Du mußt verstehen, daß die Geheimhaltung nicht nur mich selbst betrifft. Er konnte nicht sagen, daß ich noch eine Aufgabe habe.«

»Was machst du denn auf dieser Schäre? Ich bin zwischen all diesen grauen Inseln herumgesegelt, ich habe kaum einen Menschen gesehen, hier draußen am offenen Meer herrscht der Tod.«

»Ich werde es dir erzählen, auch wenn ich es eigentlich nicht darf. Ich habe hier ein drahtloses Funkgerät, eine der genialen Erfindungen des Ingenieurs Marconi und des Admirals Henry Jackson für die Kommunikation zwischen Schiff und Land oder von einem Befehlshaber zum anderen. Wir probieren in aller Heimlichkeit ein schwedisches System aus, eine Variante des Systems, das die kriegführenden Mächte einsetzen.«

»Ich verstehe nicht, wovon du redest.«

»Unsichtbare Wellen, die sich durch die Luft bewegen, die eingefangen und gedeutet werden können. Jeden Tag muß ich zu bestimmten Zeitpunkten an dem Apparat warten, um zu empfangen und zu senden.«

Sie wog seine Worte ab. »Vielleicht ist es wahr«, sagte sie. »Zeige mir diese Insel, die dein Heim ist, zeige mir die unsichtbaren Wellen, die hier in der Luft herumtanzen. Zeige mir irgend etwas Wahres. Zeige mir, wie du wohnst, in einer Felskluft oder einer Hütte.«

»Du hast recht«, sagte er. »Eine Hütte, um darin zu wohnen, eine andere für meine Meßgeräte. Ich werde dir alles zeigen.«

Er grübelte verzweifelt, wie er sich der Situation entziehen könnte. Ihm wurde immer klarer, wo sein Platz eigentlich war.

Er war auf Halsskär bei Sara Fredrika und Laura zu Hause. Zum ersten Mal in seinem Leben gab es etwas, das er nicht verlieren wollte. Er war ein Fremder bei Kristina Tacker und ihren Porzellanfiguren, in den warmen und kalten Zimmern in Stockholm. All die Jahre, die er mit ihr verlebt hatte, hörten auf zu existieren. Das war die erste Lüge, dachte er, die konnte ich nie wahrnehmen oder kontrollieren. Wir hatten nichts gemeinsam, wir haben uns nur in einer Einbildung von Liebe getroffen.

Aber nicht einmal das ist wahr, dachte er. Ich kann nur für mich selbst sprechen. Sie muß etwas anderes empfunden haben. Sie ist nicht nur gekommen, um eine Lüge zu enthüllen, sondern auch, um zu verstehen, wie sie mir so viel Liebe geben konnte.

Sie hatte ihr Licht direkt auf eine kahle Felswand gerichtet, die nie warm wurde. In all den Jahren unseres Zusammenlebens habe ich selbst versucht, sie zu zähmen.

Es ist mir nicht gelungen. Sie ist wild geblieben, die Porzellanfiguren haben mich getäuscht. Sie hat noch ganz andere Seiten, als ich ahnen konnte. Unter ihrer ruhigen, fast trägen Oberfläche hat sich jemand anderes verborgen.

Er erinnerte sich an den Weihnachtsmarkt, als sie auf den Mann losging, der sein Kind schlug. Er hatte nicht die richtigen Schlußfolgerungen daraus gezogen, dachte er. Schon damals hätte er sehen müssen, daß sie ein Mensch war, der stärker war als er selbst.

188

Die Dämmerung war angebrochen. Sie froren. Plötzlich hörte er Schritte auf dem Pfad. Sara Fredrika tauchte am Weißdorndickicht auf.

Er fragte sich, ob sie da gewartet hatte, auf dieselbe Weise, wie er selbst gern unsichtbar wartete.

Sara Fredrika fuhr zusammen und blieb abrupt stehen. »Wer ist sie?«

Er antwortete nicht. Sein erster Gedanke war, ins Wasser zu flüchten. Das Segelboot konnte er kapern und auf die See hinaus verschwinden oder südwärts, zu einem der deutschen Häfen bei Kiel, wo er Zuflucht finden könnte.

Sara Fredrika erreichte sie und fragte noch einmal, wer die Frau an seiner Seite war.

»Ich weiß es nicht«, antwortete er.

»Du weißt es nicht?« sagte Kristina Tacker. »Du weißt nicht einmal mehr, wer ich bin? Wer ist sie? Was machst du hier überhaupt? Sagst du nie etwas, was wahr ist?«

Sara Fredrika packte ihn. »Wer ist sie?«

Er konnte nicht antworten. Er steckte in der Klemme, er vermißte sein Lot.

Die beiden Frauen überschütteten ihn mit Fragen, wer war sie, die aus dem Wasser gestiegen war, wer war sie, die ihn am Arm festhielt. Er sagte nichts, die Falle war zugeschnappt, alles würde bald vorüber sein, ohne daß er sich vorstellen konnte, wie es ausgehen würde.

Es waren Sara Fredrika und Kristina Tacker, die redeten. Aber er war es, den sie betrachteten, mit einem wachsenden Wahnsinn bei Kristina Tacker und Verzweiflung bei Sara Fredrika. Irgendwoher kam die Katze, sie schien die Kraftprobe zu ahnen und hielt sich abwartend auf Distanz. Er versuchte noch einmal, einen Ausweg zu finden, irgendwo in der Konstellation eine Schwäche auszumachen. Aber ihn überkam nur eine unendliche Erschöpfung und die Lust aufzugeben.

Irgendwo in den Klippen war auch das Gesicht seines Vaters, seine Augen würden sich bald aus dem Fels freisprengen.

Die steinernen Hände begannen sich über seinem Kopf zu erheben.

Schließlich sagte er, wie es war, ihm blieb nichts anderes

übrig. »Sie heißt Kristina. Sie ist meine Frau. Ich bin mit ihr verheiratet.«

»Du hast doch gesagt, deine Frau ist tot. Und dein Kind.«

Kristina Tacker tat einen Schritt nach vorn. »Hat er gesagt, ich sei tot?«

»Wer bist du?«

»Ich bin seine Frau.«

»Das kann nicht sein. Seine Frau ist einen Abhang hinuntergestürzt und hat im Fallen das Kind mit sich gezogen.«

»Da hat er dich angelogen, wer du auch bist. Ich lebe und bin mit ihm verheiratet. Und ich bin niemals einen Abhang hinuntergestürzt.«

Kristina Tacker stieß einen Schrei aus und begann den Pfad entlangzulaufen. Sie verschwand außer Sichtweite, ihr Gebrüll hallte zwischen den Klippen wider.

»Wer ist sie?« fragte Sara Fredrika noch einmal.

»Sie sagt die Wahrheit. Ich bin mit ihr verheiratet, ich habe es noch nicht geschafft, die Scheidung zu beantragen.«

»Aber du hast doch gesagt, sie sei zusammen mit deiner Tochter einen Abhang hinuntergestürzt.«

»Das war meine erste Frau. Ich habe nicht alles aus meinem Leben erzählt. Ich arbeite an geheimen Aufträgen, das steckt an, ich bin mir schließlich selbst ein Rätsel.«

Sie trat ein paar Schritte zurück, er sah, daß sie Angst hatte. »Was macht sie hier?«

»Ich weiß nicht. Sie ist mit dem Segelboot gekommen.«

Kristina Tacker kehrte zurück. Er versuchte, sie zu packen, um sie zu beruhigen, aber sie schlug seine Hände weg.

»Du rührst mich nicht an, nie mehr.«

Sie kehrte ihm den Rücken zu und fing an, mit Sara Fredrika zu reden. »Wer bist du?«

»Ich lebe hier mit ihm.«

»Mit ihm?«

»Was hast du damit zu tun? Es ist mein Leben, nicht deins.«

»Aber ich bin schließlich mit ihm verheiratet. Hörst du nicht, was ich sage?«

»Er ist nicht verheiratet. Er ist hier bei mir, und er wird mich in ein anderes Land mitnehmen. Ich will, daß du von hier verschwindest.«

Noch eine Stimme mischte sich ein, sie kam von weither, ein Kind, das weinte. In der Stille war es sehr deutlich zu hören. Kristina Tacker sah sich unruhig um, ehe sie verstand, was es war. Sie begann zu zittern und fiel zu Boden.

»Das ist mein Kind«, sagte Sara Fredrika. »Es ist meine Tochter. Sie heißt Laura.«

Kristina Tacker wimmerte und kroch weg, versuchte, sich in das Weißdorndickicht zu drängen.

»Ist sie verrückt? Sie wird sich an den Dornen stechen.«

»Sie ist krank«, erwiderte er. »Sie ist sehr krank, sie braucht Hilfe.«

Er versuchte, sie an sich zu ziehen, aber sie wehrte ihn mit gewaltiger Kraft ab. »Du rührst mich nicht an. Ich weiß nicht, was hier geschieht, ich höre Sachen, die zu glauben ich mich weigere. Du rührst mich nicht an und du rührst sie nicht an.«

Sara Fredrika hockte sich neben Kristina Tacker, die an dem Dornengestrüpp zog und zerrte.

Lars Tobiasson-Svartman betrachtete seine Frau. Sie war wie ein weidwund geschossenes Tier. Er war es, der geschossen hatte, er hatte ihr nicht den Gnadenschuß versetzen können, er hatte sie nur verwundet. Sara Fredrika zog sie heraus, Kristina Tacker leistete keinen Widerstand. Trotz der Dämmerung konnte er das Blut sehen, das von ihrem Gesicht rann, wo sie sich an den Dornen gestochen hatte. Sie hing wie tot in Sara Fredrikas starken Armen.

Er stand regungslos da. Die Katze hielt sich immer noch abwartend auf Distanz. Vier Meter, dachte er. Die Schatten machen es schwer, auf den Zentimeter genau zu schätzen. Aber die Katze sitzt vier Meter von mir entfernt. Kristina

Tacker und Sara Fredrika sind noch einige Meter weiter weg. Aber in Wirklichkeit ist der Abstand zu ihnen unendlich, und er wächst mit jeder Minute. Die Ankerseile sind gekappt, die Strömung und der Wind führen uns in verschiedene Richtungen.

Er dachte an das Eis. Die Rinnen, die sich öffneten, Menschen, die in der Winterkälte auf den Eisschollen in den Untergang trieben.

Vor allem aber dachte er an das Treibnetz, das er im Sommer des letzten Jahres gesehen hatte, das Treibnetz mit den toten Tauchenten und den Fischen. Da hatte er es als ein Bild der Freiheit gesehen. Aber er war nicht das Treibnetz, er war einer der toten Fische. Was er gesehen hatte, war sein eigener Untergang.

Er begann den Pfad entlangzulaufen, flüchtete von dort. Er stolperte und schlug mit dem Gesicht gegen einen Stein, die Lippen platzten auf. Es war, als hätte die Schäre selbst ihn in ihren Feind verwandelt und wäre zum Angriff übergegangen.

Das Segelboot lag draußen in der Bucht. Er watete in das kalte Wasser hinaus und kletterte an Deck. Aber die Segel waren am Mast festgezurrt, eine abgeschlossene Kette hinderte ihn daran, die Segel zu lösen. Auch die Ruder waren angekettet, sie hatte alles vorbereitet, sie hatte ihn allzuoft fortgehen sehen. Sie hatte es geschafft, seine Flucht zu verhindern, bevor sie im Wasser standen und einander anschrien. Er versuchte, die Kette mit einem Hammer aufzubrechen, der in einem Fach unter der Ducht lag. Die Kette rührte sich nicht, er sah, daß er das Ruder zerbrechen würde, wenn er weitermachte. Er warf den Hammer ins Meer und ließ sich auf die Bank sinken. Rings um ihn her war alles still.

Unter ihm, unter Kristina Tackers Segelboot, betrug die Tiefe 2 Meter und 25 Zentimeter.

Die Nacht verbrachte er im Boot.

Die Einsamkeit, das waren die Planken, die ihn umgaben. Die nassen Sachen hatte er mit ihren Kleidern vertauscht, die er im Vorschiff in einem Sack gefunden hatte. In einen ihrer Unterröcke gekleidet, erwartete er das Ende der Geschichte. Nach der langen Nacht, als das Licht wiederzukehren begann, sah er die Klippen wie riesige Bausteine für eine Kathedrale, die darauf wartete, erbaut zu werden.

Irgendwann in der Nacht war er eingeschlafen. Er träumte von Treibgut. Er ging einen Strand entlang und suchte, der Blasentang war ganz durchsichtig, der Geruch nach Schlick sehr stark. Schließlich fand er, was er suchte, einen Splitter von einem Heck. Der Holzsplitter war er selbst, aus seinem Zusammenhang gehauen, fortgetrieben.

Sein erster Gedanke, als er aufwachte, war, daß der Boden in ihm angefangen hatte, sich zu einer unendlichen, unmeßbaren Tiefe zu öffnen.

Ich weiß, wie man eine Lüge erschafft, dachte er. Aber es ist mir nicht gelungen, in der Landschaft zu leben, welche die Lüge erschuf. Der Betrüger lebt ein Leben, der Betrug ein anderes.

Er hörte Schritte auf dem Pfad. Es war Sara Fredrika, die kam. Das Licht der Dämmerung war immer noch grau, er fror, wie er da im Boot hockte.

»Komm an Land«, rief sie.

Er antwortete nicht, und er rührte sich nicht.

»Sie ist krank. Wenn sie hierbleibt, wird sie sterben. Es ist mir gleich, was du getan hast. Aber sie braucht Hilfe.«

Er watete an Land, seine feuchten Kleidungsstücke auf dem Kopf. Das kalte Wasser nahm ihm den Atem. Er begann zu schluchzen, aber sie schüttelte nur den Kopf angesichts seiner Tränen. Ihre Haare waren zerzaust, so wie damals, als er sie heimlich betrachtet hatte.

Sie hielt Abstand von ihm. »Ich weiß alles«, sagte sie. »Sie hat es mir erzählt. Ich kann es ertragen, auch wenn ich Senker an deinem Körper befestigen und dich hinaus in die Tiefe schleppen sollte. Ich kann es ertragen. Aber sie nicht. Das Kind war zuviel für sie. Eine einzige Frage habe ich, bevor mir die Worte ausgehen. Wie konntest du beiden Töchtern denselben Namen geben?«

Er antwortete nicht.

»Denk mal an, wieviel Scheiße aus einem kleinen Mann wie dir kommen kann. Sie quillt nur so aus dir heraus. Aber im Moment geht es nicht um uns. Es geht um sie. Ich glaube, sie ist dabei, verrückt zu werden.«

»Was soll ich tun?«

»Hilf mir, sie in ihr Boot zu bringen. Ich kann sie nicht in die Jolle nehmen, wenn sie durchdreht, kann sie sich über Bord werfen. Ich kann sie auch nicht fesseln. Ich kann keinen gefesselten Menschen an Land segeln.«

»Erträgt sie es, mich zu sehen?«

»Ich glaube, es gibt dich nicht mehr. Als sie das Kind gesehen hat, als sie den Namen hörte, ging irgendwas kaputt. Ich hörte es in mir, das Knacken von dem Zweig, der zerbrach, dem Lebenszweig in ihr.«

Sie sah zum Segelboot hinüber. »Ich habe noch nie ein so großes Boot gesegelt, aber irgendwie muß es eben gehen. Wie viele Segel hat es?«

»Zwei.«

»Ich werde das Boot segeln können, auch wenn es groß ist.«

»Wohin willst du sie bringen?«

»Ich werde dafür sorgen, daß sie nach Hause kommt.«

»Du kannst sie nicht nach Stockholm segeln. Es ist weit, du wirst es nicht finden.«

»Wenn ich dich gefunden habe, werde ich wohl auch die Fahrwasser nach Stockholm finden. Das Kind nehme ich selbstverständlich mit. Aber du wirst hierbleiben. Wenn ich zurückkomme, gehen wir fort. Ich verzeihe dir nicht alle deine Betrügereien, all die Falschheit, die du um dich verbreitet hast. Aber irgendwo in dir muß es etwas geben, das echt ist.«

Er streifte ihren Arm.

Sie zuckte zurück. »Komm mir nicht zu nah. Wäre ich nicht abgehärtet, würde ich verrückt werden wie sie. Eigentlich verdienst du einen Senkstein um den Leib. Aber ich kann den Gedanken nicht ertragen, noch mal einen Mann zu verlieren. Auch wenn er sich beträgt, als fehlte ihm das Innere, als wäre er mit bösen Absichten auf die Schäre gekommen, bei all seinem Lächeln und seinen schönen Worten.«

Sie gingen hinauf zum Haus. Er erschrak, als er Kristina Tacker sah. Ihr Gesicht war zerschrammt von den Dornen und Zweigen, ihre Kleider waren zerrissen und mit Erbrochenem beschmutzt. Sie saß auf dem Hocker und wiegte sich vor und zurück.

Sara Fredrika hockte sich vor sie hin. »Wir brechen jetzt auf, es bläst kein starker Wind, aber doch genug, um uns von hier wegzuschieben.«

Kristina Tacker reagierte nicht.

Sara Fredrika hatte einen Korb mit Proviant und einen anderen mit Kleidungsstücken gepackt. »Du trägst die Körbe«, sagte sie. »Ich übernehme sie und das Kind.«

Sara Fredrika ging an der Spitze, sie trug das Kind und stützte Kristina Tacker.

Ein Stück dahinter kam Lars Tobiasson-Svartman mit den beiden schweren Körben.

Wieder erlebte er es, als nähme er an einer Prozession teil. Hinter ihm gab es andere Teilnehmer, die er nicht sehen konnte.

191

Sie wateten hinaus zum Boot.

Der Herbstmorgen war klar, kalt, der schwache Wind kam aus Südost. Kristina Tacker war stumm, sie ließ sich durchs Wasser führen, als sollte sie getauft werden. Sara Fredrika brachte sie zusammen mit dem Kind in die Kajüte. Er stand da, das kalte Meerwasser bis zur Taille. Mit einem Schlüssel, den sie in einer Tasche von Kristina Tacker gefunden hatte, schloß sie erst die Kette um das Segel auf, dann die zweite, die das Ruder sperrte.

»Ich komme zurück«, sagte sie. »Ich sollte verschwinden, aber das tue ich nicht. Natürlich kannst du die Jolle nehmen und dich davonmachen. Aber wohin solltest du dich wenden? Du wirst auf mich warten, weil du keine Wahl hast.«

Sie holte den Anker ein und wies ihn an, das Boot hinauszuschieben. Er blieb im Wasser stehen, bis das Großsegel Wind gefaßt und sie Kurs nach Nordost genommen hatte.

Das Segelboot verschwand um die Landzungen herum. Er watete an Land.

Sein einziger Gedanke war, schlafen zu dürfen.

192

Die Zeit, die folgte, war wie ein Gespräch mit Schatten.

Er ging auf der Insel herum, kletterte auf die Klippen, tastete sich in Klüfte hinunter, die ihm Schutz vor den immer kälteren Herbststürmen boten.

In einer Nacht erwachte er von Kanonenschüssen und sah

Feuerschein am Horizont. Sonst schlief er tief und traumlos, mit der zusammengerollten Katze am Fußende der Pritsche.

Er ging nur fischen, wenn er Essen brauchte. Immer öfter hörte er Stimmen von den Klippen, von all denen, die einst dort gelebt hatten.

Einst haben hier Menschen gewohnt, dachte er. Sara Fredrika hat erzählt, daß sie ihre Rippen als Ruder benutzt hatten. Damals verstand ich nicht, was sie meinte. Aber jetzt sind die Worte ganz klar.

Sie kamen gerudert, die Schäre nahm sie mit Erstaunen auf. Sie segelten und ruderten, fischten und kamen um.

Einst haben hier Menschen gelebt. Niemand hat sie kommen sehen, niemand hat sie verschwinden sehen, nur die Klippe hat zum Abschied ihre steinerne Hand gehoben.

In den Klüften in Lee, in Schlupfwinkeln vor den kalten Herbststürmen, versuchte er sich vorzustellen, was geschehen war, als Kristina Tacker nach Stockholm kam. Aber er sah nichts, ihr Gesicht, sogar ihr Duft waren für immer verschwunden.

Er versuchte sich vorzustellen, was geschehen würde, wenn Sara Fredrika zurückkehrte.

Amerika, ihr großer Traum? Gewiß konnte er sich vorstellen, dorthin zu reisen, aber dann wollte er allein sein, ein schwedischer Kapitän, der sich in der amerikanischen Marine ein neues Leben aufbauen würde. Mit Sara Fredrika würde er auf keinen Fall reisen können.

Eigentlich war es das Kind, an das er dachte.

Laura Tobiasson-Svartman. Sie würde er auch in tiefer Dunkelheit sehen können.

Wenn er sie verließ, würde er sich selbst endgültig aufgeben.

193

Es war November, immer öfter gab es Frostnächte. Er wartete auf die Rückkehr von Sara Fredrika.

Der Herbst, das Warten, der Nordwind.

194

Eines Nachts wachte er davon auf, daß er geträumt hatte,
sie sei zurückgekehrt. Er ging in die Dunkelheit hinaus und
lauschte. Da draußen gab es nur das Meer, das rauschte.

Dann hörte er die Flügelschläge. Sausende Schwingen, die
letzten Zugvögel, die Schweden unter dem Nachthimmel
verließen.

Über seinem Kopf die mächtige Armada, die ihn zurückließ.

195

Am 4. November fiel der erste Schnee über dem Meer.
Er holte an diesem Morgen Netze ein, fühlte, wie das feuchte Schneegestöber ihn einhüllte. Der Wind war schwach,
er hatte das Segel nicht gesetzt, sondern ruderte langsam.
Vor dem Jungfrugrunden entdeckte er etwas, das im Wasser
schaukelte. Als er näher ruderte, sah er, daß es eine große
Mine war. Die Zacken ragten aus dem runden Körper hervor, der zum größten Teil unter der Oberfläche verborgen
war. Es war eine russische Mine, bestimmt hatte sie sich aus
einem Minenfeld losgerissen.

Er knüpfte eine Leine um das abgerissene Drahtseil und
zog die Mine an Land. Mit Hilfe eines Senksteins machte er
die Mine an Land fest.

Es war, als würde er anfangen, Halsskär zu befestigen.

196

Am Tag darauf, als er einen seiner ausgedehnten Streifzüge über die Schäre unternahm, beschlich ihn das Gefühl, Sara Fredrika habe ihn getäuscht.

Sie hatte nie daran gedacht zurückzukehren, sie war auf und davon, hatte Halsskär und ihn hinter sich gelassen.

Der Gedanke erfüllte ihn mit Panik. Er schwenkte mit dem Feldstecher übers Meer, aber da gab es kein Schiff.

Erst gegen Abend gelang es ihm, die Kontrolle über sich selbst wiederzugewinnen. Sara Fredrika würde wiederkommen, das hatte er in ihren Augen gesehen. Irgend etwas hielt sie bei Kristina Tacker zurück, aber früher oder später würde sie wieder in Halsskär an Land kommen.

Seine einzige Aufgabe war jetzt das Warten.

Sein einziger Auftrag.

197

Eines Tages, Mitte November, sah er eine pfeilschnell segelnde kleine Jacht über die Buchten gleiten. Es fiel ihm schwer, den Feldstecher ruhig zu halten. Er kannte das Boot, es war Engla, die kam. Das überzeugte ihn. Sara Fredrika war unterwegs. Endlich würde die Wartezeit vorüber sein.

Er ging hinunter in die Bucht. Es war kalt an diesem Morgen, er zog den Mantel enger um sich, befühlte die langen Haare, die über den Kragen fielen.

Als die Jacht hinter der letzten Landzunge hervorkam, sah er, daß Engla allein im Boot war.

Sara Fredrika war nicht zurückgekommen.

198

Engla ging vor Anker und watete an Land, den Rock über den Knien zusammengeknotet. Sie hatte einen starken Husten und fiebrige Augen. Sie gab ihm die Hand und überreichte ihm einen Brief, der in ihrem Kragenbund gesteckt hatte.

»Er ist zu mir gekommen«, sagte sie. »Von Sara Fredrika. Ich wußte nicht einmal, daß sie fort war.«

Er bemerkte ihre Neugier, kümmerte sich aber nicht darum.

»Du mußt heimsegeln«, sagte er. »Du hustest und hast Fieber.«

»Ich bleibe und warte auf Antwort.«

»Das ist nicht nötig.«

»Der Brief lag in einem anderen, an mich adressierten Brief. Sie bat mich, auf Antwort zu warten.«

Er versuchte, in ihrem Gesicht zu lesen. Was hatte Sara Fredrika ihr geschrieben?

»Es stand nichts anderes drin«, sagte sie. »Ein Gruß, daß es dem Kind gutgehe und daß ich auf Antwort warten solle. Falls es eine gebe.«

199

Sie gingen hinauf zum Haus. Engla nahm nur eine Schöpfkelle voll Wasser und setzte sich an die Feuerstelle. Er ging hinaus, um allein zu sein, wenn er den Brief las.

Er sah das Kuvert an. Es trug nicht Kristina Tackers Handschrift. Jemand anders hatte es nach dem Diktat von Sara Fredrika geschrieben.

Er zögerte, ehe er es wagte, das Kuvert zu öffnen. Es war, als würde er Atem holen, bevor er in eine große Tiefe tauchte.

Der Brief mit der unbekannten Handschrift:

Ich komme nicht zurück. Du bist noch da, aber nicht für mich. Ich verstehe jetzt, was ich nicht glauben wollte, daß der deutsche Soldat sich nicht das Leben genommen hat, daß Du ihn getötet hast. Warum, weiß ich nicht, ebensowenig wie Du wissen kannst, warum ich verstanden habe, was geschehen ist. Wenn Du diesen Brief liest, bin ich schon mit Laura unterwegs. Du wirst weder sie noch mich je wiedersehen, ich lege jetzt alle Entfernungen, die es gibt, zwischen uns. Mit dem, was es auf der Schäre gibt, kannst Du machen, was du willst. Ich werde nie verstehen, wer Du warst, Du verstehst selber kaum, wer Du bist oder sein wolltest. Kristina, die mir bei diesem Brief nicht helfen konnte, ist krank, ich fürchte um ihren Verstand, vielleicht kann sie nicht mehr in der Wirklichkeit leben. Wenn es ihr nicht bessergeht, wird sie in ein Krankenhaus für Nervenschwache geschickt werden. Mit dem Brief hat mir Anna geholfen, die bei Euch angestellt ist. Ich schicke diesen Brief an die Hebamme auf Kråkmarö, und ich bitte sie zu bleiben, bis sie sicher weiß, daß Du ihn gelesen und verstanden hast, und daß sie mir später darüber berichtet. Sie hat keine Adresse von mir, wird sie aber eines Tages bekommen. Meine Reise hat angefangen, und Du bist nicht mehr dabei.

Sara Fredrika im November 1915.

Er las den Brief noch einmal. Dann legte er sich rücklings auf die kalte Klippe und sah direkt in die Wolken hinauf.

Sie bewegten sich schnell, nach Südwesten.

Er stand auf, als er Engla aus dem Haus kommen hörte. Wieviel Zeit vergangen war, wußte er nicht.

»Ich habe den Brief gelesen«, sagte er.

»Sie bat mich zu bleiben, bis du genau das gesagt hättest. Was in dem Brief steht, weiß ich natürlich nicht.«

Sie gingen hinunter zur Bucht.

»Die Wolken sind unruhig«, sagte sie. »Das Novemberwetter wirft sich hin und her wie ein Tier, das in seinem Verschlag um sich tritt. Ich glaube, es wird einen langen Winter mit viel Eis geben.«

Er antwortete nicht.

Engla sah ihn an. »Ich habe dich nicht kennengelernt«, sagte sie. »Aber ich habe dein Kind entbunden. Jetzt sind Sara Fredrika und deine Tochter verschwunden. Ich habe das bestimmte Gefühl, daß sie nicht zurückkehren werden. Ich kann es nicht wissen, und es geht mich nichts an. Aber ich muß trotzdem die Frage stellen: Was geschieht mit dir? Wirst du hier auf der Schäre bleiben? Überlebst du hier? Nicht daß du nicht deine Nahrung aus dem Meer holen könntest, das schaffst du schon. Aber die Einsamkeit? Du, der aus einer Großstadt kommt, erträgst du die Einsamkeit, wenn die Stürme ernstlich losbrechen?«

»Ich weiß nicht.«

»Du solltest fortgehen.«

Er nickte. Sie wartete, ob er noch etwas sagen wollte, aber er starrte nur stumm vor sich hin.

»Dann verlasse ich dich«, sagte sie. »Du solltest weggehen. Ich glaube nicht, daß du das Leben hier draußen meisterst. Die Steine fressen dich auf.«

Er sah sie den Draggen einholen und den Schlick abschütteln, der hängengeblieben war. Als sie das Segel gesetzt hatte, drehte er sich um und ging davon.

Eines Tages kamen die beiden Knechte von Kettilö.

Das Gerücht, daß Sara Fredrika mit dem Kind fortgegangen war und ihn zurückgelassen hatte, machte auf den Inseln die Runde. Jemand hatte ein fremdes Segelboot sich Halsskär nähern sehen, es war eine Frau an Bord gewesen. Aber was auf der Schäre vorgefallen war, wußte man nicht. Nur daß der Seevermesser da draußen auf den Klippen wie ein räudiges Tier herumstrich.

Jemand behauptete, er habe sogar angefangen, auf allen vieren zu gehen.

Die Knechte hatten Branntwein bei sich und waren eines Sonntags hinausgesegelt, aus purer Neugier. Aber er schüttelte nur den Kopf, als sie ihm Branntwein anboten. Auf ihre Fragen gab er keine Antwort.

Als sie nach Hause gekommen waren, sagten sie, er sei bestimmt auf allen vieren gegangen, sobald sie ihm den Rücken gekehrt hätten.

Ein paar Tage vor Weihnachten ritzte er seinen Namen in eine Klippe auf der Nordseite. Die Klippe wurde immer vom Hochwasser überflutet. Es lag eine dünne Schicht Schnee über den Schären, die Temperatur sank jetzt stetig unter Null. Er hatte sich in eine Decke gehüllt, die er mit einem Strick um den Körper band. Er lebte weiter mit einer einzigen Frage, der einzigen, mit der er sich noch zu beschäftigen vermochte. Wie hatte sie wissen können, was an dem Tag auf dem Eis geschehen war, als der Deserteur starb? Er suchte vergeblich nach einer Antwort.

Er ging auf der Schäre umher, aß wenig, fütterte die Katze,

die immer scheuer wurde, mit kleinen Fischen. An jedem Tag ging er hinunter und kontrollierte, ob die Mine noch an ihrer Boje festgemacht war.

Zuletzt blieb nichts.

204

Es gab Augenblicke, da waren die Gedanken ganz klar. Da verstand er, daß er niemals einem Menschen hatte nah sein können, da er eine unvernünftige Angst davor hatte, sich selbst zu verlieren.

Es gab auch andere Augenblicke, in denen er sich die Kleider vom Leib reißen, sich waschen und aus dem Verfall hochziehen wollte.

An einem Tag mit schneidendem Winterwind segelte er nach Valdemarsvik, um Zeitungen zu holen. Er las vom Krieg, daß die Seeschlachten von ausgedehnten Kämpfen im Lehm von Flandern abgelöst worden waren. Ihn überkam ein starkes Gefühl, daß das Leben für alle gleich war und daß er wieder in seinen Abgrund versinke, keinen Widerstand leisten könne.

Er erkannte, daß das meiste in seinem Leben auf eine törichte Vorstellung gegründet war. Er hatte den Abstand bejaht, statt die Nähe zu suchen.

In dieser Zeit, an den Tagen vor Weihnachten, hatte er seinen Namen in die Klippe gemeißelt.

Hinterher verstand er, daß es sein Grabstein war, den er gestaltet hatte.

205

Am Weihnachtstag zog ein nördlicher Sturm über die Schären.

Er erinnerte sich, daß es genau dieser Morgen vor einigen Jahren gewesen war, an dem Sara Fredrika ihren Mann verloren hatte.

Als er auf die Klippen hinauskam, entdeckte er, daß die Mine sich aus ihrer Vertäuung losgerissen hatte. Er spähte in die aufgewühlte See, ohne sie zu sehen. Sie trieb jetzt hinaus ins Meer und in die Fahrwasser.

Ich nehme am Krieg teil, dachte er. Aber ich weiß nicht, auf welcher Seite.

206

Der Tod kam an Neujahr 1916.
Eines Nachts, als eine steife, hartnäckige nördliche Brise blies, begann die Hütte zu brennen. Er hatte es versäumt, den Abzug in Ordnung zu halten, es war ein Riß entstanden, durch den glühende Flocken gedrungen waren. Die Wand flammte auf, als wäre sie mit Benzin übergossen.

Er erwachte von dem starken Licht. Da war es schon zu spät, um das Feuer zu löschen. Er rettete das Lot, seine Notizbücher und seine Kleider aus der Hütte.

Es brannte schnell, alles war niedergebrannt, als der Morgen kam.

Er begann zu frieren, der Wind war schneidend.

Während der Nacht hatte er gemeint, Sara Fredrika und Laura im Feuerschein zu sehen.

Kristina Tacker hatte sich nicht zwischen den Flammen gezeigt. Sie war fort, stumm, er konnte nicht einmal mehr ihr Gesicht heraufbeschwören.

Gegen Nachmittag flaute der Wind ab. Das Meer lag wieder still da. Bald würde sich eine geschlossene Eisdecke bilden, wenn die Kälte anhielt.

Er fror, es wurde zu einem Schmerz, der sich dem Punkt näherte, an dem er unerträglich sein würde.

Der entscheidende Entschluß näherte sich lautlos, er kam schließlich wie eine Selbstverständlichkeit.

Möglicherweise gab es auch eine Spur Angst in ihm, aber es waren vor allem die Müdigkeit und die scharfe Kälte, gegen die er sich nicht wehren konnte.

Er fing an, die Katze zu suchen, um sie totzuschlagen, aber es gelang ihm nicht, die Katze würde die Kälte überstehen, sie wußte nicht, was der Tod war, sie würde nur sterben, wenn sie nicht genug zu fressen fand.

Er trug das Lot und die Notizbücher zur Bucht, packte alles in ein Netz und band einen Senkstein fest, bevor er es an Bord warf.

Plötzlich war es, als habe er es eilig. Er horchte auf den Wind und sah unruhig zum Himmel auf, ob es wieder zu stürmen anfangen würde.

Er wollte aufbrechen, solange das Meer still war.

Das Boot glitt aus der Bucht heraus.

Er ruderte zu der Stelle, wo die beiden deutschen Matrosen auf den Boden gesunken waren. Als er dort ankam, holte er die Ruder ein, setzte sich auf die Ducht und ließ das Boot treiben. Der Wind blieb immer noch aus, das Wasser war spiegelblank. Er hob das Netz mit dem Lot und den Büchern über das Süllbord und ließ es im Wasser versinken.

Ein letztes Mal versuchte er, an den glatten Wänden des Abgrunds emporzuklettern, glitt aber sofort wieder ab.

Er hatte beschlossen, daß es schnell gehen sollte. Der Senkstein war schwer, er nahm eine letzte Messung vor und bestimmte das Gewicht auf sieben Kilo. Das Seil des Steins schlang er sich um die Beine.

Aber zuerst zog er alle Kleider aus. Er wollte nackt sterben, das kalte Wasser würde ihn sofort betäuben.

Dann hob er den Stein über Bord und folgte ihm in die Tiefe.

Ein paar Tage darauf trieb das Boot am Leuchtturm von Häradsskär an Land. Einer der Lotsen erkannte Sara Fredrikas Segelboot.

Mitte Januar fror das Meer zu.

Die Eisdecke legte sich auch in diesem Winter 1916 über die Gräber in der Tiefe.

Nachwort

Dieser Roman spielt in einem Grenzland zwischen der Wirklichkeit und der von mir erfundenen Geschichte.

Ich habe viele Seekarten neu gezeichnet, Inseln umgetauft, Buchten hinzugefügt und andere weggelassen. Wer versucht, in den Fahrwassern zu segeln, die ich gezeichnet habe, muß mit vielen unbekannten Sandbänken und anderen Gefahren rechnen.

Im Dezember 2001 hat die schwedische Marine die Verantwortung für die Seevermessung in schwedischen Fahrwassern zivilen Organisationen übertragen. Ich hoffe, daß diese und auch frühere Generationen von Seevermessern der Marine mir verzeihen, daß ich mir meine eigenen Arbeitsabläufe geschaffen habe, wenn es darum ging, militärische Fahrwasser zu kartieren. Aber wahr ist natürlich, daß das Lot, das zu einem fernen Meeresboden hinabsank, das ursprüngliche Instrument war, an dem abgelesen wurde, wo ein Schiff sich am sichersten bewegen konnte.

Ich habe das Lot, das in dieser Erzählung vorkommt, in der Stadt Manchester anfertigen lassen. Das kann sehr wohl eine Tatsache sein, ist es vielleicht aber nicht.

Einige der Schiffe, die vorkommen, hat es tatsächlich gegeben, aber sie sind schon längst verschrottet und verschwunden. Andere Schiffe habe ich konstruiert, als wäre ich mein eigener Schiffsbauer, ich habe die Tonnage erhöht oder verringert, die Besatzung reduziert oder einen Artilleriekapitän hinzugefügt, wenn ich es für nötig hielt.

Ich bin, kurz gesagt, sehr eigenmächtig vorgegangen.

Einige der Menschen, die ich beschreibe, hat es tatsächlich gegeben. Aber die meisten sind nie auf den Inseln in dem schönen, kargen und zuweilen stürmischen Schärengebiet im Südosten Schwedens herumgetrampelt. Sie sind auch keine Bootsmänner oder Befehlshaber auf schwedischen Kriegsschiffen gewesen.

Trotzdem sehe ich sie vor mir. In den Schattenwelten der Geschichte und der Erinnerung, an den literarischen Stränden mischt sich das Treibgut der Phantasie mit dem der Wirklichkeit.

Ich bin vor einer langen Zeit, Anfang der 1990er Jahre, im feuchten Nebel des Schärengebiets von Gryt herumgerudert. Daraus entstand viele Jahre später dieser Roman, in dem das Wetter aufklarte und alles schließlich an einen eigenartigen Traum erinnerte.

Henning Mankell
MAPUTO IM AUGUST 2004

Inhalt